楽園のカンヴァス

原田マハ著

新潮社版

9987

目次

カバー　「夢」　アンリ・ルソー　一九一〇年　ニューヨーク近代美術館所蔵

楽園のカンヴァス

ルソーって誰のことだろう。わたしは知らなかったのです。けれど祝宴があって
みんながそれに行ってわたしたちも招《よ》ばれてるとあれば、ルソーが誰だってそん
なこと構ったことはありません。

ガートルード・スタイン「アリス・B・トクラスの自伝」

第一章　パンドラの箱

二〇〇〇年　倉敷

ここに、しらじらと青い空気をまとった一枚の絵がある。

画面に広がるのは、翼を広げて飛び立とうとするペガサス、その首に植物の蔓《つる》を投げる裸婦、彼女の足もとで花をつむ裸の少年。

ペガサスも、人物像も、それぞれの身体《からだ》はパウダーをはたいたように白く透明だ。細かい粒子が光を反射していちめんに漂っているかのようにも見える。それほどまでに青く、白く、まぶしい画面だ。

ペガサスの背後には切り立った山が見える。生の歓《よろこ》びに満ち溢《あふ》れているはずの春の森は静寂にさらされ、生々しい命の気配はない。とすれば、これは現実世界を描いたものではなく、天上の楽園を表したものなのだろうか。あるいは、画家が夢をみたそのままの風景なのだろうか。

早川織絵《おりえ》は、この絵の前で長らく立ち止まっていることが多い。監視員であるからには、美術館内のある一点の作品の前だけを守っていればよいというわけではない。館内の持ち場を一定時間動き回って、あちこちを見回る必要がある。が、織絵は近頃、この絵が特に気に入っていた。毎日毎日、飽かず眺める。眺めるうちに、聴こえてくる。白馬のいななき、翼がはばたく音。そして感じる、その周囲に巻き起こるささやかな薫風を。

ピエール・ピュヴィス・ド・シャヴァンヌが一八六六年に描いたこの作品は、縦二メートルを優に超える大画面だ。女流彫刻家クロード・ヴィニョンの邸宅の壁を飾るために描かれた四連作のひとつだという。他の三点がどんなものか見てみたい、と織絵は密《ひそ》かに願っていたが、どうにかがまんして調べずにいた。自分が興味を持った作品について調べ始めたらどういうことになるか。それは、この十数年間固く封印してきた「パンドラの箱」を開けてしまうようなものだとよくわかっていた。

四十三年間生きてきて、ひょっとすると、いまがもっとも美術作品《アートワーク》の近くに寄り添い、その目をみつめ、声を聴いているのではないか。そんなふうにも思う。

こつこつと靴音が近づいてくる。織絵は画面に注いでいた視線を展示室の出入り口に向けた。同僚の向田彩香《あやか》が口もとに微笑を浮かべてやってくる。持ち場を替わる時間になったのだ。

織絵と彩香はお互いに視線を交差させるが、何も言わない。織絵が立っていたシャヴァンヌの作品の前あたりで彩香が足を止める。休憩室ではにぎやかにおしゃべりをする仲だが、展示室内では必要最低限のこと以外、会話できない。口を結んだまま、織絵は展示室をこつこつと横断していく。渡り廊下を歩いて、次の展示室へと移動する。

展示室の隅にたたずんで、あくびをかみ殺している顔が目に入った。桃崎優梨子《ゆりこ》である。パートタイマーとして二カ月まえにここへやってきた彼女は、当初「大好きな絵を毎日見られる」とそれは喜んでいた。が、一週間で飽きてしまった。休憩室で顔を合わせると「一日が長《なげ》えわあ」とこぼす。二十三、四歳の娘にはさぞや退屈な仕事だろう。

閉ざされた空間に、滔々《とうとう》と流れる時間。朝十時から夕方五時まで、そこから逃れることはできない。どんな刺激も変化も事件もないし、あってはならない。八名の監視員たちは、無言で展示室から展示室へと一定間隔で渡っていく。六十分ごとに、順番に、玉突きのように、第一展示室から始まって第十展示室まで、沈殿する空気を音もなく攪拌《かくはん》しながら。

優梨子のあくびの涙目が、織絵の目と合った。気まずそうな顔になって、織絵に背を向け、やはり無言で去っていく。

こつこつと靴音を鳴らして、優梨子が立っていたあたりへ行くと、正面を向いて立ち止まる。

さて、今度はエル・グレコの描いた聖画と向き合う時間だ。

縦長の画面には荘厳《そうごん》な輝きが満ちている。舞い降りる金髪の天使、稲妻のようにまばゆく突き刺す天上の光。幸いなる人よ、主があなたとともにある——天使ガブリエルの言葉に戦慄《せんりつ》するマリア、その美しく歪《ゆが》んだ顔。けれどどこかその瞬間を待ち構えていたような堂々とした姿勢。もう何百回、その顔をみつめ続けてきたことだろう。もう何百時間、処女懐胎などという人類の夢想に向き合い続けてきたことだろう。

画家を知るには、その作品を見ること。何十時間も何百時間もかけて、その作品と向き合うこと。

そういう意味では、コレクターほど絵に向き合い続ける人間はいないと思うよ。キュレーター、研究者、評論家。誰もコレクターの足もとにも及ばないだろう。

ああ、でも——待てよ。コレクター以上に、もっと名画に向き合い続ける人もいるな。

誰かって？ ——美術館の監視員《セキュリティスタッフ》だよ。

ふいになつかしい会話を思い起こした。もう十何年もまえの、なんてことのない会話が、こんなふうに唐突に、そしてまざまざと蘇《よみがえ》ることがときおりある。ことに、ひとつの作品に気持ちを集中させているときなど、なんの脈絡もなく、ふっと。

老人がひとり、腰の後ろに両手を組んで、しげしげとエル・グレコを眺めている。老人はいかにも悠長な大あくびをひとつ、エル・グレコに向かって放つと、織絵と目を合わさないようにしながら次の展示室へと移っていった。

織絵は腕時計を見た。十時四十分。そろそろかな、と思ったら、案の定、第一展示室がざわざわとし始めた。

くすくす笑い合う声、夢中でおしゃべりする声。若々しい女の子たちの声だ。「静かに！」と小さく叫ぶ大人の女性の声が混じる。姿は見えなくても、女子学生の団体と引率教諭だとわかる。

学生の団体はもっとも注意が必要だ。作品にいたずらをする子供こそいないが、はめを外してはしゃぐ子供が多い。静かに鑑賞したい他の来館者を煩《わずら》わせる。監視員が注意を怠ると、他の鑑賞者から「注意してください」と文句を言われることもしょっちゅうある。

団体客が入るとまえもってわかっている日は、朝のミーティングで事務課長からその旨《むね》通達がある。何時から何時のあいだに何人、どういう団体がくるか。そして、監視員の注意レヴェルを引き上げる。

美術館の監視員の仕事は、あくまでも鑑賞者が静かな環境で正しく鑑賞するかどうかを見守ることにある。解説するわけでもなければ案内するわけでもない。ただ、「この画家は誰ですか」「何年の作品ですか」などと問われれば、最低限答えられるように展示作品について学んではいる。それ以外にも、トイレやショップなどの場所案内、気分がすぐれない人や泣きだす乳幼児、迷子への対応なども仕事のうちだ。ただし、よほどのことがない限り持ち場を離れることはできない。緊急に対応しなければならない事態が発生すると、椅子《いす》のそばにおいてある無線で警備員や事務室に連絡をし、誰かに来てもらう。監視員は鑑賞者のために存在するのではなく、作品と展示環境を守るために存在している。持ち場を一瞬でも離れたあいだに作品破壊《ヴァンダリズム》などが起ころうものなら大変なことになる。

監視員がそのすべての時間と心血を注いでみつめ続けなければならないのは、人ではない。作品とその周辺の環境だ。それに尽きる。

そう考えれば、いつか言われた言葉――学芸員よりも、研究者よりも、評論家よりも、そしてコレクターよりも、誰よりも名画に向かい合い続けているのは美術館の監視員である、というのは、確かに納得できる。

それは、ふだんこそ忘れているものの、ふとした瞬間に胸の裡《うち》に蘇り、ひっそりと織絵を励ましてくれる言葉だった。何気なくその言葉を口にした人物には、もうこのさき会うこともないのだが。

がやがやと足音が近づいてきた。くすくす笑いのあいだに、引率教諭がしーっと静粛を促すのが聞こえる。織絵は展示室の出入り口に意識を集中させた。

紺色のセーラー服に深緑のシルクのリボン。白鷺《しらさぎ》女子高校の制服を着た女の子たちが現れた。引率教諭二名を含め、一行は二十三名。ほとんどの高校生がそうであるように、彼女たちは大昔の聖画などにこれっぽっちも興味がない。あくびをしたり、腕を組み合ってひそひそと小声でおしゃべりに興じたりしている。注意するのをあきらめて、美術担当らしき女性教諭が控えめに説明を始めた。

「この作品が、エル・グレコの『受胎告知』です。エル・グレコはどこの画家か、知っとる？　わからん？　スペインの画家ですね。これは一六〇三年に完成したということじゃから、いまから四百年もまえのことなんよ。そんな昔むかしの絵が、いま、みんなの目の前にあるんよ。なあ、すごいと思わん？」

生徒たちの気を引こうとしてか、教諭は妙になれなれしい口調で話しかける。何人かの生徒はそれにつられてエル・グレコの作品に顔を向けた。織絵の中では教諭の説明に対してまず否定的な感情が立ち上がり、続いて肯定的な気分が広がった。

エル・グレコはギリシャ人で、三十六歳のときスペインに渡り生涯をスペインで過ごした。だから端的にスペインの画家、と言ってしまうと語弊がある。生徒たちには正しい情報を伝えるべきだ。

が、四百年もまえの絵が、いまここに、自分たちの目の前にある、という事実は、単純に「すごい」ことだ。エル・グレコ作品は、日本国内ではこの美術館が一点、国立西洋美術館が一点、合計二点限りしかない。特にこの「受胎告知」は画題も、大きさも、構図も、保存状態も、何もかもがこの館の「至宝」と呼びたい完璧《かんぺき》さだ。まさしくこの絵をここで目にすることができるのは、日本人にとって奇跡的なことである。どうやってこの美術館がこの至宝を手に入れたのか、その逸話こそ生徒たちに聞かせてやってほしいところだが、これをここで見られるのがすごい、という率直な言葉には同感だ。

生徒たちの反応はさまざまだった。ぽかんとして絵をみつめる子、爪《つめ》をいじっている子、あいかわらずひそひそと声をひそめて会話をする子たち……。

展示室の出入り口がふっと明るくなるのを視界の片隅にとらえて、織絵はその方向へ顔を向けた。白鷺の制服を着た生徒がもうひとり、遅れて入ってきた。明るく感じたのは、彼女の髪の色のせいだった。目が覚めるような明るい栗色《くりいろ》の長い髪を揺らして、少女は入ってきたのだ。織絵はその様子に目を凝らした。

髪は人工的な栗色ではなく、自然なやわらかさと艶《つや》をたたえている。豊かな明るい髪に囲まれた小さな顔は、西洋の血を感じさせる顔立ちだ。セーラー服と豪華な髪がひどくミスマッチだ。彼女に注目したのは織絵ばかりではない。あとから入ってきた何人かの一般客も、エル・グレコの作品よりもさきに少女に目を向けた。それほどまでに、少女は際立《きわだ》っていた。

突然、織絵はつかつかと少女めがけて近づいていった。少女はポケットからコンパクトを出してこっそりと開けたところだった。彼女のすぐ目の前に立つと、織絵は静かに言った。

「館内は飲食禁止です。事前に、先生に言われませんでしたか？」

少女は目を上げて織絵を見た。薄茶色の虹彩《こうさい》が展示室の照明を映してきらきらと輝いている。驚きも恐れもない、無感情な瞳《ひとみ》だった。

引率教諭がふたりに気づいて、「すみません。何かありましたか？」とグレコ作品の前から声をかけた。それには答えずに、織絵は少女に向かって続けた。

「ガムを噛《か》んでますよね？　すぐに出していただけますか。ここに」

ジャケットのポケットからハンカチを取り出すと、手のひらの上に広げて差し出した。少女は一瞬、ハンカチに視線を落とした。それから、ごくん、と音を立てて何か飲みこんだ。

「なんもねえよ」

そう言うと、少女は織絵に向かって口を開いて見せた。そして、桃色の舌を生き物のように二、三回、べろべろと動かした。

「ちょっと、何しよるん!?　失礼じゃが！」

教諭があわてて駆け寄った。少女は、ふん、と鼻で嗤《わら》うと、エル・グレコの作品には目もくれずに、次の展示室へと去ってしまった。

織絵が勤める美術館、大原美術館は、中国地方はもとより日本屈指の西洋美術コレクションを所蔵することで知られる。明治期より紡績会社を営んで財を成し、日本美術の蒐集家《しゅうしゅうか》でもあった大原孫三郎が創設者である。孫三郎は、友人で画家の児島虎次郎《こじまとらじろう》の渡欧を支援し、虎次郎は制作のかたわら、孫三郎のためにヨーロッパの美術作品を蒐集した。そのときに集められた作品群が、美術館の収蔵品の中核を成している。エル・グレコの「受胎告知」はパリの画廊で虎次郎に発見され、虎次郎はこの絵の写真を孫三郎に送って購入のための送金を依頼したという。一九二二年のことだ。

織絵は、いつも「受胎告知」の前に立つたび、七十八年まえのパリ、とある画廊の薄暗い一室にこの作品が飾られていただろう場面を想像する。そして、そこへ偶然歩み入ったひとりの東洋人画家、その慧眼《けいがん》に感謝したい気持ちになる。

そうなのだ。美術品との出会いは偶然と慧眼に支配されている。

希少性の高い優れた美術品が市場に出てくるのは偶然に委《ゆだ》ねるほかはない。所有者がなんらかの理由で――現金収入や他の作品の購入資金を得るために――画廊やオークションハウスに委託するのも計画的なものではない。気まぐれにこれを出してもいいという気分になったり、急に現金が必要になったり、偶然のタイミングが所有者に訪れない限り、一度コレクターの手に落ちてしまったものはなかなか出てこないのだ。個人のコレクションは所有者が限定的に愉《たの》しむもの、もしくは所有しているだけで満足するもの。それがコレクターの心理というものだ。極端なコレクターは、自分が死ぬまで、あるいは死んでも、転売も公開も許さないこともある。日本のバブル期にゴッホの名作を手に入れたある実業家は、「おれが死んだら作品も一緒に燃やしてほしい」とうそぶいて世界的な顰蹙《ひんしゅく》を買った。しかし、実のところそれがコレクターの本音なのではないか、と思う。

作品が偶然市場に姿を現したとき、今度はそれを見る者の慧眼が必要になる。芸術家の名前や制作年のみで作品を見る者もある。しかしいかなる著名な芸術家にも完璧ではない作品——ときに駄作と呼ばれるもの——がある。制作年にこだわるのも危険だ。世に知られた作家の最良期《プライムピリオド》とは、えてしてそう長い期間ではなく、その時期に制作された作品の数は限定的である。だから、プライムピリオドを謳《うた》っている作品には、ときとして贋作《がんさく》の可能性がつきまとうのだ。名前や制作年のような、いってみれば「記号」に頼るのではなく、作品そのものの力と「永遠性」を見抜く慧眼を見る者が持っているか。そしてその慧眼を持ち得た者が、作品を獲得するのに十分な財力を保持しているかどうか。

偶然、慧眼、財力。名作の運命は、この三つの要因で決定される。エル・グレコ「受胎告知」は、この三つを完璧に得て、大原美術館のコレクションとなり、いま、ここにこうして展示されている。

「無理ですよねえ。どんなに名画じゃゆうても、高校一年生には高度すぎるわあ。今日の団体見学、先生の説明やこ、誰ぇも聞きよらんかったもん」

　その日の勤務を終えて、織絵と一緒に館を出た桃崎優梨子は、駅への道々、そんなことを言った。

「桃崎さんも、高校生のときはそんな感じだったの？」

　織絵は訊《き》いてみた。数年まえまでこの監視員も高校生だったのだ。

「まあ、そうですねえ。やっぱり大原美術館に見学にきたんじゃけど、あんまり興味ねかったなあ。ゲームボーイとか、アイドルとかに夢中じゃったけん。美術館よりも、行きたいところは東京ディズニーランドじゃったなあ。いまもじゃけど」

　くったくなく笑う。織絵も笑った。

「早川さんが高校生んときは、どねえな感じじゃったんですか？　岡山に住んどられたんですか？」

　優梨子はそう訊いてから、

「早川さん、岡山弁を話されんけえ。きれいな標準語じゃから東京の人じゃねえん？って向田さんが言うとられました。そうなんですか？」

　と付け加えた。

自分の身の上については、同僚たちには特に詳しくは話していなかった。簡単に話してもおおげさに聞こえる身の上だったし、詳しく話すのは面倒くさかった。

「私、高校生のとき、日本にいなかったの」

織絵の答えに、優梨子はえぇーっと意外そうな声を上げた。

「へえ、そうじゃったん。ほんじゃあ、帰国子女ってやつですか？」

「まあ、そうなるのかな」

「日本じゃのうて、どけぇおられたんですか？」

「んー。……パリ、だけど」

少し言い澱《よど》んで返すと、ええーっ、とまた、優梨子は声を上げた。

「うわー、ええなあ。お父さんのお仕事とかで？　ほんじゃ早川さん、フランス語しゃべれるんですか？」

織絵は微笑《ほほえ》んで答えなかった。優梨子は、ええなあ、ええなあ、としばらく繰り返していたが、織絵が会話に乗ってこないので、やがて口をつぐんだ。

美術館から駅前の目抜き通りである元町通りへと続く美観地区には、ゆるゆると水路が通っていた。緑の水面に、立ち並ぶ蔵の白壁がさかさまに映っている。川端の柳が新緑の枝を夕暮れの風に放って揺らしているのを、織絵と優梨子は並んで歩きながら、それぞれに見やっていた。

水路が途切れたあたりまで来て、優梨子は、「そういえば」と再び口を開いた。

「今日、白鷺女子の子で、でーれえきれいな女の子が……きれいな茶色い髪の子がおりましたね。見られました？」

織絵は黙ったままだ。優梨子は、仕方なくまた口を結んだ。元町通りへ出ると、優梨子は笑顔で言った。

「ほんなら、また明日。ここで失礼します」

軽く会釈《えしゃく》をして、駅と反対方向へ小走りに行ってしまった。いつもは駅まで一緒に行くのに、織絵が黙りこんでしまったので、なんとなく気まずくなったのだろう。織絵は小さく肩で息をついた。

昔から、自分にはこういうところがある。ある一線からこっちへ、他人を踏みこませようとしないところが。

パリにいた高校生の頃もそうだった。最初はフランス語がままならないこともあったのだが、同級生の誰にも心を開かなかった。唯一《ゆいいつ》心を開いたのは、美術作品。ちょっと出かければ、街のいたるところに美術館があり、名画があった。ダ・ヴィンチも、ダヴィッドも、モネも、ピカソも、語りかければ必ず何か応《こた》えてくれるかけがえのない友人だった。

大切な友人たち。だから、もっと知りたい――と思っていた。

倉敷駅から山陽本線上りに乗って、二つ目の庭瀬で降りる。織絵の自宅は、駅から徒歩十分の住宅街にあった。

「ただいまあ」

玄関のドアを開け、声をかける。おかえり、と台所から返事が聞こえる。味噌汁《みそしる》の匂《にお》いと湿気が充満する台所へ入っていくと、流し台の前に立つ母が後ろ姿で訊いた。

「今日、真絵《さなえ》ちゃん、あなたのとこへ行ったの？」

うん、と織絵はため息とともに答えた。

「態度悪かったよ。館内は絶対に飲食禁止だって、今朝出かけるまえに言っといたのに。ガム嚙んでた」

母はくすくすと肩を揺らした。

「まあ、そういう年頃よ。あなたもそうだったじゃない」

「私は美術館でガム嚙んだりしなかったよ。美術館に行くときは、いつも真剣だったもの」

「そうねえ。ピカソと結婚したい、なんて言ってたわよね。お父さん、驚いてらした。

忘れられないわ、あのビックリ顔」

振り向いた母は温和な笑みをたたえていた。母は、いつもこうして微笑みながら台所に立ち、家事をこなし、学校や仕事から帰ってくる自分を迎えてくれた。織絵は、もう長いことこの笑顔に守られ、支えられてきた。

大手商社に勤務し、フランス支社長を務めて、将来を嘱望されていた父が不慮の交通事故で他界したときも、母は取り乱すことはなく、葬儀で微笑を浮かべて弔問を受けた。当時パリ大学に通っていたひとり娘の織絵をパリに残し、郷里の岡山へ帰るときも、母は微笑んで手を振りながら去っていった。そして、織絵が身ごもり、未婚のまま子供を産むと決意して岡山へ帰ってきたときも、何も問わず、ただ微笑んで、ぎゅっと抱きしめてくれたのだった。

そんな母が、一度だけ、涙をこぼしたことがある。娘の真絵が生まれたときだ。さきに涙をこぼしたのは織絵だった。それまでぎゅうぎゅうにためこんでいたものが、赤ん坊が生まれた瞬間に全部出た。赤ん坊の元気な泣き声を聞いて、固結びのひもがするりとほどけたように、織絵はぽろぽろと涙をこぼした。泣きじゃくる娘を抱きしめて、がんばったね、織絵ちゃん、よくがんばったね、と母も泣いた。悲しい涙ではない。織絵の額にぽつぽつと落ちてきた母の涙は、あたたかだった。

あれから十六年。

玄関で、バタン、と派手にドアが閉まる音がした。同時に台所の壁がビリビリと震える。小さな古い戸建はあちこちが緩んでいるのだ。「おかえりなさい」と母が廊下に向かって声をかける。返事はなく、タッタッタッ、と階段を駆け上がる音が響く。真絵の帰宅時はいつもこんな感じだが、昼間の出来事もあり、織絵はむっとして台所を出た。

二階の娘の部屋の前までいくと、大音量でJ-POPの曲が流れ出した。織絵はいきなりドアを開けて、「うるさいっ」と叫んだ。

明るい栗色の髪がふっと揺れて、小さな白い顔が振り向いた。無感情の瞳。美術館で注意したときと同じだ。織絵は大股《おおまた》で部屋の中へ歩み入ると、CDプレイヤーの電源を切った。肩で息をついて、織絵は言った。

「近所迷惑だからやめて。このまえも、お隣の難波さんから苦情がきたんだからね」

真絵は露骨にそっぽを向いて、「そんなん、知らんが」、ぼそっとつぶやいた。

「あんたは知らんでも、おばあちゃんが悪く言われるのよ。ここはもともとおばあちゃんの家なんだから、ご近所はどうしたっておばあちゃんを悪く見るの。わかる？」

真絵は黙っている。やはり無表情だ。笑いも怒りもしない娘の無表情が、織絵には耐えられなかった。

「ご飯のしたくできてるから。下りてきなさい」

目を合わせずに言って、部屋から出ていこうとした。すると、

「難波のおばちゃんがおばあちゃんを悪ぅ言うんは、お母さんのせいじゃ」

冷たい声が響いた。

「『早川さんちの織絵さんは、お嫁にも行かんとお腹《なか》大きゅうして帰ってきよって、合いの子やこ産んでから。でーれえ進んどるわ』言うとったけえ」

針金で縛り上げられたように、織絵はその場に立ち尽くした。すぐに、創作だ、と気づいた。真絵の作り話だ。いくら嫌味な人でも、隣人がわざわざそんなことを高一の娘に言って聞かせるはずがない。

織絵は振り向くと、怒りが爆発しかけるのをどうにか抑えながら、「いいかげんにしなさい」と震える声で言った。

「そんな作り話、おばあちゃんに言ったら許さないからね」

母親の火のような目を、水のような目で娘はみつめ返した。そして、

「言うわけねえが」

やはり冷たい声でつぶやいた。

「小六んとき、難波さんとこのえっちゃんに聞いたことじゃけ。うちのお母さんがそう言いよったよ、って」

なあ真絵ちゃん、なんで真絵ちゃんのお母さんは結婚しないのにお腹が大きくなったん？　真絵ちゃんのお父さんはどこにおるん？

隣家の同い年の娘、悦子は、家族が噂《うわさ》するのを耳にして、真絵に直接訊いたのだ。無邪気を装《よそお》いつつ、少女らしい悪意がいつも悦子にはあった。生まれたときから父はなく、母から父のことを聞かされたこともない。真絵は何も答えられなかった。

地方の小さな町で、織絵たちは孤立した存在だった。もともと、恵まれ過ぎていた織絵の母への周囲のやっかみから孤立は始まっていた。

織絵の母は県下きっての秀才で、東京の名門女子大へトップの成績で進学した。その後、大手商社に就職し、エリート社員と結婚する。夫の駐在でニューヨーク、パリに住み、高級アパートに暮らした。アメリカで生まれ育ったひとり娘の織絵は幼い頃から美術鑑賞に親しみ、英語、フランス語を難なく操り、リセを首席で卒業、パリ大学に通って美術史を学んでいた。夫は大手商社のフランス支社長、娘は名門大学生。何不自由のない、健康で幸福な生活。まさしく、人もうらやむ人生を歩んでいたのだ。

しかし、織絵の父が事故で他界して、母娘の生活は一変した。

夫を亡《な》くしてから、織絵の母は故郷でひとり暮らしをしていた老母の面倒をみるためにこの家へ帰ってきた。近所の人々は「大変じゃったなあ」と表立っては慰めもしたが、裏では「いままでがうまくいき過ぎたんじゃ」とおもしろがられた。夫の遺族年金や保険金を得たことをやっかみ、「だんなが死んでも優雅なもんじゃ」と陰口を叩《たた》かれた。しばらくして、今度は織絵が未婚のまま妊娠して帰ってきた。しかも生まれた子供は西洋人が父親であると想像させる顔立ちだった。近隣にはいよいよおもしろがられて、あらぬ詮索《せんさく》をあれこれされた。織絵の祖母は、織絵を遠ざけ、ひ孫の真絵もあまり可愛《かわい》がらなかった。真絵が五歳のとき、祖母は他界した。お前たち、こけえ帰ってこんほうがよかったかもしれんなあ……と、ひと言、遺《のこ》して。

真絵は、すれ違いざまに振り向かずにはいられないような美少女に成長した。それがまた、彼女の孤立を深めた。小学校の高学年になってからはいじめが加速した。染めとんじゃろ、と髪を引っ張られ、合いの子と呼ばれてからかわれた。小六のとき、担任の男性教諭に変質的に気に入られ、いたずらされそうになったこともある。真絵は震えながら、服を脱がされそうになった、と母に打ち明けた。織絵は烈火のごとく怒って学校へ乗りこんだ。しかし学校の対応は氷のように冷たく、そんな事実はない、の一点張りだった。織絵には、それ以上どうすることもできなかった。

あれからずっと、真絵は、世の中に対しても母に対しても、心を閉ざしたままだった。彼女がほんの少し心のドアを開けてみせるのは、唯一、彼女の祖母に対してだけだった。

「真絵ちゃん、どう？　そのコロッケ、おばあちゃんの手作りよ。おいしい？」

母と織絵と真絵、三人で食卓を囲む。真絵がかろうじて食卓に着くのは、この優しい祖母のためだった。

どんなに孤立しようとも、嫌味を言われようが陰口を叩かれようが、悠々と微笑をたたえている。女らしく、たくましい人だ。口にこそ出さないが、真絵は密《ひそ》かに祖母を慕っている、とわかっていた。

もしもこの母がいなくなったら、私と真絵はどうなるんだろう。さくさくとコロッケを口の中で潰《つぶ》しながら、そんなことを織絵は思った。真絵との希薄な関係を、ただ一点、繋《つな》ぎ留めてくれている存在。母がいなければ、自分と娘はまともに会話すらできないのだ。祖母がいなくなった家には、真絵は帰ってこなくなるだろう。自分だって同じだ。こんな家に、どうして帰ってきたいものか。

「今日、お母さんの美術館へ行ったのよね？　どの作品がいちばん気に入ったの」

さりげなく母が訊《き》いた。それは、実は織絵がいちばん尋ねてみたかったことだった。

けれど、何も答えてくれなかったらこっちが傷ついてしまいそうで、できなかったのだ。

真絵は何も答えなかった。織絵は顔には出さなかったが、心底がっかりした。やはり、この子はエル・グレコの前で平気でガムを嚙《か》むような子なのだ。私の「大切な友人」の前でにこりともしないような子なのだ。

食事を終えると、真絵は無言のまま二階へ上がっていった。母はお茶とイチゴを盆に載せて、真絵の部屋へと運んだ。もう大音量の音楽は聞こえてこなかった。

後片付けをする織絵の肩を、母のやわらかな手がそっと叩いた。振り向くと、微笑を浮かべた母が、「これ」とポストカードを差し出した。

「私に、おみやげですって。いちばん気に入った絵だそうよ」

織絵はエプロンで手を拭《ぬぐ》うと、手のひらに載せられたポストカードに視線を落とした。

青に緑の植物柄のテーブルクロス、その上の白い鳥籠《とりかご》。黄色い小鳥が翼をばたつかせている。籠の向こう、窓の外には薄青の空が広がっている。

小鳥は、自由を求めてはばたこうとしている。けれど、決してかなわない。そんなふうにも見える絵――。

一九二五年、パブロ・ピカソは四十四歳だった。ピカソは九十一歳まで生きるのだから、画家としてはまだ中期にかかる頃だ。この年のピカソを、織絵はけっこう好きだった。シュルレアリスム運動が起こり、新しい芸術思想と革新的な表現の発見に、ピカソは胸を躍らせたに違いない。

新しい芸術を創る、あるいは芸術をぶっ壊す。狂ったように押し寄せる前衛芸術の波を、彼は被《かぶ》りはしなかった。なぜなら彼こそが、その津波を引き起こした張本人なのだから。

一九二五年、パブロ・ピカソ作「鳥籠」の近くに立って、織絵はいつものように作品とその周辺を凝視していた。真絵が祖母へのみやげに選んだ一枚のポストカード、その原画を眺めて、ふいにいつもと違うことを思いついた。

この鳥は、鳥籠の中にいないんじゃないか。

空っぽの鳥籠がテーブルの上にあって、たまたま窓辺に鳥がやってきてとまった。それがこちらから透けて見えているだけなのだ——と。

この展示室でたたずむたび、いつも思っていた。この鳥は苦しそうだ、ずいぶんじたばたしている。窓の向こうの空はあんなに青くて広い。そこへ飛び立てないのが苦しくてたまらないのだ。ヒトラーが独裁者として台頭し、ファシズムがヨーロッパに不気味な影を落とし始めていた時代に、ピカソは囚《とら》われの鳥を描くことによって、自由への渇望《かつぼう》を暗示していたのではないか。そんなふうに、少々おおげさに構えてこの作品に向かい合っていた。この鳥を逃がしてやりたい、と考えたりもした。偉大な画家に閉じこめられてしまった、永遠の籠の鳥を。

だから、偶然とはいえ、真絵がこの絵をわざわざ選んだのが、なんとなく苦しかった。あの子もまた、大空へ飛び立てない囚われの小鳥のように自分を感じているのだろうか。いや、そうじゃない。あの子は自分には翼があるなどとは意識していないだろう。かつて翼があったのに、もうはばたけないと感じているのは――私なんじゃないか？

もう飛べないのだ、という事実を、いまさらながらに娘に突きつけられたようで、苦しかった。

しかし、ふいにいき当たった新しい「視点」――偶然、空から鳥が窓辺にやってきて、テーブルの上に置いた籠の中に入っているように見える、という発見に、織絵は密かに興奮した。

そうだ。題名《タイトル》をよく考えてみればいい。「籠の鳥」ではなく、「鳥籠」。ピカソは

「鳥」を描いているのではなく、「籠」を描いているのだ。そう気がついたとたん、突風に吹き上げられるように、足もとからさあっと鳥肌が駆け上がってきた。織絵は無意識に腿《もも》の上に揃《そろ》えていた両手をぎゅっと握りしめた。

名画はときとして、こんなふうに、人生に思いがけない啓示をもたらしてくれる。それが、名画が名画たる所以《ゆえん》なのだ。構図や、色彩や、バランスや、技巧の秀逸さばかりではない。時代性、対象物への深い感情、ひらめき、引きの強さ、言うに言われぬむずむずした感じ。見る者の心を奪う決定的な何かが、絵の中にあるか。「目」と「手」と「心」、この三つが揃っているか。それが名画を名画たらしめる決定的な要素なのだ。

早川さん、と囁《ささや》き声で呼ばれて、我に返った。傍らに、優梨子がたたずんでいる。

「あっ、ごめんなさい。お願いします」

織絵はあわてて移動しようとした。ときどきあることなのだが、作品を凝視していると、「あっち側」の世界に入りこんでしまって、時間の感覚がなくなることがある。時間どころか、自分がどこにいて何をしているのか、現実感を逸してしまうことすらあった。それでは監視員の仕事は務まらないとわかっているのだが、子供の頃からの習癖はなかなか変えられるものではない。

ところが、優梨子は意外なことを告げた。

「違うんですよ。小宮山《こみやま》さんが、すぐ学芸課まで来てほしい、言うておられるんです。さっき、休憩から戻る途中で呼び止められて。早川さんに伝えてほしい、って」

織絵は首をかしげた。この美術館に監視員として勤めてかれこれ五年になるが、総務課はさておき、学芸課に呼び出されたことなど一度もない。何も思い当たらないまま、早《は》よう、と優梨子にせかされて展示室を出た。

学芸課のドアをノックして、「失礼します」と恐る恐る開ける。島型に並んだデスクの一番奥に学芸課長の小宮山晋吾《しんご》が座っている。ドアの向こうから織絵が現れたのを視界に認めると、「ああ、そこで待っててください」と立ち上がって声をかけた。

学芸課を出てきた小宮山は、廊下に突っ立っている織絵に向かって、

「すみませんね、急に呼びだしちゃって。一緒に来ていただけますか、お時間取らせませんので」

そう言って明らかに愛想笑いをした。織絵は、少し頭を下げた。

織絵より四歳年上の小宮山は、東京・世田谷の美術館で学芸課長を務め、この春、大原美術館へ移ってきたばかりだった。昨年館長に就任した、国内屈指の西洋美術史家・宝尾義英《たからおよしひで》の東都大学教授時代の教え子で、近・現代美術の重要な展覧会を数々手

がけるやり手キュレーターだ。学生時代から小宮山に目をかけていた宝尾が、自分が館長に就任する際の条件のひとつとして挙げていたのが、世田谷から小宮山を引き抜くことだった。宝尾と小宮山という近・現代美術の権威が着任することによって、大原美術館は名実ともに日本最高峰の美術館のひとつとなった。

なんの説明もなくすぐ隣の館長室に行こうとする小宮山の背中に向かって、織絵は、あの、と思いきって声をかけた。

「私、何か出過ぎたこと、したのでしょうか。……きのうの団体鑑賞の、白鷺女子高から苦情があったとか？」

小宮山が振り向いた。

「何か心当たりがあるんですか？」

「いえ、あの……ガムを嚙んでいた生徒がいまして」

自分の娘とは無論言わなかった。小宮山は、あまり興味のなさそうな表情で訊いた。

「注意したんですか？　その生徒を？」

「ええ、まあ」

「だったら、あなたは監視員として正しいことをしたんじゃないんですか？」

「でも、その生徒がガムを飲みこんでしまって。『ガムなんか嚙んでない』って」

小宮山は一瞬、目の周りの皮膚をぴくりとさせたが、ははは、と声を出して笑った。

「なら、もう解決したことじゃないですか。学校があなたに何か苦情を言う必要があるんですか」

織絵は消え入りそうな声で、

「『うちの生徒におかしな嫌疑をかけた』とか……」

そうであってほしいかのように、無理やり考えついたクレームを口にしてみた。小宮山は織絵の表情の変化を追いかけているようだったが、

「まあとにかく、そういうことではありませんので」

きっぱりと言ってから、館長室のドアを二度、短くノックした。

「どうぞ」と中から声がした。織絵はにわかに緊張を高めた。

ドアの向こうには、長い木製のテーブルと、その前に椅子《いす》がずらりと並んでいた。その奥に重厚な横長のデスクが据えられている。デスクの上には書籍や書類が絶妙なバランスで蟻塚《ありづか》のごとき山を成しており、現代美術のインスタレーションのようにも見えた。その書類の塚を背にして長テーブルに着席していた男が顔を上げた。長く伸びた白い眉《まゆ》、それとは対照的に形よく刈りこんだ真っ白な口髭《くちひげ》が研究者然としている。館長の宝尾義英だ。

「早川さんをお連れしました」

小宮山が告げた。その声には、要人を連れてきたような誇らしげな響きがあった。宝尾はうなずいて、自分の前に座っているもうひとりの人物に、来ましたよ、と目で語りかけた。

後ろ姿の人物が、スーツをきちんと着こんだ体をよじりながら立ち上がり、ドアのほうを向いた。織絵は入り口で立ちすくんだまま動けなくなった。まったく見知らぬ中年の男だった。男は、どうも、これはこれは、お越しいただいて恐縮です、と言いながら、銀縁眼鏡をかけた顔いっぱいに愛想笑いを広げている。固まってしまっている織絵を、小宮山が「入ってください。遠慮なさらずに」と促した。勧められるままに、織絵は館長の隣の椅子にごく浅く腰かけた。

「早川さんですね。いつもお勤めご苦労さま」

卓上に恰幅《かっぷく》のいい上体を乗り出して、宝尾が真横に座った織絵に声をかけた。場を和まそうとしてか、気さくにしているのがわかる。織絵のほうは当然宝尾を認識していたが、いまだに東京に自宅のある宝尾は普段は月に二、三度ほどしか館に来ないし、来ていても展示室に姿を現すのはまれだ。監視員ひとりひとりを詳しく見知ってなどいないだろう。織絵からすれば雲上人的な存在の館長にいきなり気易《きやす》く話しかけられ

て、いっそう戸惑ってしまった。宝尾は、織絵が頰をこわばらせるのなどまるで見えないかのように、どこかしら愉快そうな声で、

「いや、勤務中にわざわざお呼びたてしたのはね、こちらのかたが、ぜひにもあなたにお会いしたい、とおっしゃるので」

そう言った。織絵は顔を上げて、左斜め前に座っている男を見た。男はあいかわらず奇妙な愛想笑いを浮かべたままで、上着の内ポケットを探り、名刺入れを出して、名刺を一枚、取り出した。

「申し遅れました。わたくし、高野《たかの》と申します」

テーブルの木肌の上を名刺がすっと滑って、織絵が視線を落とす先で止まった。

暁星《ぎょうせい》新聞社　東京本社　文化事業部　部長　高野智之《ともゆき》
織絵は顔を上げて高野を見た。高野はもう一度、満面の愛想笑いを浮かべた。高野の隣の小宮山は、少し困ったような笑みを浮かべていたが、「じゃあ、私から説明しましょうか」と、観念したように言った。

「高野さんは、暁星新聞の文化事業部を統括されるお立場で、色々な文化イベントを担当されています。特に、大規模美術展など……」

「こう見えても稲門《とうもん》大学の美術史科卒なんです」と高野が口を挟んだ。眼鏡の眉間《みけん》の部分を指先でくっと持ち上げて、続ける。

「東都大を狙《ねら》ったんですが、落ちちゃったんですよ。いまでも宝尾先生は雲の上の人のような存在で……」

「まあまあ、そう言いなさんな。いまじゃ小宮山君よりずっと高給取りなんだからいいだろ」

宝尾が茶々を入れたので、高野と小宮山はなごやかに笑った。織絵は、事態がまったく読めずに頬をこわばらせたままだ。小宮山は、織絵の表情を敏感に読み取って、すぐに笑いを収めて続けた。

「暁星に限らず、新聞社やテレビ局の文化事業部というところは、日本全国の主要美術館と組んで、『共催』というかたちで、巡回展や特別展を企画・組織・実施する部署なんですよ。ご存じでしたか？」

織絵は弱々しくうなずいた。そのシステムについてはもちろん知っていた。

美術館がマスコミと結託して展覧会を組織する、というシステムは、日本特有のものだ。かつて全国に美術館がまだそれほど存在しなかった頃、デパートの催事場で、新聞社が主催者となって展覧会をしたのが始まりだったらしい。デパートは客寄せのために名画を展示したがり、新聞社は自紙の宣伝・販促のために名画の力を借りた。戦後、新聞社共催の展覧会の会場はデパートばかりでなく、全国にでき始めた美術館へと移っていった。

「釈迦《しゃか》に説法かもしれませんが、私どもの業務について、少々説明させてください」

そう前置きして、高野が話し始めた。

大型海外展を組織する際のからくりはこうである。

たとえば、ルノワールの展覧会の企画があったとする。ルノワールは日本人に人気が高いので、展覧会を開催すれば多数の動員が見こめる。しかし海外から作品を借りてくるには輸送費や保険料だけで数億円かかると目算され、巨額の資金が必要になる。が、日本の美術館、特に国公立美術館のほとんどは少ない予算の中でなんとか運営をやりくりしている状況で、一展覧会に数億円かけることなどかなわない。そこで、マスコミの文化事業部が登場する。マスコミの文化事業部は、展覧会にかかるほとんどの経費を肩代わりするのだ。

仮に暁星新聞社文化事業部がルノワール展をAという公立美術館ですることになったとしよう。暁星は企画の立ち上げから海外の美術館との作品貸出交渉、作品の輸出入、カタログやポストカードやオーディオガイドの制作まで、ほぼ一切を取り仕切る。

一方で、企業の協賛金集めにも力を注ぐ。協賛する企業は、暁星新聞が関与していることによって、マスコミへの企業名の露出に期待を寄せる。実際のところ、企業の多くは協賛金を広告宣伝費として計上しているのだ。これで暁星は、大規模な協賛金を取りつけることができる。そして入場料のうち、半分かそれ以上が暁星の懐《ふところ》に入る。カタログやグッズの収益のほとんども新聞社のものとなる。したがって、ルノワール展のように、経費はかかるものの大量動員可能で多額の入場料収入も見こめる展覧会を、美術館と共同で開催できれば、暁星にとっても少なくない利益を見こめることになる。美術館のほうも、多額の経費を肩代わりしてくれて、自館の学芸員を海外美術館との交渉の場にも連れていってくれるマスコミ文化事業部との関係は、未来永劫《えいごう》断ち切ることはできないだろう。言ってみれば、お互いウィン＝ウィンの関係なのだから。

日本独自の展覧会の成り立ちについて、いや、それればかりではない、日本の美術館の歴史と現在、組織や機能についてまで、織絵は、この美術館に就職するまえにひと通り調べていた。学芸員になるわけでもマネージメントをするわけでもなかったが、美術館というところに就職するのは初めてだったし、とにかく調べておきたかったのだ。もっとも、どうすることもできないほど美術に対する探究心を持ち合わせていたので、館所蔵の主だった作品のすべてについてもつぶさに調べてしまったのだが。

織絵が日本の美術館というものについてどれほどきっちりと独学したか、もちろんその場にいた三人の専門家が知る由《よし》もない。高野は、自分の仕事についてあちこちで語り慣れているのだろう、ほとんど自動的に「新聞社と美術館の関係」について語って聞かせた。そのあいだじゅう、小宮山は神経質に細かく相槌《あいづち》を打ち、宝尾はじっと両腕を組んで動かなかった。

「ところで」ようやく高野の説明が切りのいいところに到達すると、小宮山が待ち構えたように口を開いた。

「早川さん。あなたは、ティム・ブラウン、という人をご存じですか？」

織絵は、きゅっと口を結んだままで小宮山の顔を凝視した。小宮山は、織絵の顔にみるみる驚きの色が広がるのを見逃さなかった。小宮山の瞳《ひとみ》にも、驚きのさざ波が立った。

「やっぱり。ご存じなんですね」

「あ。いいえ、……いいえ」織絵はうわずった声を出して首を横に振った。

「いいえ、知りません」

「知らないわけがない」今度は高野が興奮を隠しきれないように言った。

「だって、向こうがあなたを知っているんですよ。あなたが交渉の窓口になるならば、彼の美術館の至宝を我々に貸し出してもいい、と言っているんだ」

高野の言葉が、冷たい手になって織絵の胸の中へひやりと突っこんできた。心臓を鷲《わし》づかみにされたように、織絵は一瞬で凍りついた。

「まあまあ、高野さん。そんなにせっかちに話したって、何もわかってもらえませんよ。だって彼女は、ついさっきまで一介の監視員だったんだから」

宝尾が口を挟んだが、すぐに「監視員――うちのね」と付け足した。そして、息をするのも忘れてしまったかのようにぴったりと動きを止めてしまった織絵の横顔に向かって問うた。

「あらためて訊《き》きますが、早川さん。ティム・W・ブラウン。ご存じですね。あのニューヨーク近代美術館のチーフ・キュレーター《学芸部長》だ」

膝《ひざ》の上で固く丸めたままの手をぴくりと動かして、織絵はどうにか声を絞り出した。

「お名前だけは……有名な、その、キュレーターなので……」

「その通り。しかし、日本の地方美術館の『一介の監視員』が知っているのは普通じゃないと思うがね。彼は歌手でも俳優でもない。キュレーターなんですよ。そりゃあ有名は有名だが、この業界に精通している専門家のあいだでの話でしょう。かなり限定的な有名人だ」

「早川織絵さん。あなたは、『一介の監視員』なんかじゃありませんね」

容疑者を追いつめる刑事のような口調になって、小宮山が続けた。

「あなたは、ひょっとして――あのオリエ・ハヤカワなんじゃないですか？　あなたの名前、僕、記憶しています。僕が大学院生の頃、流麗なフランス語で次々に論文を発表している日本人研究者がいて、学会では話題になっていました。もう二十年近くまえの話だから、すっかり忘れていましたが」

織絵は下を向いて、固く唇を閉ざしたままだった。その唇は、失敗を責められでもしたかのように、かすかに歪《ゆが》んでいる。

「私も、小宮山君に言われて思い出したよ。そういえば、そういう人物がいたなと」

館長がひとつ息をついて、おだやかな口調で言った。

「失礼ながら、あなたの履歴書を人事課に特例的に提出してもらって拝見しました。私には監視員の人事権は直接的にはないし、学芸員以外のスタッフの履歴書まで見る余裕も興味もないから、そんなことをするつもりはなかったんだがね。……いずれにせよ、本人に断りなく履歴書を閲覧するのはプライバシーに関わる問題だと思う。それは率直にお詫《わ》びします」

ていねいに言い訳をしてから、すぐに「しかし、不思議な経歴ですな」と織絵の目を見て続けた。

「あなたの履歴書を見ると、一九五七年生まれ、一九七九年パリ第四大学卒、一九九〇年から九五年まで倉敷市内の書店にパートタイムで勤務——とあった。いささか乱暴に略しすぎなんじゃないでしょうかね」

「美術史、とは書いていなかったが、パリ第四大、つまりソルボンヌといえば我々はピンとくる。フランスで最高水準の美術史を学べる場所ですからね」

小宮山が、織絵を正面に見据えて言った。

「履歴書にそうは書いていなかったけれど、あなた、博士号を持っているんじゃないですか？　あなたがもしも、かつて美術史論壇を賑《にぎ》わせた、あのオリエ・ハヤカワであるのなら——彼女は確か、コース最短の二十六歳で博士号を取得したんじゃなかったかな」

「恐縮ながら、あなたの居場所を突きとめるために、うちのパリ支局の者にソルボンヌの七九年の卒業生の名簿を調べてもらいました」

高野が口を挟んだ。

「あなたが、こちらのおふたりが記憶しているオリエ・ハヤカワならば、その通り、二十六歳で博士号を取得している。そして合点がいく。ＭｏＭＡの学芸部の最高責任者、ティム・ブラウンが——あなたに興味を持っている、ということも」

「ちょっと待ってください」

たまらずに、織絵は高野をさえぎった。いったい、この男たちは何を言っているんだろう。

「履歴書については言い訳の余地もありません。確かに乱暴に略しすぎました。けれど、監視員の仕事をさせていただくのに、博士号の有無は関係のないことですから」

引っこみ思案にうつむけていた顔を上げて、織絵はきっぱりと言った。

「美術史の研究をしていたのは過去のことです。いまは、私は……アカデミズムとは何の関わりもありません」

三人の男たちは顔を見合わせた。盛り上がった室内の雰囲気が、一瞬にして萎《しぼ》んだ。

「確かに、こんなことを急に言われては戸惑いますよね」

暁星新聞社の高野が、落ち着きを取り戻して言った。

「おっしゃる通り、早川さんは、アカデミズムとは何の関わりもない一介の監視員だったわけですからね……さっきまでは」

くっと眼鏡のフレームを持ち上げて、挑むように織絵を見た。

「実はですね。私ども暁星新聞社文化事業部は、東京国立近代美術館と組んで、大規模な展覧会を企画しています。……アンリ・ルソーの」

織絵の肩先が、ぴくんと動いた。宝尾と小宮山は、動物実験の最中の研究者のように注意深い目で織絵をみつめている。

「国内の美術館や個人が所蔵しているルソー作品はもとより、海外の美術館の協力も得て、大々的な回顧展を開催しようと目論《もくろ》んでいます。担当学芸員は東京国立近代美術館の美術課長・川上尚三《しようぞう》先生、京都国立近代美術館の学芸課長・隅谷順哉《くまがいじゆんや》先生と……」

「僕も参画させていただきます」小宮山が声を弾ませた。

「ルソー研究では国立系には負けていませんので。覚えてはいらっしゃらないでしょうが、僕だって素朴派とシュルレアリスムの関係性についての論文を、あの頃学会で発表していました。フランス語でね。もちろん、あなたほど巧《うま》くはなかったでしょうけど」

小宮山が再び蒸し返そうとするのを、「もういいじゃないか。君はよっぽどくやしかったんだな」と宝尾が笑ってなだめた。

「じゃあ、当館にも、その……ルソーの展覧会が巡回するのですか」

ようやく質問する側に転じた織絵の声は、少し震えていた。企画展示室がそう大きくない大原美術館では、大規模な巡回展を受け入れたことがない。まさかと思いつつ、訊いてみた。

「ぜひそうして欲しいところだが」宝尾は両腕を組んで答えた。「知っての通り企画展示室の規模が合わない。当方からは、所蔵のルソー作品『パリ近郊の眺め、バニュー村』を貸し出すのと、小宮山君が監修と図録の解説執筆を担当することになっている」

はあ、と織絵は力なく相槌を打った。彼女が目に見えて萎《しお》れるのを見守っていた高野は、「やっぱりね」とつぶやいた。

「さぞご興味があることでしょう。過去のこととはいえ、ルソー研究であなたほどの実績を作り上げた研究者はいないようですからね。ほかに、どんな作品がリストに挙がっているか知りたくはありませんか？」

空気が一瞬、張りつめた。織絵は知らず知らず、膝の上に両腕を突っ張っていた。

高野が、織絵の気持ちを確かめるように、ゆっくりと作品名を挙げていく。

「オルセー美術館の『戦争』、ピカソ美術館の『平和のしるしとして共和国に挨拶《あいさつ》に来た諸大国の代表者たち』、バーゼル美術館の『詩人に霊感を与えるミューズ』、プラハ国立美術館の『私自身、肖像=風景』、そしてニューヨーク近代美術館《MoMA》の……」

「……『夢』」

織絵の口が無意識に動いた。こぼれ落ちた作品名は、微風《そよかぜ》のように、息を凝らした男たちの耳をかすめた。高野はテーブルに上半身を乗り出して、「そうです。『夢』」と復唱した。

「夢」——一九一〇年、アンリ・ルソー、最晩年の代表作。

この大作を描き上げたとき、画家は六十五歳だった。長らくパリ税関の入市税徴収員として勤め、四十代になってから本格的に絵筆を握った。生きているあいだにはろくに評価されず、子供の絵だと揶揄《やゆ》され、笑われ続けた不遇の画家。のちに「素朴派の祖」と呼ばれて世界中の人々に愛されるようになった画家が、死の直前まで手がけていた作品といわれている。

夢、というタイトルを口にしただけで、その幻想的な画面の隅々までが織絵の脳裡《のうり》に明るく蘇《よみがえ》った。同時に、画家自身がその絵のために作ったという詩が、原文のまま浮かんでくる。

Yadwigha dans un beau rêve

S'étant endormie doucement,
Entendait les sons d'une musette
Dont jouait un charmeur bien pensant.
Pendant que la lune reflète
Sur les fleurs, les arbres verdoyants,
Les fauves serpents prêtent l'oreille
Aux airs gais de l'instrument.

甘き夢の中　ヤドヴィガは
やすらかに眠りに落ちてゆく
聴こえてくるのは　思慮深き蛇使いの笛の音
花や緑が生い茂るまにまに　月の光はさんざめき
あでやかな調べに聴き入っている　赤き蛇たちも

『夢』は、同じくルソーの『眠れるジプシー女』とともに、MoMAのコレクションの中でもっとも人気の高い作品です。世界中からニューヨークを訪れる観光客は、ピカソの『アヴィニョンの娘たち』、ゴッホの『星月夜』、そしてこの『夢』をめがけてＭｏＭＡへやってくる。年間二百万人近い来館者の期待を裏切るわけにはいかないから、ほとんどどこにも貸し出さない。いわば門外不出です」

世界中でもっとも知名度があり、高い動員数を誇るＭｏＭＡの至宝を借り出すことがいかに困難を極めるか、高野は語った。

どこの国でも人気の高い印象派以降のフランス絵画の展覧会の場合、オルセー美術館、ボストン美術館、テート・ギャラリーなど、世界的に知られる美術館同士、コレクションの貸し借りをし合い、理事会や館長やキュレーターの人的交流を活発に行って、大型の国際巡回展を組織している。当然ながら、西洋美術に関しては、日本の美術館は彼らと対等な立場にはどうしても立てない。借りたい作品は山ほどあっても、それと引き換えに貸し出せる作品がないのだ。名画を借りたければマスコミの文化事業部の人間が高額のレンタル料を提示するしかない。

さらに、たとえ法外なレンタル料を支払えたとしても、門外不出といわれている作品を引っ張り出すのは容易ではない。輸送中のリスクを考えると、たいがいの美術館は尻《しり》ごみしてしまう。まさしくこの世に唯一無二《ゆいいつむに》の作品を破損したり失ったりするリスクを彼らは何より恐れている。彼らにとって日本とは、あいかわらず「極東」であり、そんなところへリスクを冒してわざわざ館の至宝を貸し出したいとは思うまい。

　高野の説明を聞くまでもなく、欧米美術館と日本の美術館のパワーバランスが、戦後五十年経《た》ってもほとんど変わっていないことを織絵は知っていた。

　門外不出の作品を高飛車な西洋の美術館に貸し出させるには、経済力以上に高度な交渉力が必要だった。この新聞屋にそんな力があるのだろうか。

「ところが、意外なチャンスが訪れたんです。ご存じかどうかわかりませんが、実は、ＭｏＭＡは二〇〇二年春からしばらく閉館するんです――二〇〇四年の秋まで」

　織絵は、はっと思い出した。美術雑誌か何かでそのニュースを目にしていた。ニューヨーク、マンハッタンの53丁目にあるＭｏＭＡのビルを建て替える。その設計者が日本の建築家に決まった。美術館はしばらくのあいだ、拠点をクイーンズ地区に作る仮設ギャラリーに移す――。

「海外の美術館によくあることですが、ＭｏＭＡも建て替えの最中にコレクションをまとめて貸し出すつもりらしい。『夢』が出てくるチャンスなんです」

　小宮山がこらえきれずに口を挟んだ。どんな作品を展覧会に借りられるかによって、学芸員の業績が評価される。それが目玉作品であればあるほど、交渉力や政治力があると目されるからだ。素朴派が専門の小宮山にとってはまさに千載一遇のチャンスだ。

「まあしかし、MoMAの至宝が出てくるのを狙《ねら》っているのは我々だけではない。ルソーばかりか、ピカソやゴッホの作品も借りられるチャンスなのだから、『MoMAコレクション展』として、ルソーも含めて一括レンタルを申し出ている族《やから》もいるらしいんだ」

宝尾が両腕を組んだまま、難しい顔で言い加えた。はあ、とまた、織絵は遠い国の出来事をテレビで眺めるように、気の抜けた声を出した。

「どこの誰とは申せませんが……都内の某私立美術館で、某大手新聞社さんが舵《かじ》をとってね」

いまいましそうに、高野が眼鏡のフレームを持ち上げる。どうやらライバル紙の文化事業部がお宝の一挙獲得に乗り出しているらしかった。

「うちは全部とは言いません。あの一点、『夢』だけでいいのです。あとは全部くれてやったっていい。ったく、あの新聞社もたちが悪い。ルソーも入れた完璧《かんぺき》なコレクションパッケージをよこせ、とMoMAにオファーしているらしいんです」

信じがたい大金を積んでかっさらっていこうとしている、金満にもほどがある、と高野は毒づいた。

「パリにもバーゼルにもプラハにも内々に話はつけた。あとはニューヨークだけ……」

独り言のようにつぶやいてから、高野は、ゆっくりと顔を上げて織絵を見た。そして言ったのだった。

「早川さん。私たちの最後の切り札は、あなたなんです」

織絵は、銀縁眼鏡の奥に光る目を凝視した。ここまで事情を聞かされてなお、この男たちが自分に何を望んでいるのか、さっぱり理解できなかった。

「冒頭でちらりと申し上げましたが――あなたがよくご存じなはずの、ＭｏＭＡのチーフ・キュレーター、ティム・ブラウン。彼が、指名してきたんです。あなたを本件の交渉の窓口にせよ、と」

一瞬、織絵は、のどの奥で息を止めた。そのまま、何かを確かめるように、息を殺して高野の目をみつめた。

そうら引っかかってきた、君はいまだにルソーが何より好物の研究者だよ。眼鏡の奥の目が、愉快そうに輝いている。

――彼女がどこで何をしているかは知らないが、きっといまでもルソーの研究をしているはずだ。そして、彼女だけが、僕が日本人で唯一信用することのできる、アンリ・ルソーの専門家だ。

オリエ・ハヤカワが、この企画の交渉人になるならば――ＭｏＭＡは「夢」の貸し出しを検討することを約束しよう。

ニューヨーク近代美術館のチーフ・キュレーター、ティム・ブラウン。近代美術、とりわけアンリ・ルソー研究の第一人者であり、ＭｏＭＡの理事長も館長もその一言には耳を傾けるという。歴史的に重要な展覧会を次々に企画し、モダン・アートとは何か？　という古くて新しいテーマを再定義した。

彼こそが、ルソーの作品を守り抜き、後の世までも伝える努力を惜しまない人物だ。

そう言ったのは……。

「……早川さん。聞いていますか？」

耳もとで、宝尾の声がした。はっと我に返って、織絵は正面を向いた。しかし、どうも焦点が合わない。自分がどこにいるのかさえ、わからなくなっている。

信じられない。ティムが……あのティム・ブラウンが、十七年の時を超えて、いまは一介の監視員をしている自分の目の前に、かくも鮮やかに現れたのだから。

「ニューヨークへ行っていただけますね？　早川さん。一刻も早いほうがいい。敵もすでに動いています。あなたの力で、なんとしても奪ってきていただきたいのです。

――『夢』を」

誰かが熱っぽく語った。けれど、誰が語っているのか、もはや織絵には判断できなかった。

ごとり、と鈍い音が耳の奥で響く。これは、なんの音だ。ああ、そうだ、蓋《ふた》の開く音だ。日本へ舞い戻り、真絵が生まれて、かれこれ十六年ものあいだ、重く固く閉じられていた「パンドラの箱」。その蓋が、いま、開けられたのだ。

第二章　夢

一九八三年　ニューヨーク

その一通の封書は、ティム・ブラウンのデスクに山と届けられたダイレクト・メールの中にあって、いわくありげな気配を漂わせていた。

ニューヨーク近代美術館、絵画・彫刻部門《デパートメント・オブ・ペインティング・アンド・スカルプチャー》には、毎日、大量のダイレクト・メールが送りつけられる。そのほとんどは、アメリカ全土のギャラリーからのものだ。展覧会の告知、売り出し中のアーティストの新作の情報、アートフェア、ポスターの大売り出し《クリアランス・セール》などなど、いちいち目を通していたらあっというまに日が暮れてしまうような量である。交流のある美術館の展覧会のオープニングレセプションの招待状は、一目でわかる。自館のロゴを配した封書で送られてくるので、ゴミ箱に直行させるダイレクト・メールに紛れて捨ててしまうようなことはない。

ＭｏＭＡの支援者やコレクターからの礼状もくる。これは、ティム宛《あ》てにくることはほとんどないが、MoMA主催の昼食会や晩餐会《ばんさんかい》で、学芸各部門のキュレーターたちが館のコレクションやモダン・アートについてご進講したことに対する礼状だ。たいていは白や生成り色のコンケラー社製の封筒で、この類《たぐ》いは山積みの郵送物とは別扱いにされ、ていねいにデスクの上に置かれるのが常だった。当然、そのほとんどは、MoMAの花形部門である絵画・彫刻部門のチーフ・キュレーター、トム・ブラウン宛てのものである。

ティム・ブラウンは、ハーバード大学の大学院で美術史を学び、途中パリ大学にも一年籍を置いて、修士の学位保持者ではあったが、三十歳でアシスタント・キュレーター五年目の身の上だった。名前はたった一文字違いなのに、直属のボスのトム・ブラウンとは、立場も待遇も見た目も、ずいぶんと違っていた。

トムは四十四歳にして次々に話題の展覧会を仕掛け、もはやMoMAを牽引《けんいん》する看板キュレーターだった。理事やコレクターの奥方たちの関心を引くべく、真夏でもぱりっとスーツを着こなし、童顔を生かして若作りに励んでいる。一方、ティムは、自分の上にトムが君臨する限り、アシスタントのポストから抜け出すのは難しいし、アシスタントである限り展覧会の企画を丸々任されることはない。加えて、トムとは正反対に、二十歳の頃から所帯持ちと間違われるような老《ふ》け顔だ。ときおりギャラリーなどにトムと一緒に姿を現せば、初めて会う面々はティムを花形キュレーター、トムをアシスタントと勘違いすることもあった。「逆ですよ。私がチーフ・キュレーターで、彼がアシスタントです」とトムがおもしろそうに言えば、「信じられない。あなたはいったい、いくつでチーフ・キュレーターになられたのですか」と人々はおおげさに驚いて見せる。そんなときにも、ティムは、敗北感にも似たなんともいえない気持ちを味わわされるのだった。

ボス宛てのダイレクト・メールをすべてチェックし、見るべき価値のありそうな展覧会の告知ハガキだけを選び出して、ボスの出勤まえに彼のデスクに置いておく。そんなこともティムの仕事の一部だった。ダイレクト・メールは自分宛てにも届く。ボス宛ての分と合わせれば日に百通にも達するダイレクト・メールの中からおもしろそうな展覧会の告知ハガキを見出《みいだ》すのは、なかなか骨の折れる仕事だった。

八月八日、「ABCニュース」の天気予報は一日中晴れ、セントラルパークの気温は華氏95度ということだった。朝八時頃からアイスクリームの移動販売車「ミスター・ソフティー」の牧歌的な音楽が表通りから聞こえてくるのは無理もない。まったく、朝からこう暑くては、コーヒーよりもアイスクリームの売り上げのほうがずっと伸びるだろう。

ティム・ブラウンはこの五日間、休日出勤も含めて、定時よりも一時間早く出勤していた。ボスのトムが八月四日から二週間の夏期休暇に入り、自分も八月十日から一週間、故郷のシアトルへ帰省する予定になっている。ボスから頼まれた仕事がひとかたならずあった。そのすべてをすっかり片付けてから、休暇に入らなければならない。早出や残業や休日出勤は無能な人間のすること、というのが、マンハッタンで働くエリートの常識なのだが、休みまであと二日、背に腹は代えられない。

ティムのひとり暮らしのアパートはイースト・ヴィレッジにある。地下鉄を乗り継いで二十分の通勤時間は、ニュージャージー辺りから通っているスタッフに比べれば恵まれていると言わざるを得ない。超名門大学であるハーバードの修士であること、超名門美術館であるMoMAの学芸部門に所属していること、自分が研究してきた画家、アンリ・ルソーの代表作「夢」が美術館のコレクションにあること、再来年開催予定のルソー展の準備に、トムのアシスタントとしてではあれ、関わっていること。何もかもが、平均的なアメリカ人のごく平凡な人生に比べれば、恵まれているには違いなかった。

Eラインの53丁目駅で下り、蒸し風呂《ぶろ》のような構内から昇りエスカレーターに長々と乗って、真夏の日差しが照りつける53丁目の通りへ出る。地下鉄出口の目の前に停まっているドーナツスタンドで、シナモンドーナツと紙コップのコーヒーを買う。美術館のスタッフエントランスにたどり着くまでにドーナツは胃袋の中に収め、地上でもっとものろまな乗り物であるオフィス直結のエレベーターに乗りこんで、自分のデスクに到着する。残り半分になったコーヒーを啜《すす》りながら、ダイレクト・メールの選別を開始する。

派手な色のインクや大きな文字の配置で一瞬でも目を引くようにデザインされているポストカードの中に、淡いクリーム色の封書が紛れこんでいた。ボス宛てにきた美術館の理事や支援者からの私信が、ときおり誤ってティムのデスクに届くことがある。なにしろ一文字違いなので、郵便係が宛名を見誤ることも珍しくはない。封筒の角がちらりと目に入っただけで、これはボス宛てのものだ、とわかった。ティムは迷いなくその封書を取り上げた。上質の紙と上品なデザインは、美術館の幾多の支援者が皆そうであるように、この封書の差出人が特別な人物であることを物語っている。ティムは素早く宛名を確認した。

ニューヨーク近代美術館　絵画・彫刻部門　ティム・ブラウン様

かっちりとタイプされた黒インクの文字。穴が開きそうなほど、ティムはその宛名をみつめた。トム・ブラウン、ではなく、ティム・ブラウン。間違いなく、自分宛てだ。

普通なら、横長の封筒の左上に住所と名前か、美術館のロゴか、なんであれ、差出人を知らせる何かがタイプされている。が、この封筒の差出人の箇所は空白だった。

封筒の裏を返す。やはり差出人の名前も、美術館名も団体名もない。封印箇所に、金色の封蠟《シーリング》がある。「B」の一文字が、くっきりと見える。見覚えのない刻印。

――誰だ？

風変わりなアーティストか、怪しげなアートディーラーか。まさか、日の目を見ないアシスタント・キュレーターへの寄付の申し出じゃあるまいな。想像を巡らせながら、レターナイフで封を切る。几帳面《きちようめん》に畳まれたクリーム色の便箋《びんせん》が現れた。コーヒーを一口啜ってから、ティムは便箋を開いた。

初めてお手紙を差し上げます。私は、スイス・バーゼル、コンラート・バイラー財団理事長コンラート・バイラーの代理人、エリク・コンツと申します。

このたび、バイラー氏たっての希望で、世界を代表するキュレーターであり、来年／再来年にパリ／ニューヨークで開催が予定されている「アンリ・ルソー展」の企画者である貴殿を、同財団へお招き差し上げたくご連絡いたします。

そこまで読んで、ティムは思わず手紙から目を逸《そ》らした。水面に浮かび上がった瀕《ひん》死《し》の魚のように、天井を仰いで、「嘘《うそ》だろ？」と声を放った。

——本当なのか？　まさか、そんなこと、あるわけないだろ？

自分で自分に問いかける声が頭の中でこだまする。心臓のポンプが一気に全開し、ドッドッと血液が渦を巻く。ティムは、無意識に自分の胸をぎゅっと左手で押さえた。胸を突き破って心臓が転がり落ちるんじゃないか、と思ったのだ。

コンラート・バイラー。

それは、名前は広く知られつつも、誰もその姿を見たことがない伝説のコレクターだった。印象派・近代の名画を数多く有している、しかしどんな作品がコレクションに匿《かく》されているのかはわからない。ナチス・ドイツが「頽廃《たいはい》芸術」としてヨーロッパ各国の美術館やコレクターから略奪した作品がコレクションの大半を占めているとか、闇《やみ》取引きで得た盗品の多くが集まっているとか、まことしやかな噂話《うわさばなし》の数々を、この仕事に就いてからあちこちで聞かされたものだ。が、あまりにも雲をつかむような話だったので、全部作り話なんじゃないかと思っていたくらいだった。

いつだったか、メトロポリタン美術館のアシスタント・キュレーターでハーバードの同期だった友人、アンソニー・トレヴィルと食事をしていたとき、バイラーの話が話題に上ったことがある。アンソニーは、もしも自分がバイラーのコレクションリストを手に入れるようなことがあったら一気に出世できるだろうな、と興奮した面持ちで夢のような話をした。それから、ふと真顔になって、万一バイラー・コレクションにリーチできたら、おそらくうちの理事たちは全作品を一括購入するか、または寄付するように働きかけるだろう、と言った。ティムは、「バイラーなんて、どこにもいやしないさ。君は本気で信じてるのか？」と笑ったが、アンソニーは真顔を崩さずに、「じゃあ君は、死海文書が二十世紀に発見されるなんて、想像したことがあったかい？」と訊《き》き返した。伝説とは、ある日突然現実味を帯びるものなのだ。友は大まじめでそう言った。

その「伝説」の代理人から、いきなり「招待する」と手紙がきた。驚かずにいられるはずがない。

ただし、招待されたのは、当然自分ではない。トム・ブラウンだ。「世界を代表するキュレーターであり、来年／再来年にパリ／ニューヨークで開催が予定されている

『アンリ・ルソー展』の企画者である」のは、自分のボスなのだから。おそらくは宛名を一文字ミスタイプしたか、あるいは、数々の美術書や研究論文に「トム」・ブラウンの名をみつけ、それを「ティム」・ブラウンと思いこんでいるのか。いずれにしても、これはトム宛ての手紙に違いなかった。

しかし、理由はどうあれ、宛名は自分の名前になっていたのだ。読んでしまっても咎《とが》められまい。ティムは再び視線を手紙に戻し、文面の続きを急いで追いかけた。

貴殿が、このたびのルソー展で、近代絵画史とモダニズムの再定義をし、ルソーの価値を不動のものにしようと努力しておられること、また、そのためにも、バイラー氏所有のルソーの秘められた名作《マスターピース》が同展に出品されることを、どれほど切望しておられるかも、当方はよくわかっております。それを踏まえた上で、またとない機会を作らんと、バイラー氏は決断されました。

「なんだって?」ティムはもう一度口に出してつぶやいた。

——バイラー所有のルソーの名作《マスターピース》? いったい、なんのことだ?

つきましては、近々、バイラー氏所有のルソー作品を調査いただくため、バーゼルへお越しいただきたく願っております。

期日は八月十一日より十七日までの七日間。航空券はご自身でご準備ください。後日、米ドルにて現金でお支払いいたします。滞在中の宿泊費、その他一切の経費は、当方で負担いたします。

八月十日、JFK国際空港、午後五時四十分発、アメリカン航空64便チューリッヒ行きにご搭乗ください。同機は翌十一日午前七時三十分にチューリッヒ国際空港に到着します。到着口に、「B」と記したサインを持った者がお迎えに上がります。

なお、本状に対する返信は不要です。バイラー氏は、いかなる時代のいかなるアーティストよりも、アンリ・ルソーを偉大なる画家と見なす同志である貴殿が、必ずやご自分のもとに現れるであろうことを確信しておられますので。

それでは、バーゼルにてお目にかかれますことを心待ちにしております。

コンラート・バイラー 代理人
エリク・コンツ

追伸
本件は一切他言無用です。

万が一、本件が第三者に漏洩《ろうえい》したと確認された場合、ニューヨーク近代美術館での貴殿のお立場は、今後保証されないものとご覚悟ください。

七月の末、サマー・ヴァケーションの季節が近づいていた。

MoMAでは、スタッフが順序正しく夏期休暇に入り始める時期だった。平均すると二週間前後の休暇期間は、ヨーロッパの美術館スタッフのそれに比べればかなり短い。が、それでもクリスマスやサンクスギビングの休暇よりも長かった。七月になれば誰もがそわそわとヴァケーションのことで頭がいっぱいになる。ランチタイムには、スタッフの食堂で「この夏のヴァケーションはどうするの？」という会話が飛び交う。都市熱で緩んだ頭の中にハンプトンあたりのビーチの風景を思い浮かべて、現実逃避をしたくなるのも仕方のないことだ。

当然、休暇取得の優先順位は重役《ハイ・ポスト》の人間にある。ティムの部署《デパートメント》では、部門を統括するキュレーター、トム・ブラウンに期日を選ぶ優先権があった。トムはなかなかヴァケーションの期日を決めないので有名だった。他のニューヨーカーとは違って、彼は真夏の盛りにおいてもレジメンタル・タイを緩めず、休暇よりも仕事優先だった。

彼が休みを決めてくれなければ、ほかのスタッフも休暇が取れない。ティムを含む二十名のスタッフは、毎夏ボスが休暇届を提出するのをいらいらと待つのが常だった。ランチタイムになれば、「この夏のトムのヴァケーションはどうなるんだろう?」と言い合うのがお決まりになっていた。

その年も、やはりトムはなかなか休暇届を出さなかった。結局、七月末になって「八月四日から二週間、休むから」とティムや他のスタッフに告げた。ティムは八月十日頃から一週間ほど休みを取って、両親の暮らすシアトルへ帰省するつもりでいたので、正直にそれをボスに打ち明けた。

「一週間、いえ、正確には九日間、休暇が重なってしまいますが……構わないでしょうか」

ふむ、とトムは考えこむそぶりをした。複数のスタッフが同時に休暇を取るのは仕方がないが、自分の留守のあいだにあれこれ山積した仕事をティムに片付けてほしい、と思っていたようだ。

「私の休暇中、フランスの大学や何人かの研究者に、ルソー展の解説執筆のための文献の貸出を当たって欲しかったんだが……」

ボスは目下、来年パリのグラン・パレで、そして再来年ＭｏＭＡで開催されるアンリ・ルソー展の準備に忙しかった。そしてティムはそのアシストで忙しかった。大学時代の研究対象がルソーだった自分を、口にこそ出しはしないが、ボスは頼りにしてくれていると感じていた。作品の選定、貸出の交渉や解説執筆など、重要かつセンシティヴな仕事は担当キュレーターの役どころなので、ティムが手を貸すことはなかったが、世界中に現存している全ルソー作品とその文献のリスト作り、作品所有者、所在地、そこへのアクセスの方法など、展覧会の企画を始動し前進させるために必要な基本情報は、すべてティムが準備してきたものだ。ルソー展の企画立ち上げは、ティムがトムのアシスタントになると同時に始められた。ティムが学生時代にこつこつとルソー研究をしてきたことにトムが目をつけ、ルソー展のために働いてもらおうと採用を決めたのかもしれなかった。

トムは近代美術、とりわけパブロ・ピカソの研究者として世界的に知られる学者でもある。ピカソ研究を進めるうちに、ピカソが敬愛したというルソーに関心を持つようになったのは自然な流れであると思われた。MoMAで働き始めてすぐに、ルソー展を準備する、とトムに聞かされたときには、ティムはまるで自分がその企画の担当キュレーターに抜擢《ばってき》されたかのごとく胸躍らせ、実際、イースト・ヴィレッジのアパートへ帰る道々、年甲斐《としがい》もなくスキップしてしまった。

その時点で、アンリ・ルソーの画家としての価値を決定的にするほどの大掛かりな展覧会は、世界中のどこでもまだ開催されていなかった。ルソーは素朴派の祖と呼ばれ、大衆に愛されつつも、日曜画家の範疇《はんちゅう》を超えて評価されることはなかった。十九世紀末、ルソーが作品を発表し始めた頃、世にも醜悪で下手くそ極まりない珍妙な絵を観《み》るために、大衆がこぞって展覧会場に詰めかけたエピソードは有名だ。人々はルソーの絵の前で、腹を抱えて大笑いしたという。気品溢《あふ》れる芸術家たちの集いであるはずの会場は、まるで見世物小屋のような熱気に包まれた、と。

ルソーに対する評価は、画家の死後七十数年経《た》ったいまでも、本質的には変わらない気がした。意地の悪い見方をすれば、やはり彼の作品は、遠近法《パースペクティヴ》も明暗法《キアロスクーロ》も習得し得なかった無知で下手くそな日曜画家のものでしかない。しかし一方で、ルソーの登場がピカソやシュルレアリスムに与えた影響を考えれば、これほどの孤高の異才は、美術史において、後にも先にもなかったのではないか。そしてもしも、彼が「無知」を装《よそお》った「天才」であったとしたら？

ティムはハーバード時代、一貫して、ルソーにまつわる既成の評価を覆《くつがえ》すべく闘ってきた。しかし一学生が美術史学会で闘ったところで限界がある。ＭｏＭＡ級《クラス》の国際的な美術館、そしてトムのように世界的に名の知れたキュレーターが展覧会を開けば、一気に評価が変わる可能性があった。そのためならば、どんな仕事であれ完璧《かんぺき》にこなし、トムの優秀な片腕になってみせる、とティムは誓ったのだった。

そんな積み重ねを五年間、やり続けてきた。ボスがすみやかに執筆を開始できるよう、さまざまな文献を収集することなど、ティムにとっては容易《たやす》いことだった。

「そうおっしゃると思って、すでに文献のオリジナルの貸出や論文コピーの依頼を方々へ申しこんでいます。もう七割がた目処《めど》がついています」

「そうか」とトムは、笑顔になった。

「まあ、夏のあいだはヴァケーションでヨーロッパの動きが鈍るからな。実質的に動き出すのは九月を待たなきゃならないだろう。文献の貸出依頼の手紙だけさきに送っておいてくれれば、問題あるまい」

「わかりました。九月の第二月曜の朝までには、主だった文献のすべてを揃《そろ》えて、デスクの上に並べておきます」

ティムが自らミッション完了の日を切り出したので、トムは満足そうにうなずいた。

そうは言いつつ、さあ休暇だ、とティムの頭の中は一気に緩みそうだった。どうにかぎゅっとネジを締め直して、おもむろに尋ねる。

「休暇はどちらへ？」

「ハワイのオアフ島にある友人の別荘で、のんびりするつもりだ。ああ、でも、私の居場所は秘密にしておいてくれるかな。ウィルやソニアに電話をかけられたら仕事モードになっちゃうからね。滞在先は、いつものように、君とキャシーにしか教えていかないよ」

ＭｏＭＡ館長《ディレクター》のウィリアム・ドレフェス、理事長夫人のソニア・ベックマンには居場所を知られたくないらしい。緊急連絡のみ受け付ける、という条件で、秘書のキャシー・マクラーレンには滞在先の電話番号も教えていくようだ。休暇時の、いつも通りのトムの流儀だった。

「君は、シアトルに帰るのかい」

ええ、とティムは答えた。

「残念ながら、あいかわらずひとりで、ですが」

ガールフレンドと一緒に帰らないのか、という質問が飛んでくるまえに、先回りして言い添えておいた。「あいかわらずだね」とトムは笑った。

あなたはどうなんですか、トム。アイリーンと——あなたの奥さんと一緒じゃないんでしょう？

そして行き先は、ほんとうにオアフなんですか？

意地の悪い質問がふいに頭をもたげた。が、当然、口には出さなかった。

童顔で若作り、しかもいまをときめく花形キュレーター。美術館の支援者やコレクターの夫人たちの中には、トムに平然と色目を使う者もいる。大金持ちの未亡人と密会している、という噂《うわさ》もある。コレクションからお目当ての作品を借り出すために、多額の協賛金を得るために、遺産の寄付を取りつけるために、自らの地位を不動のものにするために——ときにキュレーターは、アートについておしゃべりするのが大好きな大金持ちの女性たちと駆け引きをするのだ。富を握っているのは彼女たちの夫、しかしその夫を操っているのは彼女たち。将を射んと欲すればまず馬を射よ、である。キュレーターというのは、まったく、男芸者のようなものだな。

スケジュールノートにボスと自分の休暇期日を書きこみながら、ティムはこっそりとため息をついた。

自分がやりたい展覧会を完璧に実現させるためには、美術に関する知識やセンス以上に、人海戦術と交渉力、そしてときには色気が必要になってくる。肉体的な色気ではなく、夫や若いツバメにはない知的な色気が。

展覧会のために特別な作品を、そして資金を引っ張り出せなければ、どんなに緻密《ちみつ》な研究論文を書いたところで、なんの役にも立たない。ご夫人たちを夢中にさせる知的な色気がなくては、一流のキュレーターは務まらないのだ。

すべてにおいてボスには劣る自分だが、その点でもまったく自信がない。三十歳にもなって、実家にガールフレンドのひとりも連れて帰れないなんて。それじゃあ君は、このさき、キュレーターは務まらないぞ。それとも君は同性愛者《ゲイ》なのか？　ボスはそんなことを言いたいのかもしれない。

ふん、とティムは鼻を鳴らした。

余計なお世話だ。おれは、男芸者なんぞはまっぴらだからな。

おれは、なんといっても実力で勝負する。とにかく、いまのおれの目標はただひとつ。「ルソー展」を大成功させるんだ。

ルソー展が成功すれば、ＭｏＭＡの評価が高まる。ボスの評価も高まる。ボスの、おれに対する評価もぐっと上がるはずだ。いままで素朴派だの日曜画家だのと言われてきたルソーの評価を決定的に変える。それはつまり、おれ自身の評価を変えることなんだ。

この展覧会の基礎固めは、すべておれがやってきた。何しろ、おれの助けがなかったら、ボスはルソーの作品がどこにどれくらいあるかもわからなかったくらいなんだぜ。展覧会が成功したら、ボスはおれに感謝せずにはいられないだろう。「アシスタント」を外して、部門キュレーターに推薦するくらいのことは、やってもらわなきゃね。

そんなことを、つらつらと考えた。が、考えれば考えるほど、ボスと自分のあいだにあるとてつもない格差を意識せずにはいられなかった。

アンリ・ルソーのような評価の定まらない画家の大展覧会を開催するのは、一種の賭《か》けのようなものだった。成功すれば、画家の評価が高まり、作品の価値もぐっと上がる。実際、オークションでその画家の作品が突然高騰《こうとう》するような現象も生む。展覧会を開催した美術館と企画したキュレーターの評判も一気に高まる。反対に、失敗すればたちまち美術館とキュレーターの評判は失墜する。あの美術館はたいしたことない、というような風評も怖いが、理事会や支援者の厳しい批判にさらされれば、その後の協賛金集めにも影響が出る。

ピカソやモネの展覧会を開催するのであれば、話は容易い。保険や輸送など膨大なコストがかかるが、一方で、評価の定まったアーティストの展覧会ならば、人気があるゆえに協賛金や寄付金が集まりやすい。加えて観客を大量動員できる。かかったコストの分、リターンも大きい。ゆえに、世界中の美術館が人気の高い印象派・近代美術の展覧会を開催しようと躍起になり、お目当ての作品を所蔵する美術館やコレクターのもとに作品の貸出依頼が殺到する。キュレーターに人海戦術や交渉力、そしてときには知的な色気が必要なのは、熾烈《しれつ》を極める作品の争奪戦に勝ち抜かなければ理想的な展覧会を作れないからだ。

その点、ルソーなどはリスクの高いアーティストとしてブラックリストに載っていたのではないか、とティムは想像した。にもかかわらず、フランス国立美術館連合と協議を進め、常にリスクを避けたがる理事会を口説き落とし、ついに開催決定にまで持ちこんだ。これこそが、トム・ブラウンの手腕なのだ。

自分の前に立ちはだかるトム・ブラウンという偉大なる壁。見上げるたびに、ため息が出た。それが、現実だった。

いくつかの仕事の指示をティムに与えてから、八月四日、トムは二週間の休暇に入った。

こまごまと退屈な仕事ばかりだったけれど、自分が休暇に入る八月十日よりまえに、ティムはすべてを済ませていく心づもりだった。

ボスの高評価を得るためには、結局、そうするほかはないのだから。そのためには、早出も残業も休日出勤も、仕方がないじゃないか。

文献貸出依頼の手紙作成、ＭｏＭＡコレクションの中からルソー展に出品する二点の大作――「眠れるジプシー女」そして「夢」――の調査用の写真撮影立ち会い、作品貸出交渉中のコレクターへの手紙の下書き、各地から休暇を使ってMoMAを訪れるトムの知人たちのアテンド、そして膨大なダイレクト・メールの選別と手紙の整理――。

八月九日、午前十時半。ドーナッツとコーヒーを買う間もなく、ティムはスタッフエントランスに駆けこんだ。

「やあ、おはよう、ティム。どうしたんだい、今朝は遅いじゃないか」

エントランスセキュリティのビリーが、出入館表のバインダーを差し出して言った。スタッフや訪問者は、エントランスを通り抜けるまえに、この表に出入館時刻と名前を記入しなければならない。サインするのももどかしかったが、できるだけ落ち着いた声でティムは応《こた》えた。

「昨晩、暑かっただろ。寝苦しくてね。朝まで寝つけなかった」

「まったく、ここんとこの暑さはどうかしてるね。でも、あんたもうすぐ休みだろ？おれは月末までお預けだ、うらやましいよ」

ティムは愛想笑いをして、館内に入った。そして、目の前で閉まりかけたエレベーターに滑りこんだ。どんなに急いでいるときでも、このエレベーターは世界一のろまだった。いらいらと三階に到着するのを待ち、猛ダッシュで学芸部門へと走る。

「ああ、やっと来た。ティム、カメラマンがスタジオでかれこれ一時間半も待ちぼうけだそうよ。何度も『まだ？』ってコレクション管理部門《コンサベーション》から内線がかかってきたわ」

トムの秘書、キャシーが、ティムの顔を見るなりそう言った。

「ああ、わかってるよ」とティムはいらだった声を出した。開館は十一時、あと三十分しかない。急がなければ。

美術館の開館まえに、ルソー作品を二点、撮影する予定だった。これもトムに仰《おお》せつかった彼の留守中の重要な仕事だ。ＭｏＭＡコレクションの全作品の写真のポジフィルムは揃っていたが、ルソー作品の写真はかなりまえに撮影されたもので、フィルムの劣化が認められたため、撮り直すことになっていた。

常設展示室に展示されているふたつの大作、「眠れるジプシー女」と「夢」を、コンサベーションスタッフが四人掛かりで館内にある撮影スタジオへ運びこむ。美術作品を撮影する専門カメラマンが撮影する。開館まえにもとの位置へ戻す。一連の作業には学芸部門のスタッフの立ち会いが必要だった。九時から二時間あれば十分だろう、と踏んでいたのだが、あろうことか自分が遅刻してしまった。熱帯夜で寝つかれなかったわけじゃない。出勤まえに、朝いちばんで、旅行代理店に立ち寄ったからだ。

きのう、ティム宛《あ》てに届いた一通の手紙。その文面に、「運命」のひと言をみつけた気がした。不思議なくらい、迷いはなかった。

行くしかない。

すぐに旅行代理店に電話をかけた。八月十日JFK国際空港午後五時四十分発アメリカン航空64便チューリッヒ行きは「たったいま、満席になりました」とのことだったが、文句は言わずにキャンセル待ちを申しこんだ。それから母親に電話し、急な仕事で帰省できなくなった、と伝えた。母は心底残念がったが、自慢の息子が一流の美術館で働いていることを何より誇りにしているので、もちろん受け入れてくれた。

電話を切ると、デスクの引き出しを開け、いままで調査を重ねてきたアンリ・ルソーの全作品リストのファイルをデスクの上に載せ、ぱらぱらとめくった。作品の年代順に並べられている。タイトル、制作年、制作材、サイズ、所有者、所在地、所有歴。

バーゼル所在のものをチェックする。バーゼル美術館蔵や個人蔵で、数点、所在確認できていた。しかし、もちろん、コンラート・バイラー所蔵のものなど、リストに挙がっているはずもない。

アンリ・ルソーの名作《マスターピース》を所有している。それを調査してもらいたい。——あの手紙には、そう書いてあった。

ルソーは生前、かなりの作品を制作したはずだったが、不遇のままに生涯を閉じた。ゆえに、作品の大多数は散逸して行方が知れない。現在は二百点ほどの作品の存在が明らかになっているが、専門家が見てすら「子供がいたずら描きしたんじゃないか」と疑わせるほど稚拙なものや、真贋《しんがん》が不明のものも多い。その真贋や価値を巡っては、もうすぐパリとニューヨークで大展覧会が開催されることを見据えてか、このところ活発に国際美術史学会で議論がなされている。アンリ・ルソーというミステリアスな画家に注目が集まっていることは確実だった。

もしも、伝説のコレクターが所蔵している「名作」とやらが、ルソーの真筆だったら。まさしく、大発見じゃないか。

そしてもしも、その「名作」を、今度の展覧会に引っぱり出すことに成功したら……。

ティムは、無意識に、ごくりとつばを飲みこんだ。

……おれの肩書きから「アシスタント」が消える。

しかし、バイラーはトム・ブラウンに調査を要請したつもりなのだろう。アシスタントがのこのこ現れたら、心臓発作を起こすんじゃないか。

いや、名前を間違えたのは向こうだ。平然として行ってしまえばいい。ばれたらばれたで、そのときだ。

こんな夢のようなチャンス、どうして見逃すことができる？

ティムはすっかり舞い上がって、落ち着かない一日を過ごした。まだ見ぬ恋人にようやく会えるような期待感が、うずうずと体中をしびれさせる。こんな気分は、生まれて初めてだった。

なぜだかわからないが、あの手紙をたちの悪いいたずらだとか、嘘《うそ》っぱちだとはまったく思わなかった。誰かにすっかり騙《だま》されてチューリッヒまで行ったとしてもいい。いい夢をみた、そんなふうに納得できる気さえした。何もかもが、盲目的に恋に落ちてしまった感じに似ていた。

しかし、夕方五時になっても、旅行代理店から連絡が入らない。翌日いっぱい、待つ覚悟でいた。もしも航空券が取れなかったら、自分の運もそれまで、ということだろう。

午後五時五十五分、オフィスの電話が鳴った。旅行代理店からだった。「閉店間際《まぎわ》に一席空きが出ました」との連絡に、ティムは思わず拳《こぶし》を振り上げて歓声を上げた。帰り支度をしていた部門のスタッフたちは、その様子を見て肩をすくめ、くすくす笑っていた。

いま、撮影スタジオに向かうティムのジャケットの内ポケットに、今朝手に入れた航空券が一枚、入っている。まさしく「恋の片道切符《ワン・ウェイ・チケット》」だった。あとのことは何も考えられなかった。とにかく、行くしかないんだ。

スタジオでは、カメラマンのローランド・ニコルソン、修復士《コンサバター》のアストラッド・デヴォワ、何人かのスタッフが、作品を前に談笑していた。

「やあ、ローランド。待たせてすまなかった。急に立ち寄る用事ができちゃってね」

息せき切って入っていくと、ティムはローランドと握手した。作品の撮影で何度も顔を合わせている仲なので、遅刻の言い訳も聞いてくれるはずだ。

「君の許可なしに、もう撮影してしまったよ。アストラッドに『時間がないからやっちゃいましょう』ってせかされて」

ローランドのほうが言い訳をした。作品を動かすときも撮影するときも、学芸部門の監督のもとになされるのがルールだったが、今日ばかりは仕方がない。

「そうか。アストラッド、君が立ち会ってくれたのなら問題ないさ」

「問題よ」アストラッドは少し強い口調で言った。

「学芸部門の監督下で作品を動かすのがうちのルールでしょう。開館までにもとに戻さないと、もっと大問題になるから、やっちゃったけど。トムが知ったらおかんむりよ」

そう言われて、ぎょっとした。冗談じゃない、こんなつまらないことで出世の足を引っ張られるのはごめんだ。

「すまない、アストラッド。休暇明けにランチ、ごちそうするから……トムには黙っていてくれないか」

作品撤収の準備を遠巻きに眺めるアストラッドに、ティムはこっそり耳打ちした。アストラッドはじろりとティムをにらんだが、「わかった」とため息をついた。

「ただし、条件があるわよ」

そらきた。まさか、高級レストラン、タヴァーン・オン・ザ・グリーンでごちそうして、なんて言うんじゃないだろうな。

「そのランチに——トムも誘ってくれない？」

ティムは、目を瞬《しばたた》かせた。アストラッドは、潤《うる》んだ目でこちらをみつめている。

「そういうことか」と言うと、

「そういうことよ」と返ってきた。

「じゃあ、動かしますよ。いいですか」

スタッフが声をかけた。作品を撤収する用意ができたようだ。「あ、ちょっと待って」とアストラッドが大声を出して、ティムを振り返った。

「ちょっと来て。見せたい箇所があるの。新発見よ」

ティムはアストラッドと一緒に、作品のすぐ近くまで歩み寄った。

軽く布が掛けてある。「外してくれる？」とアストラッドが言い、スタッフがふたり、手早く布を解いた。

音もなく、ふわりと布きれが床に落ちた。美しい女が衣を脱ぎ捨て裸身をさらしたかのように、その作品は光を放って現れた。

アンリ・ルソー、一九一〇年——画家最晩年の傑作、「夢」。

二十世紀美術における奇跡のオアシスであり、物議を醸《かも》す台風の目ともなった作品だ。

作品の舞台は、密林。夜が始まったばかりの空は、まだうす青を残し、静まり返っている。右手に、ぽっかりと明るい月が昇っている。鏡のような満月だ。月光に照らし出される密林は、うっそうと熱帯植物が密集している。名も知らぬ異国の花々が咲き乱れ、いまにも落ちそうなほど熟した果実が甘やかな香りを放つ。ひんやりと湿った空気のそこここに、動物たちが潜んでいる。その目は爛々《らんらん》と、小さな宝石のように輝いている。

遠く近く、聞こえてくるのは笛の音――黒い肌の異人が奏《かな》でる、どこかせつなくなつかしい音色。耳を澄ませば、そのまま彼方《かなた》へ連れ去られてしまいそうなほど、深く静かな旋律。

月の光に、果実の芳香に、ライオンの視線に、そして異人の笛の音に、いま、夢から覚めたのは――長い栗色《くりいろ》の髪、裸身の女。

彼女が横たわる赤いビロードの長椅子《ながいす》は、夢と現《うつつ》のはざまにたゆたう方舟《はこぶね》。夢から覚めてなお、女は夢をみているのだろうか。それともこれは現実なのか。

ゆっくりと上半身を起こし、女は、真横に左手を持ち上げる。恐る恐る、彼女は、まっすぐに指差す。その向こうにあるのは、彼女がみつめる先にいるのは、たぶん、いや、きっと――。

この作品を生まれて初めて見た瞬間の驚きと興奮を、ティムはいまもありありと思い出すことができた。

十歳だった。両親に連れられて、ニューヨークへ観光にやってきたとき、出会ってしまったのだ。この場所、ＭｏＭＡの展示室で。

一目見た瞬間に、電流が体じゅうを駆け抜けて、動けなくなってしまった。まるで魔法にかかったように、少年ティムは作品をみつめた。ただひたすら、空っぽになって。

そうしてみつめるうちに、ギャラリーの明かりが消え、周囲のざわめきがまったく聞こえなくなった。少年は、勇気をもって密林へ一歩踏み出した。どうしても、話がしたくなったのだ。絵の中で、何かを訴えかけるように、何かを指差す女の人と。

何がそんなに悲しいの？

ティムは、そう語りかけた。女の人は、泣いているわけじゃない。悲しそうな表情でもない。でも、笑ってもいない。この人は、何かがとても悲しくて、さびしくて、やりきれないんだ。そう思った。この人を、助けてあげたい、とも。

女の人は、何も答えてくれない。ただ、黙って指差している。ティムには、どうしても、彼女が何を指差しているのかが見えない。それが知りたくて、少年の胸は甘く疼《うず》いた。

　気がつくと、ティムの周りに、同じような年頃か、もっと幼い少年や少女が、たくさん座りこんでいた。ティムはびっくりして、あたりをきょろきょろ見回した。目の前に、男の人が立っている。彼は、ティムに向かってにっこり笑いかけると、言ったのだった。

　いいかい、みんな？　この絵を描いたのは、アンリ・ルソー。フランスの画家だ。この作品のタイトルは、「夢」。いったい誰の夢かな？　ルソーがみた夢かな、それとも、この女の人がみている夢かな。みんな、どう思う？

　この絵に描かれているのは、いったいどこかな。ジャングルかな、それとも楽園かな？

　少年ティムは、熱にでも浮かされたかのように、その日から追いかけ始めたのだった。「夢」という作品を、アンリ・ルソーという画家を、ルソーとともに生きた芸術家たちを、二十世紀の美術を。

　もしもこの作品のタイトルが「夢」じゃなかったら。たとえば「密林」とか「ライオンと女」とか、「幻想」とかだったら。ひょっとすると、自分の興味はもっと違うものに向かったかもしれない。野球とか、ロックとか、女の子とか。けれどあの日から、自分は、どっぷりと足を踏み入れてしまったのだ。ルソーが作り出した「夢」の世界に。

もう何度、この作品を間近に見たことだろう。もう幾度、この作品の世界をさまよったことだろう。それでも、こうしてみつめれば、初めて出会った瞬間の驚きと興奮が、たちまち蘇《よみがえ》るのだ。

ティムが作品に見入っているのを確かめてから、アストラッドが言った。

「ここよ。この『ヤドヴィガ』の左手。人差し指のあたり。ここだけ、ちょっと色調が違うの」

画面の左下、長椅子に横たわる裸身の女性――ルソー自身によって「ヤドヴィガ」と命名されていた――が、上半身を起こし、左手を真横に突き出して何かを指差している。アストラッドは、ペンライトをカチリと点《つ》け、「ヤドヴィガ」の人差し指の先端に光を当てた。ティムは、目を凝らしてその箇所をみつめた。

かすかに絵の具の盛り上がりがある。が、ルソーは重層的に絵の具を塗り重ねて行く手法で画面を描きこんでいくのが特徴だ。さほど違和感は感じられない。

「描き直したんじゃないのかな。うまくいかなかったから」

そう言うと、アストラッドは露骨にため息をついた。

「疑わしきは調査すべし。キュレーターが疑ってくれないと、コンサバターは仕事できないんだからね。私のほうは、いつでもオッケーよ。X線で調査する気があるなら」

思ってもみないことを言われて、ティムは思わず笑ってしまった。

「残念ながら、その必要はないよ。真贋を調査するならまだしも、これは正真正銘、ルソーの真筆じゃないか。X線検査は手間ひまも費用も相当かかるし、第一、ロックフェラー家にどう言い訳するんだい。『あなたがたは当家が寄付した作品の真贋を疑ってるのか』って言われるのが落ちだよ」

この作品は、一九五四年に、当時MoMAの理事長で億万長者のネルソン・ロックフェラーが寄贈してくれたものだった。いまさらX線検査などということになれば、ロックフェラー家の信用問題に関わる。まったく取り合われなかったので、アストラッドは不満そうな表情になった。

「もういいわ。カバーを掛けて、展示室へ戻しましょう」

スタッフが、ふたたび布を掛けた。美しい絵肌は、あっという間に白い布の中に消えた。

作品を、ふたり掛かりでキャスターのついた大きなパレットに載せて固定する。前にひとり、後ろにひとり、背面にひとり、計三人のスタッフが作品を支え、ひとりがパレットを支えて、ゆっくりゆっくり、展示室へと運ぶ。その後に付き従いながら、ティムは、ふと思いついた。

「ヤドヴィガ」の指先。もともとは、何かを指差しているのではなく、何かを握っていたんじゃないか。

それを、何かの理由で、ルソーは描き直した——。

「夢」は、謎《なぞ》の多い作品だった。

なぜ密林なのか。なぜこの女は裸で長椅子に寝そべっているのか。その指先は何を指しているのか。そもそも、ルソーが自分で名付けた「ヤドヴィガ」とは誰なのか。いままでさまざまな議論が成されてきたが、何ひとつ、明確なことはわかっていない。

X線検査をすれば、創作の秘密が明らかになるかもしれない。けれど、そんなことができるはずはなかった。

できるはずはない。自分には、そこまでの調査をする権限などないんだ。

そりゃあ、夢だけど。自分が思った通りに、思う存分、ルソーの作品を調査できる立場になるなんて、夢のまた夢、だけど。

ティムは、そっとジャケットの内側を触った。長細い紙の感触がある。チューリッヒ行きの片道切符。夢じゃない。じっとりと、額に汗がにじみ出る。そうだ。これは夢じゃない。夢のような現実、なんだ。

第三章　秘宝

一九八三年　バーゼル

ご搭乗の皆さま、当機はまもなくチューリッヒ国際空港に到着いたします――と年季の入ったスチュワーデスのアナウンスがイヤホンから聞こえてきた。シートの背もたれとキャビンの壁との隙間《すきま》に頭をねじこむようにして眠っていたティム・ブラウンは、耳に突っこんだままだったイヤホンを外し、ぼんやりと目を開けた。

一瞬、自分がいま、どこに向かっているのかわからずに、窓のシェードを開けてみる。眼下には、黒々とした夏の峰々が切り立っていた。

そうだった。もうすぐチューリッヒに着くのだ。そしてそこから、どこへ行くのかわからないが、とにかく、伝説のコレクションが匿《かく》されている場所へと連れていかれるわけだ。

ティムは、肘《ひじ》掛《か》けに引っ掛けていた一張羅の麻のジャケットの内ポケットから、封書を取り出した。上質の紙、淡いクリーム色の封筒。宛名《あてな》には、くっきりと「ティム・ブラウン様」とタイプしてある。この三日間、もう何度、この宛名を見返したことだろう。

この一通の手紙に導かれて、いま、自分はこうして機上の人となっている。宛名こそ自分のものには違いないが、ほんの一文字のミスタイプで、おそらくこれは、ティムのボス、トム・ブラウン宛てに届けられた手紙だった。差出人は、伝説のコレクター、コンラート・バイラーの代理人。内容は、バイラーが所有しているアンリ・ルソーの名作《マスターピース》を調査してほしい、という依頼だった。

天下の名門美術館、ニューヨーク近代美術館の花形キュレーターをからかうために送られた、たちの悪い悪戯《ジャンクレター》の手紙かもしれない。一パーセント、そう疑わないわけではなかったが、九十九パーセントの確率で、ティムはその手紙を信じた。そして、「伝説」と相見《あいまみ》えるために、一分の隙もなく、MoMA絵画・彫刻部門チーフ・キュレーター、トム・ブラウンを演じる心づもりでいた。そう決心したとき、この五年間、自分がなぜ影のようにボスに付き従い、彼の思考のすべてを先回りして読み、再来年MoMAで開催されるアンリ・ルソー展の企画を地道に支えてきたのかがわかった。

すべては、このためだったのだ。

二十世紀の秘宝とも噂《うわさ》されるバイラー・コレクションにリーチするために。そしてとりわけ、アンリ・ルソーの知られざる名作をこの目で確かめるために。その作品を、わが美術館で開催される「アンリ・ルソー展」に展示する超目玉作品として引き出すために。さらには、この功績をもとに、自分の肩書き「アシスタント・キュレーター」から、「アシスタント」を外すために――。

シートベルト着用サインが点灯する直前に、ティムはトイレへ行き、持参したひげ剃《そ》りでひげをさっぱりと剃り、ダークブラウンの髪を櫛目《くしめ》がくっきり残るようにヘアトニックで撫《な》でつけた。二十歳の頃から若白髪にも老け顔にも悩まされてきたが、こんなふうに生んでくれた母親に、いまや感謝したい気分だった。

来年のサマー・ヴァケーションには、晴れて「キュレーター」となって故郷に帰り、母を喜ばせることができるかもしれない。

鏡の中で思わず緩んだ自分の頬を、ティムはぴしりと軽く叩《たた》いた。

にやけるのはまだ早いぞ。ショーはこれからなんだ。

八月十一日午前七時三十分。アメリカン航空64便は、定刻通り、チューリッヒ国際空港に着陸した。

麻のジャケットに白のコットンパンツ、ぴかぴかに磨いたコール・ハーンの革靴を履き、レイバンのサングラスを軽く額の上に載せ、心持ち胸を張って、ティムは到着口を出た。名門美術館のチーフ・キュレーターらしく堂々とせり出した胸の中では、標準サイズかそれ以下の心臓がめった打ちに鼓動していた。

あまりきょろきょろすると小心者に見られてしまう。ゆったり構えて眺めるんだ。

手紙には、「B」と一文字、イニシャルの書かれたサインを持った人物が迎えにきているということだった。到着口の柵《さく》の周辺には、到着者の名前やホテルの名前が書かれたプレートを持った出迎えの人々が群れをなしている。ひとつひとつのプレートを、素早く、けれど慎重に眺めながら、ティムはゆっくりとロビーへと続く通路を歩んでいった。柵の付近では、それらしきプレートはみつけられなかった。ロビー内を見渡したが、やはり「B」はない。

ぱんぱんに膨れ上がっていた期待が、たちまち萎《しぼ》んでいく。ティムは、無理してせり出していた胸を引っこめた。自分が穴の空いた浮き輪になってしまったように思われた。

やはり、悪戯《いたずら》だったのか。

と、出口付近に、ひっそりとたたずむ黒服の男が視界に入った。小さな紙切れを手に持っている。ティムは目を凝らした。

クリーム色の上質な紙に、金色の封蠟《シーリング》。はっとして、ジャケットの内ポケットを探る。取り出した封書の裏面には、はたして同じ封蠟があった。

ティムは無意識に唾《つば》を飲みこんだ。サインというより紙切れじゃないか、と心の中で文句を言いながら、こつこつと靴音を響かせて出口へと近づく。男の目の前に立つと、無言で封筒をかざして見せた。男はそれを目にすると、手にしていた紙切れをさっとジャケットの内ポケットにしまいこんだ。ティムもつられて、すぐに封筒を内ポケットに入れた。

「ミスタ・ブラウンですね」

ドイツなまりの英語で、男が声をひそめて語りかけた。「ええ」とティムも無意識にごく小さな声で答えた。

「ブラウンです。ニューヨーク近代美術館の」

あえてフルネームで名乗らなかったが、男は気にとめるでもなく、こちらへ、と出口の外へといざなった。ティムは黙って男の後についていった。再び胸を張って、堂々と、ひとかどの人物らしく。

「ここでお待ちください」

車寄せにティムを残して、どこかへ行ってしまった。パーキングから車をとってくるのだろう。ということは、あの男はバイラーの運転手か。

再び胸の鼓動が高鳴ってきた。ひょっとして、とんでもないところへ連れていかれるかもしれないぞ。二度とニューヨークには戻れない、なんてことになりはしないだろうな。いやいや、まさか、レイモンド・チャンドラーの小説じゃあるまいし。

腕を組んだり、つま先をせわしなく動かしたりして、落ち着きなくティムは車の到着を待った。男が一瞬で「B」の封蠟をしまいこんだことや、ひそひそと声をかけてきたところを見ると、やはりこの件はバイラーにとって秘密事項なのだろう。無理もない、世界中のアートディーラーやオークションハウスが彼の秘宝を狙《ねら》っているのだ。バイラーが知られざるルソー作品の調査をＭｏＭＡのキュレーターに依頼した、などと知られれば、たちまち他のルソー作品の値段までが吊《つ》り上げられるかもしれないのだ。

五分と経《た》たずに車は到着するだろう。しかしその五分が待ちきれない気分だった。ティムは自分の腕時計を見て、ニューヨーク時間のままであることに気がついた。時間を合わせようと、出入り口付近の時計台を見上げた。その瞬間、時計台の下に立っている見知らぬ女性と目が合った。

ティムはすぐに目を逸《そ》らした。が、なんとなく見られている気がして、もう一度、ちらりと目線を向けた。女性は、やはりこちらをみつめている。すらりと長身で、ウエストが締まった白い麻のパンツスーツを着ている。ウェーブのかかった長く豊かな濃い栗色《くりいろ》の髪が、ふわりと風に揺れている。どことなくエキゾティックな顔立ち。ふたりの視線は、ほんの数秒、重なり合った。が、すぐに彼女はぷいと横を向いてしまった。その横顔に、なぜだか見覚えがあった。

一瞬、ひやりとした。ひょっとすると、アーティストとか、ＭｏＭＡの理事の秘書とか、なんらかのアート関係者かもしれない。こっちが知らなくても、あっちが知っている可能性はある。あら、あの人、トム・ブラウンにくっついてのこのこ歩き回っているアシスタントじゃないの？　などと気づかれたらたまったものじゃない。

そのとき、目の前に黒塗りの車が到着した。顔がくっきりと映りこむほど磨き上げられたキャデラックだった。さっきの男が運転席からさっと出てきて、慣れた手つきで後部座席のドアを開けた。ティムは革張りのシートに身を滑りこませて、ようやくほっと胸を撫で下ろした。

アメリカ大統領愛用の高級車で迎えにくるとは、なかなかの演出じゃないか。

車は流れるように発進した。ティムは時計台のほうを振り向いた。あの女性の姿は、跡形もなく消えていた。

　高級車で迎えにきてもらった高揚感が、見知らぬ女性と目が合ったことなど、ほんの二秒で忘れさせてくれた。

　いままでに一度だけ、トムとともにMoMAの理事の邸宅で行われたパーティーに向かうとき、理事が差し向けてくれたキャデラックのリムジンに乗ったことがある。イエローキャブとはずいぶん乗り心地が違うものだな、と思った。シアトルの実家では中古のトヨタに乗っていた。燃費のよさを考えれば、実際、日本車がいちばんなのだ。金持ちの乗る車は、クジラがオキアミを食らうがごとくガソリンを食うのだから。

　車はハイウェイに乗った。緑の生い茂る村々を抜け、ぐんぐん加速する。『バーゼルへ』の標識が見えた。どうやら、ルソーの名作とのご対面は、ジュネーブにあるプライベート・バンクの保税倉庫で、ということではないようだ。

　世界中のコレクターが、スイス・ジュネーブの保税倉庫に、命の次に大切なコレクションを預けている。そこに置いておきさえすれば、関税がかからない上に、税関吏に作品の価値を申告する必要もない。顧客の秘密は徹底して守られる。それがスイスのプライベート・バンクのルールだ。軍事施設レベルと言ってもいい最高機密倉庫に、人目にほとんど触れたことのない幾多の名作が眠っているのだ。

ルソーのマスターピースも普段はジュネーブの保税倉庫に預けられているのかもしれない、とティムは考えを巡らせた。

しかし、いま、おれが向かっている場所に、とにかくそれは移送されているんだ。そしておれの到着を待っている。

おれが、おれひとりだけが、心ゆくまでそれを眺め、飽きるまでみつめ、思う存分調査することができるんだ。

そう思いついた瞬間、なんともいえぬ快感が脳内を駆け巡った。これこそが、名作を独占できる、というコレクターの心理なのだろうか。

キュレーターは、常に作品やアーティストに心を添わせるものだが、同時に、鑑賞者のために作品を展示し、アーティストへの理解を深めてもらう努力をしなければならない。ある画家のある作品についてどんなに深く研究をしていても、当然ながらその作品は、永遠に自分のものにはなり得ない。ティムには、正直、名作を所有するということがいったいどういう感じなのか、よくわからなかった。

いかにルソーを深く研究していても、どんなに名作「夢」の世界に引きこまれても、それをわがものにしたい、と思ったことは一度もない。世の中のほとんどの人々がそうではないように、ティムもまた、「そういうスイッチがついている人種」ではないのだ。名作と巡り合った瞬間に、カチリ、とスイッチが入る人種。これがほしい、というスイッチが。

世界的に見ればそれほど多くはない「そういうスイッチがついている」人々こそが、昔もいまも、名作の運命を握っているのだった。あるコレクターは著名な美術館の理事になり、所有する作品を寄付し、名誉を得、美術館のロビーに張り出されているプレートに永遠にその名を残す。あるコレクターは作品を買い漁《あさ》り、飽きれば転売して、また新たな作品を買い続ける。またあるコレクターは、自分だけの密《ひそ》やかな楽しみとして、名作を寝室に飾り、文字通り添い寝をする——。

バイラーは、いったい、どのタイプのスイッチを持っている人物なのだろうか。美術館の理事になったり、転売しまくったりするスイッチは、おそらく持っていないだろうが。

車はやがてバーゼル市内に入った。バーゼルの市街地では歴史的建造物が維持され、古いものは十四世紀からそこにあるままだという。堅牢《けんろう》な石造りの建物の数々は、町の風情《ふぜい》をいっそう豊かなものにしている。

車窓を流れていく町並みを眺めながら、ティムは、初めてバーゼルを訪ねたときのことを思い出した。少々感傷的で、かつ、苦笑がこみ上げてしまう青春の思い出。

パリ大学に留学時代、ティムは一度だけ「アート・バーゼル」を見物にきたことがある。それは毎年六月に開かれる世界最大規模の国際美術見本市《アートフェア》だった。世界中からギャラリーが出展し、お抱えのアーティストの作品や、販売を委託された作品を陳列する。一九七〇年に始まったこのフェアは、いまや世界の美術市場の指標のひとつにもなっていた。

もう八年ほどまえのことだ。夏の終わりには留学を終了してハーバードへ戻る、という六月だった。アート・バーゼルに行ってみないか、と、その頃付き合っていたフランス人の女の子——同じ大学でフランス近代文学を学んでいた——を誘って、この町へやってきたのだった。フェアを口実に、泊まりがけのデートとしゃれこむつもりだった。しかし、ほんとうの目的はほかにあった。

バーゼルには、世界最古の公立美術館のひとつ、バーゼル美術館がある。十七世紀にはすでに美術館として機能していたこの館は、アンリ・ルソーの名作を所蔵していた。アメリカへ戻るまえになんとしてもこれを見ておきたい、というのが、アートフェアよりも彼女とのデートよりも、ティムをこの町へと引きつけた要因だった。

フェアへ行くまえに、バーゼル美術館所蔵のルソー作品をどうしても一目見たくて、ティムは「ちょっとだけ」と彼女に約束し、さきに美術館に立ち寄った。そこで、例によって、作品世界にはまってしまったのだった。

ルソーが数多く描いた肖像画の中で、もっとも卓越した名作のひとつ「詩人に霊感を与えるミューズ」。一九〇九年、死の前年に創作したものだ。極貧の生活の中、不運だった画家を見出《みいだ》した詩人、ギョーム・アポリネールと、その恋人の画家、マリー・ローランサン。いつも何かとルソーの面倒を見ていた若き友人アポリネールは、三百フランでこの絵を買い取った。

この作品にまつわる、いくつかのおもしろい逸話が残されている。友の肖像を正確に描こうとするあまり、ルソーはポーズをとるアポリネールの全身を巻き尺で測った。目や鼻や口の長さまで測ったという。それが原因だろうか、画中のアポリネールの姿の不自然なこと。ぎくしゃくとした立ち姿は、かえって詩人をほのぼのとした容貌《ようぼう》に見せている。ふたりの前にはカーネーションの花々が可憐《かれん》に並んで咲いている。実は、ルソーは最初にこの花を描いたとき、間違ってニオイアラセイトウを描いてしまった。詩人を象徴する花はカーネーションでなくてはならないので、「もう一度すべて描き直す」と、ルソーは同じ構図の絵をもう一枚描いたのだ。最初に描いたニオイアラセイトウの「失敗作」は、モスクワのプーシキン美術館に所蔵されている。絵の一部分だけを描き直すなどということができない、ルソーの生真面目《きまじめ》さが現れているエピソードだ。

画集などでは繰り返し目にしていたが、実物を見るのは初めてだった。食い入るようにみつめてなかなかそこから離れないティムに、彼女は言い放った。しょせん日曜画家の絵でしょ。何がそんなにおもしろいのよ。

かちんときて、ギャラリーの中で激しい口論になった。近くにいた女性監視員に注意されて、彼女は怒って帰ってしまった。ホテルへ帰ったのではなく、なんとパリまで帰ってしまったのだ。彼女とは、結局、それっきりになった。

傷心のティムは、翌日、性懲《しょうこ》りもなく、バーゼル美術館へ出かけた。前日とまったく同じ場所で、飽きずにルソーの作品を眺め続けるティムに、前日ふたりに注意をした女性監視員が、そっと話しかけた。

私はもう長いこと監視員をやってますけど、まったく、初めて会いましたよ。私たち以上に熱心に作品をみつめ続ける人には。

それでそのとき、思いついたのだ。自分は研究者や評論家など、作品の遠くにいて作品を論じる専門家には向いていない。好きな作品をみつめ続け、作品のもっとも近くで呼吸ができる仕事につくのがいいのだ、と。それはきっと、キュレーター。いや、ひょっとすると、監視員かもしれない。どっちにしても、コレクターではないだろう。

つらつらと思い出をたぐり寄せているうちに、車は広大な庭園の中へと入っていった。ティムは車の窓を開けてみた。さわやかな朝の空気がたちまち吹きこむ。針葉樹の森のような、深々と青い匂《にお》いがした。

車はゆっくりと停まり、外から何者かがドアを開けた。ドアの向こうには、黒いジャケットとネクタイをきちんと着こんだ男性が立っている。ティムは後部座席から外へと降り立った。

「ようこそいらっしゃいました、ミスタ・ブラウン」

よく響く低い声、やはりドイツなまりの英語で男が言った。「どうも」と短く言って、ティムは男に向かって右手を差し出した。

「わたくしはこの邸《やしき》の執事、シュナーゼンです。あなたが握手をなさるべきかたは、奥でお待ちかねです。どうぞ、こちらへ」

男はにこりともせずにそう言うと、身を翻《ひるがえ》して、ポーチから玄関の中へと入っていった。差し出した右手を引っこめられずに、ティムはシュナーゼンと名乗った執事の背中が邸内の暗がりへ消えていくのをみつめていたが、そのまま顔を上げて邸を見上げ、ぽかんと口を開けてしまった。城、と呼んだほうがしっくりくるような、見たこともないほど巨大な石造りの館《やかた》だった。

石の積み方や窓の形を見ると、十八世紀の建築様式だ。庭園にはうっそうと緑が生い茂り、邸の屋根を覆《おお》うほどの巨木もある。マンハッタンの億万長者はアップタウンの高級アパートに住んでいるのが常だ。これに比べると、あっちはこぎれいな鳥かご、といったところだ。

玄関の奥、表の光をとらえてかすかにきらめくシャンデリアを、ティムは目を細めて眺めた。

この邸に一歩踏みこんでしまったら、もう決して後戻りできない。——いいんだな？

自分の心の声に思わずうなずいて、ティムはシャンデリアの放つ光を見据えた。そして、吸いこまれるように、その輝きに向かって歩き出した。

その部屋は、邸のもっとも奥深い場所にあった。

シュナーゼンに導かれるままに、いくつものドアの前を通り過ぎ、どんどん暗さを増していく邸の奥へとティムは進んでいった。邸は想像以上に広く、ほとんどバーゼル美術館と同じくらいではないかと思われた。かつて王侯貴族の館だったところなのだろう。

廊下の壁には古いタペストリーが掛けられ、いたるところに家具が置かれてあった。その前を通り過ぎるたび、ティムの目は敏感にその価値を察知した。タペストリーの中にはおそらく中世のものや、家具にはルイ十四世様式のものが見受けられた。これはまるで装飾美術館だ、とティムは心中舌を巻いた。これから自分が握手を交わそうとしている人物が信じがたいほどの審美眼を持ち合わせた美の巨人であることを、その人が待つ部屋にたどり着くまでにすっかりわかってしまった。

それにしても、少々インテリアの趣味が古いようだ。一点も印象派や近代の芸術作品が飾られていない。が、全部隠されているのかもしれなかった。なにしろ「二十世紀の秘宝」なのだから、温湿度管理やセキュリティが完璧《かんぺき》な倉庫がこの奥にあるのだろう。

もうこの先は行き止まり、という部屋の前にたどり着いた。木彫の施された巨大な両開きの扉を、かっきり二回、シュナーゼンがノックした。ぎい、と不穏な音を立てて扉が開く。ティムは思わず姿勢を正した。

暗い目をした中年の男が現れた。やはりジャケットとネクタイを生真面目に着こんでいる。男は品定めでもするように、無遠慮にティムの全身を眺めると、すっと右手を差し出した。

「ようこそおいでくださいました、ミスタ・ブラウン。私はエリク・コンツ。あなたに手紙を差し上げました、バイラー氏の代理人の弁護士です」

どきっとした。「トム・ブラウン」と「ティム・ブラウン」、この男が一文字のミスタイプをしたうっかり者なのだろうか。

「はじめまして、……ブラウンです」

ティムは笑顔を作ってコンツの手を握った。そして、手の内側にじっとり汗をかいてしまっているのを気づかれないように、一瞬で離した。

「どうぞ、中へ。バイラー氏がお待ちかねです」

扉がさっと両側に開いた。部屋の中に一歩足を踏みこんで、ティムは息をのんだ。

それは、信じがたい光景だった。

壁という壁を埋め尽くし、床にまで溢《あふ》れるようにして、絵画が飾ってあった。そのすべてがまぶしいほどの光を放っていた。さんさんと日の当たる野原、あるいは陽光さんざめく浜辺へ迷い出たかのような錯覚に陥る。すべての作品が、印象派・近代の絵画だった。

巨大な睡蓮《すいれん》画がある。モネに違いなかった。物憂《ものう》い表情でバルコニーにもたれる女性の姿。あれは、きっとマネだ。ステージで舞い踊る花のような踊り子たち。ああ、これは絶対にドガだ。なんてことだ、ピサロも、ロートレックも、ゴッホも、ゴーギャンもある。しかも、全部、本でも展覧会でも全作品の目録《カタログ・レゾネ》でも、一度も見たことがないものばかりだ。

「嘘《うそ》だ。……こんな、こんな、こんなことが……まさか」

ティムは、思わず口に出してつぶやいた。そばにコンツがいなければ、すぐにでも作品に飛びついて検証を始めたことだろう。それほどまでに、すべての作品があまりにもすばらしかった。贋作《がんさく》とは思えなかった。どれもが芸術の神が宿った輝きを放っていたから。

夢のようだ。けれど、夢じゃないんだ。

おれは、ついに……バイラー・コレクションをこの目で見ているんだ。

「おやおや、やはりあなたは根っからの研究者のようですね。誰もいなければ、いまにも作品に飛びついてしまいそうだ」

コンツの愉快そうな声がした。それに続いて、凜《りん》とした声が背後で響いた。

「本物の研究者なら、作品の前で自分の感情を抑制するすべを心得ているはずですけど」

ふっと甘い香り——南国の花の香りがした。はっとして、ティムは振り向いた。

ロダン作らしき彫像のそばに、ひとりの女性が立っていた。

まっすぐな長い黒髪に、切れ長の涼しげな瞳《ひとみ》。白いブラウスに、黒いプリーツスカート。ほっそりした両腕を組んで、こちらをじっと見据えている。

……誰だ？

「手紙ではお知らせしませんでしたが、ルソー研究の第一人者をもうひとり、お招きしたのです。こちらは早川織絵嬢《ミス・オリエ・ハヤカワ》。若き天才女性学者で……」

「『女性』は余計です」織絵がぴしゃりとコンツを制した。「研究に男も女もありませんから」

こつこつとハイヒールの音を響かせて、織絵がティムに近づいた。

「はじめまして、早川織絵です。まだ第一人者ではありませんが、パリ大学の大学院でルソー研究をしています」

ふたりは軽く握手を交わしたが、ティムのほうは言葉が出ない。自分以外にもうひとり研究者が招かれていたことに、少なからず衝撃を受けていた。

ソルボンヌ在籍の研究者だって？　それに、完璧な英語でしゃべっているけれど、どうやら日本人じゃないか。しかも、女。――いったい、どういうことなんだ。

織絵は黙ってティムの顔を正面からみつめている。チーフ・キュレーターにしてはお若いんですね、などと言われそうな気がして、一瞬ひやりとした。が、それは顔に出さずに、ティムはできるだけ落ち着いた声で、コンツに向かって言った。

「これはどうも……お人が悪いですね、ミスタ・コンツ。こんな美しいかたがゲストでいらっしゃるのなら、さきにお知らせいただいてもいいものを」

「ミス・ハヤカワはゲストではありません。あなた同様、バイラー氏が依頼なさいました、ルソー作品のもうひとりの鑑定人です」

そう聞いたとたん、ティムは、あっと小さく声を漏らした。オリエ・ハヤカワという名前が、閃光《せんこう》のように脳裡《のうり》でひらめいたのだ。

オリエ・ハヤカワ。このところ国際美術史学会を騒がせている、新進気鋭のルソー研究者だ。確か、ソルボンヌの大学院で博士号を最短で、つまり二十六歳で取得したことでも話題になっていた。いまはソルボンヌの美術史科で研究職にある。ボスのトムがこれから執筆するルソー展の解説の参考文献として、彼女の論文も文献リストの中に入っていた。

英語とフランス語の二カ国語を巧みに操り、専門誌に次々と論文を発表し、画期的な着眼点で他の研究者の注目を集めている。ルソーの郷里、フランスのラヴァルに残るルソー家の戸籍や学校の成績表にいたるまで、画家の生い立ちを執拗《しつよう》に調べ上げ、なぜ絵を描くようになったのか、いかにしてあの独特の表現手法を得たのか、個性的な論を発表していた。「彼女のやり方は研究者じゃない。まるで探偵だ」と揶揄《やゆ》する者もいるほど、その調査は徹底していた。

ルソーはとかく遠近法のひとつも身につけていないアカデミズムとは無縁の「日曜画家」だと言われ続けてきたが、織絵の持論は違った。正式な美術教育を受けなかった、という点は動かしがたい事実ではあるが、ルソー独特の表現手法は、あるときから画家が「確信犯的に」選びとったものである、というのだ。画家として卓越した技術を身につけられなかったわけではない。あえて「稚拙な技術」「日曜画家」と言われ続ける技法で勝負した。それは、ピカソやマティスなど、二十世紀美術に変革をもたらす芸術の風雲児たちの登場と少なからず関係している――。

「……そうでしたか。あなたの論文はいつも拝見していましたよ。なかなか個性的な論をお持ちですね。『確信犯』説については、少々結論を急ぎすぎる気もしましたが」

この若き研究者が、ルソーの技法を「確信犯的なものだ」と断定したことについて、ティムは美術史学会で正式に反論したいと考えていたが、いかんせん、ルソー展の準備のサポートで論文を書く時間すらままならない状況だった。まさかこんなところで鉢合わせするとは想像もしなかったが、何かひと言言っておかなければ、という気持ちから、ティムは「確信犯」説を持ち出した。MoMAのチーフ・キュレーターらしく、威厳に満ちた物言いを心がけながら。

「あら」織絵は眉《まゆ》ひとつ動かさずに返した。

「『確信犯』説についてコメントされたのは初めてです。さすがにルソー展の企画を準備なさっているだけのことはありますね。間違っても『税関吏《ドワニエ》ルソー』なんてタイトルを展覧会につけようとなさっていないことを祈りますけど」

いきなり核心にふれてきた。「税関吏ルソー」は、トムが考えている展覧会タイトルの候補のひとつだった。「ルソー」だけだと、哲学者のジャン＝ジャック・ルソーや十九世紀の画家テオドール・ルソーが思い出されることも多い。フルネームで「アンリ・ルソー」としたら、絵画に詳しくない人は誰のことかすぐに思い出せない。ルソーの名前の前に「税関吏」とつけたほうが、一般人は「ああ、あのルソーか」とすぐに思い出すことができる。それほどまでにこのあだ名はルソーの代名詞として定着していた。

呼びやすく、親しみやすいあだ名。しかし、このあだ名のせいで、ルソーは死後七十年以上経《た》っても「かつて税関に勤めていた日曜画家」のイメージから抜け出せないのだ。

ティムは、このいまわしいあだ名「税関吏」をルソーの枕詞《まくらことば》でなくすることが、MoMAでの展覧会が担《にな》った役割のひとつであると考えていた。いずれトムがフランス側の主催者と協議してタイトルを決める際に、その旨《むね》助言しようと決めていた。展覧会のタイトルは、たとえば「モネ展」と「大モネ展」がまったく違って聞こえるように、つけ方ひとつで企画のイメージが変わるし、動員数までもが変わる。ルソーの場合は、画家そのものの評価をも変える可能性があるのだ。

そう考えれば、織絵のひと言は実に的を射ていた。そして、ピカソ研究の世界的権威ではあっても、ルソー研究では論文発表をしたことのないトム・ブラウンを皮肉ってもいた。この女はなかなかの玉だぞ、とティムは警戒を強めた。

「知力と眼識がぶつかると思わぬ火花が散るものですな。できるものなら、バイラー氏の目の前で見せていただきたいものだ。その美しい火花を」

コンツがにやりと笑った。ふたりはにらみ合っていた顔を背けると、おびただしい絵画の合間を奥へと進んでいくコンツの後を追った。

部屋のいちばん奥に、もうひとつ、ドアがあった。コンツはその前で立ち止まり、コココン、とせわしないノックをしてから、「おふたり、お揃《そろ》いになりました」と、ドアの向こうに声をかけた。返事は聞こえなかったが、ドアノブをがちりと言わせて、コンツはドアを開けた。

ティムは息を止めて、薄暗い部屋の中を見ようと目を凝らした。織絵もじっと動きを止めて注視している。埃《ほこり》っぽい部屋はブラインドが閉ざされ、古ぼけたデスクランプがオレンジ色の光を灯《とも》している。白い布が掛けられたカンヴァスに囲まれた車椅子《くるまいす》が、浮かび上がって見えた。こんもりとうずくまった背中がかすかに揺れている。コンツが部屋の中へ歩み入ると、車椅子の背のハンドルを握って、ゆっくりと椅子を回転させた。正面を向いた瞬間、隣に立っている織絵ののどが、ひっ、とごく小さな音を立てて息を吸いこむのが聞こえた。

車椅子の上で力なくうずくまっていた人物は、ミイラのごとき老人だった。落ち窪《くぼ》んで枯れた池のような顔の中で、ぎょろりと目が動く。その目は白濁して、見えているのかいないのかもわからない。しかし、その白い目が、まっすぐにティムを、続いて織絵をとらえた。そのまま、瞬《まばた》きもせずに見据えている。ティムと織絵は、声も出せずに立ち尽くした。

これが……この人こそが、生ける伝説、コンラート・バイラー。

「ようこそ……ムッシュウ・ブラウン。マドモワゼル・ハヤカワ」

しゃがれた、けれど想像以上にはっきりした口調で、バイラーはフランス語でふたりを歓迎した。そして、どちらにともなく右手を差し延べた。最初にティムが、一歩踏み出して、枯れ枝のようなその手を握った。生きていないんじゃないかと思われるほど、ひやりと冷たい手。

「はじめまして。このたびはお招きありがとうございます。お目にかかれて光栄です」

ティムはどうにかフランス語であいさつした。バーゼルはドイツ、フランス両国の国境に位置する都市であり、公用語はドイツ語だが、住人の多くはドイツ語とフランス語の両方に長《た》けている。ティムはドイツ語は読めても、話すのは得意ではないので、バイラーにドイツ語で話しかけられたらどう返すべきか思案していた。フランス語で話しかけられて、助かった、と思った。

ティムに続いて、織絵もバイラーと握手を交わした。緊張からか、それとも恐怖からか、織絵は無言のままだった。

「この部屋のドアを開けるまえに、おふたりはルソーの『税関吏問題《ドワニエ・イシュー》』について、すでに意見を交わされていました。頼もしいことこの上ありません」

バイラーの背後に立っているコンツが、やはりフランス語で言った。「税関吏問題」とは聞いたことのない言葉だったが、おそらくティムや織絵と同様、バイラーも、画家としてのルソーの評価にいらぬ先入観を与えるこのあだ名が気に入らないのだろう。コンツから送られてきた手紙で、バイラーが「同志」と呼びかけていることを、ティムは思い出した。「いかなる時代のいかなるアーティストよりも、アンリ・ルソーを偉大なる画家と見なす同志である貴殿」。バイラーは、自分を——いや、正確には自分のボスのトムのことだが——同じ志を持つ者と位置づけているのだ。

ということはつまり、この鼻っ柱の強い女のことも、そう思っているわけか。

「それはいい」バイラーは白濁した目を細めた。

「やはり君たちは、わしと同じ思いを持っているようだな」

「ルソーの名作《マスターピース》をお持ちとのことですが」

織絵が、意を決したように、ティムよりずっと流暢《りゅうちょう》なフランス語で話しかけた。

「いったい、私に……いえ、私たちに調査を依頼なさった目的はなんなのでしょうか。そもそも、何をもってその作品を『名作』などと……」

「何を言ってるんだ、君は」ティムは、今度こそ声を荒げた。しかも英語で。

「名作に決まってるだろう。この邸《やしき》にある作品の数々を見れば、名作でないわけがないじゃないか。モネも、マネも、ドガもあった。ゴッホもだ。どれも見たこともないような、名作中の名作だ」

ムッシュウ?」

「真作《ほんもの》ならね」すらりと織絵が返した。ティムは、ぐっと奥歯を噛《か》んだ。女性でなければ、その傲慢《ごうまん》な鼻っ柱をへし折ってやりたいところだ。
「まあまあ、おふたりとも」絶妙なタイミングで、コンツがなだめた。
「まだご覧いただいていない作品のことで言い争ってもしょうがない。とにかくご覧いただいてから、それぞれのご意見をいただきましょう。それでよろしいのですよね、ムッシュウ?」

バイラーが、かすかにうなずいた。そして、何ごとかドイツ語でつぶやいた。今度はコンツがうなずいて、ゆるゆると車椅子を押して部屋を出た。ティムと織絵は互いに視線を合わさないようにしながら、その後についていった。

薄暗く長い廊下の果て、やはり木彫が施された巨大なドアの前で、執事のシュナーゼンが待ち構えていた。バイラーの姿を見ると、すぐに観音開きのドアを開けた。ティムは歩く速度を速めながら、一秒でも早くこの女よりもさきに「名作」を目にしてやる、と焦《あせ》った。早く見なければ消え失《う》せてしまう虹《にじ》を追いかける気分だった。開かれたドアにたどり着いたのは、果たしてティムのほうが一歩さきだった。すぐに織絵が追いついた。ふっと、また南国の花の香りがした。ティムは振り向くと、織絵を見た。ふたりの視線が重なった。

ドアの前から一歩退いて、ティムは、無言で織絵のために道を空けた。キュレーターたるもの、いかなるときでもレディーファーストを心がけなければならない。くやしいけれど、それが自然な行為だった。

「ありがとう」

口もとに微笑を寄せて、織絵が小さく言った。彼女が笑ったのを初めて見た。彼女が通り過ぎる瞬間、やはり花の香りがふわりと鼻腔《びこう》をかすめた。

ここに、あるんだ。まだ見ぬルソーが。

心臓の音が全身に響き渡っている。ティムは、ほんの一瞬、祈るように目を閉じた。そして、断崖《だんがい》から海に向かって身を投げる思いで、部屋の中へと踏みこんだ。

最初に目に入ったのは、長くてすらりとした黒髪。織絵の、まっすぐに立ち尽くす後ろ姿だった。

その向こうに、大きな横長の絵が見えた。うっそうと豊かな緑の塊。見覚えのある密林の風景。

——あ。

一歩、二歩、ゆっくりと、その絵に向かってティムは進んだ。自分の目が信じられなかった。

まさか、これは——。

その絵は、まさしく、「夢」。少年の頃恋い焦《こ》がれ、その後のティムの人生を決定づけたあの作品、「夢」だった。

虚空《こくう》にぽっかりと浮かぶ白い満月、笛を吹き鳴らす黒い肌の異人。爛々《らんらん》と目を光らせる獣たち、そして赤い寝椅子の上に横たわる裸婦——。

「まさか」とティムは、思わず英語で、声に出して言った。

「これは、MoMAにある……『夢』じゃないか。なぜだ。どうしてここに……」

「落ち着いてください、ミスタ・ブラウン。これは『夢』ではありません」

コンツの声がした。それで初めて、絵が掲げられているイーゼルの真横に車椅子のバイラーとコンツが寄り添っているのに気づいた。周りが全部吹き飛んでしまうほど、ティムは一瞬にして作品世界に吸いこまれてしまっていたのだ。

「貴館の至宝がここにあるわけがないでしょう。細部をよくご覧ください」

ティムはのぼせた頭を二、三度横に振って、もう一度、正面から作品を見た。確かに、構図もモチーフも、寸分違《たが》わず、すべて「夢」と同じだった。しかし、筆のタッチや緑の明暗が微妙に違う。ティムは目を見開いた。決定的な違いが、一カ所あるのをみつけたのだ。

ああ、左手が。ソファに横たわる裸婦、ヤドヴィガの左手が——握られている。ルソー自らが名付けた画中の女、ヤドヴィガの横顔には、「夢」のそれよりもやわらいだ感じがある。そして、水平にすっと持ち上げた左手が固く握りしめてあった。「夢」では、何かを指差しているのに。

これは「夢」ではない。あたりまえの事実を確認して、ティムはようやく息を放った。

「どうやら、おわかりのようだな」

バイラーのしゃがれた低い声がした。

「この作品は、『夢』ではない。この作品のタイトルは——『夢をみた』」

ティムと織絵は、同時にバイラーを見た。白濁した目をふたりに向けて、せせら笑うかのように、バイラーの口が奇妙に歪《ゆが》んだ。

「君たちにこの作品の調査を依頼した理由はただひとつ。これの真贋《しんがん》を見極めてもらいたいのだ」

言われてすぐに、ティムの目は、右端下に書かれてあるルソーの署名をすばやく確認した。白い絵の具、堂々としているのにどことなく頼りない筆跡。もう何百回となく見てきたルソーの文字そのものだった。

真筆です、とすぐにでも宣言してしまいそうになるのをどうにかこらえて、ティムは尋ねた。

「ということは、真贋が定かでないのにこの作品を購入されたのですか」

「それは違います」とコンツが口をはさんだ。

「近代美術史の分野における最高権威のかたの証明書《サティフィケーション》があってこそ、バイラー氏は購入に踏み切ったのです。これをご覧ください」

一枚の紙を取り出して、ティムの目の前にかざした。

夢をみた　一九一〇年　アンリ・ルソー作　本作が画家の真筆であると証明する
アンドリュー・キーツ

「アンドリュー・キーツ?!」

ティムは大声を上げた。織絵が、ぴくりと肩を震わせた。

アンドリュー・キーツ。トム・ブラウンと双璧《そうへき》の、近代美術史の世界的権威だ。ロンドンにあるテート・ギャラリーのチーフ・キュレーターで、確かな企画力と時代を読むセンス、そして金持ちのマダムを夢中にさせる術《すべ》は、トムと同等かそれ以上と噂《うわさ》されていた。ピカソやマティスなど、大型展覧会に借り出す希少な名作を巡って、トムとキーツは常に争う立場だった。そのキーツが、すでにこの作品に接触していたのだ。

世界中に現存するルソー作品のリサーチをしている中で、この作品の存在に、トムも自分もまったく気づけなかった。やられた、と苦々しい思いがティムの中を駆け巡った。同時に、この作品の存在を知っているキーツとテート・ギャラリーは、本作獲得のためにすでに動き始めている、と直感した。

「いったんは真作と保証されて、バイラー氏は本作の購入に踏み切ったわけです。しかし、ご存じの通り、この世界にはさまざまな輩《やから》がいる。正直に証明書を書く専門家ばかりではありませんからね……」

コンツが意味深なことを言う。と、突然、織絵が嚙みついた。

「じゃあ、サー・アンドリューが偽《にせ》の証明書にサインしたと言うんですか？　まさか、そんなことありえない。撤回してください。あなたの言葉は、美術史の権威に対する冒瀆《ぼうとく》です」

キーツは「サー」の称号を与えられているほどの学者だ。よく知っているな、とティムはますます警戒した。「美術史の権威に対する冒瀆」とまでは自分は思わない。

実際、プライベート・ディーラーと組んで、偽の証明書を乱発する権威者も存在するのだ。しかし、あのテートのチーフ・キュレーターが万が一にもそれをやってしまったとなれば、深刻な話だ。

「これは、おだやかではありませんね。私は一般論を申し上げただけですが」

コンツが苦笑して言うと、

「それが冒瀆だと言っているんです。撤回してください」

織絵も譲らない。これでは話がさきに進まない。ティムが何か言おうとすると、

「ではまず、あなたのご意見をうかがおう、マドモワゼル。第一印象で結構。この作品は、真作かね。それとも、贋作かね」

バイラーのしゃがれた声がした。たちまち、織絵は黙りこくった。倒れてしまうのではないかと思うほど、顔からは血の気が失せている。いままで激高して頰を赤くしていたのに。ティムは、織絵の不可解な沈黙に、不穏なものを感じ取った。

やがて、織絵の口から力のない声が漏れた。

「……贋作です」

ティムは耳を疑った。ついさっきまで美術史の権威に対する冒瀆だのなんだのと騒いでいたのに。それじゃあ、キーツが偽の証明書を書いた、と認めたことになるじゃ

ないか。いや、それこそ、この作品に対する冒瀆だ。

「真作ですよ」すぐにティムが勢いこんで言った。「間違いなく、これは真作です」

「ほう」とコンツがあごを撫《な》でた。

「即断ですな。何を根拠に？」

「絵肌《マチエール》、色彩、構図、タッチ、そして署名。何もかもが、真作の根拠になります。何より、真作のみが持つ強烈な磁力がある。その証拠に、私は、一目見ただけで一気に引きこまれました」

詳しく検証したわけではない。しかし、作品の鑑定で重要視されるのが、目にした瞬間の第一印象なのだ。同じ画家の他の作品との比較や画筆の癖など、詳細を調べ上げて慎重に積み重ねた上で、最終的に判断をしなければならない。しかしその結果は、おもしろいほど第一印象と合致するのだ。

第一印象で「贋作」と言い放った織絵に対して、ティムは無性に腹が立った。彼女は確かにすぐれた研究者には違いないだろう。しかし、おそらく、本物のルソー作品とじっくり向かい合った経験がないのだ。心を砕き、気持ちを添わせ、作品と対話したことがないのだ。だから、そんなにもやすやすと贋作のレッテルを貼《は》ってしまえるのだ。

「あなたはいかがですか、マドモワゼル。何を根拠に、これを贋作だと？」

織絵は再び黙りこんでいたが、ようやく、

「……『夢』があるからです」

ひと言、言った。その顔は、真っ白だった。

「どういうことだ？」

ティムが訊《き》くと、

「この作品が真作ならば、あなたの美術館にある『夢』が贋作ということになるからですよ」

その言葉に、どきりとした。

一九一〇年、ルソー晩年。画家の貧困は頂点に達していた。大型のカンヴァスを買うにも十分な絵の具を買うにも、ほとんど資金は尽きていた。「夢」を発表したのは同年の三月。その六カ月後、画家はあっけなく病死している。

たっぷり絵の具を使った同じような構図の大型の作品を短期間に二枚仕上げることなど、当時のルソーにできただろうか。

バーゼル美術館にある「詩人に霊感を与えるミューズ」については、作品を書き直したエピソードがきちんと当時の文書に残っている。ゆえに、バーゼルとモスクワ、どちらも真作であると証明されている。しかし、「夢」に関しては、似たような構図のものをもう一枚描いた、などという文書は、ティムがいままで調査してきた限りでは、どこにも残っていない。

織絵の言う通り、これが、ルソーが一九一〇年に描いた真作だとしたら——MoMAのコレクションに入っている「あれ」は、いったいなんなのだ。

「ではもう一度うかがいますが、ムッシュウ。あなたの美術館にある『夢』、あれは真作ですか」

コンツが抑揚のない声で訊いた。ティムは「あたりまえじゃないですか!」と、つい声を荒げてしまった。

「あれは、うちの理事のロックフェラー家寄贈のものです。来歴もちゃんとしています。真作以外の何ものでもありません。当然ながら」

「では、これは?」執拗《しつよう》に、コンツが尋ねる。

「この作品は? これも真作だと言いきれますか?」

問いつめられて、ティムはもはや二の句が継げなかった。部屋の中が、しんと静まり返った。

しばらくして、バイラーの皺《しわ》だらけの口から、深いため息がもれるのが聞こえた。

「ルソーとは、なんとも空恐ろしい画家だ」

バイラーは、そうつぶやいた。ティムと織絵の視線は、再びバイラーに向けられた。

「もう何年になるだろう。わしは、この作品と寝起きを共にしてきた。そのうちに、だんだんわからなくなってきた。ルソーは、ほんとうに、この作品と『夢』とを、ほぼ同時期に描くことができたのだろうか。だとすれば、なんという恐るべき底力、魔力を持った画家であることか」

モネもゴッホもピカソもすばらしい。しかし、なぜ、人々はアンリ・ルソーのすごさに気づけないのだろうか。

知らずしらず、我々は、イメージの操作をされてきたのではないか。「税関吏」という枕詞《まくらことば》によって、ルソーという画家は日曜画家以上のものではあり得ない、気のいいお人好《ひとよ》しの老画家なんだ、という具合に。

ルソーとは、二十世紀美術の大変革に一役買ったアーティスト。彼がいなければ、ピカソは絵画革命を進められなかったし、シュルレアリスムの誕生もなかった。それなのに、なぜこうもルソーの評価は低いままなのか――。

とぎれとぎれに、バイラーは、そんなことを語った。ティムは、心底驚愕《きょうがく》した。バイラーの思いは、まさしく自分の思いと同じだった。

ルソーの評価を変えたい。それは、自分自身の評価を変えることにも繋《つな》がるのだから。そんなふうに思って、この数年は生きてきた。しかし、この老コレクターは、さらに長い時間、ありったけの財を投じ情熱をこめて、謎《なぞ》の画家、アンリ・ルソーと対《たい》峙《じ》し続けてきたのだ。

「作品の調査期間は、今日を含めて七日間でしたね。とすれば、すぐにでも始めさせていただきたいのですが。X線の検査はさせていただけるのでしょうか」

正気に戻ったように、織絵がすらすらと言った。ティムも、はっと我に返った。

そうだ。自分はこの作品の調査のためにここへ呼ばれたのだ。もしもこの作品が真筆と証明されれば、貸出を申しこむ。来年のルソー展の目玉作品として、なんとしてもこれを奪い取るんだ。

「夢」との関連性はどうあれ、とにかく真作であれば、これ以上すごいことはないのだから。

「あわてなくとも、時間はたっぷりあります。あなたがたには、きっちりと本作を調査していただき、真贋の判断と、その根拠となる作品講評をしていただきます」

ふたりの顔をかわるがわるに見定めてから、コンツが言った。

「真作か贋作か、よりすぐれた講評を述べられたかたを勝者として、そのかたの判断をバイラー氏は全面的に受け入れます。そして——」

いったん言葉を切ってから、代理人は、ごく事務的に続けた。

「勝者となったかたに、今後、本作の『後見人』として、取り扱い権利《ハンドリングライト》を譲渡します。第三者に売ろうと、展覧会に出品しようと、はたまた闇《やみ》に葬《ほうむ》ろうと——ご自由に」

ハンドリングライトの譲渡。

一瞬、意味がよくわからなかった。もう一度、聞き直そうかと思ったくらいだ。数秒たって、「ええっ」とティムは声を上げた。

その申し出は、まったく常軌を逸していた。

勝ったほうにこの作品をくれてやる、と言っているようなものじゃないか。

おそらく、織絵も同じ気持ちだっただろう。ティムの隣で、すっかり固まってしまっている。

「ただし」とコンツが言いかけるのを、バイラーが枯れ枝のような手で制した。そこからさきは自分が言う、とでも言いたげに。

「ただし、調査のためにしてもらいたいことが、ひとつだけある」

そこまで言うと、心得たように、執事のシュナーゼンが部屋の外へと出ていった。

三分後、シュナーゼンがうやうやしく捧《ささ》げ持ってきたのは、一冊の小さな古書だった。それを手に取ると、赤茶けた革の表紙をいとおしむように撫でながら、バイラーが言った。

「ここに、七章から成る物語が書いてある。それを一日一章、読んでほしい。そして、七日目に判断してもらう。この作品が真作なのか、贋作なのかを」

作品をつぶさに調べるのではなく、「物語」を読み進めることによって判断する。見たことも聞いたこともない、まったく未知の調査方法だった。

なんてことだ、とティムは声に出さずに叫んだ。混乱と不安と——そしてとてつもない興奮が、嵐《あらし》のように駆け巡る。

この嵐を悟られちゃならんぞ、とティムは自分に言い聞かせた。今日から強敵になる、この鼻っ柱の強い女には。

絶対に、負けるわけにはいかない。

織絵を見やると、ちょうど彼女もこちらをちらと見たところだった。

若き女性研究者の目は燃えていた。ぞくりとするほど冷たい美しさだった。

第四章　安息日

一九八三年　バーゼル／一九〇六年　パリ

　見事なゴブラン織のカーテンのたっぷりとしたドレープが、天井まで届く高い窓を覆《おお》っている。その真ん中の隙間《すきま》からちらりと外を見やって、ティム・ブラウンは、もう何度目だろうか、こっそりとため息をついた。

　広大な邸《やしき》の中にあまたある客間のひとつで、ティムは待たされていた。チューダー朝スタイルの小机の上に載せられたロレックスの置き時計に視線を移す。午前十一時三十五分、さっき時計を見たときから五分しか経《た》っていない。腕組みして、もうひとつため息をつく。白いジャケットにタイを身につけた使用人の男が、銀のトレイにマイセンのコーヒーカップを載せて近づいてきた。

「コーヒーのおかわりをいかがですか」と、ドイツなまりの英語で語りかけられて、

「いや、結構」と即座にティムはフランス語で返した。

「もう三杯もいただいたのでね。それよりも、サンドウィッチか何かありますか。小腹が空《す》いてしまった」

　すぐにご用意いたします、とやはり英語でていねいに応《こた》えて、男は客間から出ていった。それでようやく、ティムは思い切り息をついた。つかのまであれ、ひとりきりになりたかった。

　早川織絵が隣室の「書斎《スタディ》」へと消えてから、一時間半近くが経つ。彼女はいったい、あの書物の中に何を見ているのか。はたして自分は、織絵が見ているものと同じものを見るのだろうか。ひょっとすると、赤茶けた革の表紙は同じでも、中身はまったく違うものかもしれない。

　伝説のコレクター、コンラート・バイラー。美術業界ではその存在を広く知られつつも、現実に存在しているのかどうかさえ、ティムにはわからなかった。ボスのトム・ブラウンになりすまして、まんまと謎《なぞ》の人物にまみえただけでも幸運だった。それどころか、バイラー所蔵のコレクションの中でも秘宝中の秘宝、アンリ・ルソーの大作――バイラーはそのタイトルが「夢をみた」だと言った――を目にすることができた。さらにはその真贋《しんがん》を、これから七日間かけて見極めることを依頼された。ただし、真贋鑑定をするのは自分だけではない。若き日本人ルソー研究者、早川織絵も挑ふたりの研究者に真贋鑑定を依頼したのは、単独の鑑定ではなく二重に調査をかけて保険にする、という主旨ではどうやらなさそうだ。これはまるで一騎打ち――モダン・アートの権威と、美術史学会に彗星《すいせい》のごとく現れた若い東洋人の研究者を競わせるゲームのようだった。

しかも、勝者に贈られる賞品は小切手やトロフィーなどではない。勝者は、「夢をみた」の取り扱い権利《ハンドリングライト》――作品を転売しても展覧会に出品しても、はたまた闇《やみ》に葬《ほうむ》っても構わない、というとてつもない権利を手中にすることができる。

あの作品と幾星霜《いくせいそう》寝起きを共にしてきた、とバイラーは言った。それなのに、真贋がわかりさえすればあとはもうどうなってもいい、と投げ出しているようなものだ。

そんなことがあってもいいものか、とティムは、バイラーの神経を疑った。と同時に、想像もしなかった幸運が飛びこんできたことに、十分すぎるほどのスリルを味わってもいた。

もしも自分がこのゲームの勝者になったとしたら、あの作品を「アンリ・ルソー展」に出品させる。そのことだけに、いま、ティムは気持ちを集中させたかった。

ボスのトムになりすましてここにいるのだ、たとえ自分があの作品を真作だと鑑定したとして、作品をＭｏＭＡで展示するまでにはなお煩雑《はんざつ》でさまざまな手続きを踏まなければならない。ＭｏＭＡに展示する作品に決して贋作があってはならないし、いったいどういう経緯でこの作品の所在をつきとめたのかとボスにも理事会にもとやかく言われるだろう。あの作品に展示室のスポットライトを当てるまでの道のりには、クリアしなければならない障害物が途方もなくあるだろう。

しかしいまは、とにかくいまは、あの作品を真作だと見極めること、そしてあの小憎らしい日本女を論破することに集中しなければならない。ほかのことは全部後回しだ、とティムは自分に強く言い聞かせた。

それにしても真贋の判定の方法は不可解なものだった。バイラーが提出した「古書」に書かれている全部で七章ある「物語」を、ティムと織絵とで、順番に、一日一章ずつ読む。すべて読み終わった七日目に講評し、結論が真作であれ贋作であれ、よりすぐれた講評をバイラーは受け入れるというのだ。「古書」はこの世にたった一冊しかない、順番におひとりずつ読んでいただきます、とバイラーの代理人、エリク・コンツがおごそかに言った。

「物語」を読む順番は、フットボールのゴールサイドの決定よろしく、コンツが投げたコインの裏表で決められた。織絵が先攻を取った。当然だろう、研究者であれば誰も当たったことのない文献にいち早くリーチしたいはずなのだから。コンツに導かれ、織絵は書斎へと入っていった。その際に、ティムをちらりと振り返って微笑を投げた。余裕だな、と苦々しく思いながら、ティムは彼女を見送った。

いま、織絵が対峙《たいじ》しているのは、いったいどういう物語なのだろうか。

そう、「物語」。「論文」とも「歴史書」とも「研究書」ともバイラーは言わなかった。あの書物には「物語」が書いてあるのだ。

研究者オリエ・ハヤカワには相当な読解能力があるはずだ。その彼女が、物語の中のたかが一章を読み進めるのに一時間半近くもかけているとなると、かなり難解な文章であると予想される。英語かフランス語以外の言語で書かれているのかもしれない。まさかラテン語か？　そうなったら読むまえに、完全にお手上げだ。

置き時計をもう一度見る。十一時四十分だった。緊張と不安に押しつぶされそうだ。ティムは新鮮な空気を吸うために、カーテンを開けて窓の取っ手に指をかけた。ふと、庭に黒服の男が立っているのが見えた。サングラスをかけ、周囲を丹念に見回している。シークレットサービスだ。そう気づいて、ティムは反射的にカーテンをさっと引いた。

どうやら邸の周辺はがっちりと警護されているようだった。ティムは窓辺に突っ立ったまま、何気なく部屋の四隅を見上げてみた。二カ所に監視カメラが設置してあった。

なるほど、おれたちは完全に監視されているってわけだ。この邸の中で不審な行動をとれば、人類の秘宝たる作品があちこちにあるのだ、たちまち盗人《ぬすっと》の嫌疑がかけられるだろう。

やはり大変なところへ足を踏みこんでしまったのだ。ティムは背中をぞくりとさせた。もはや後には引けない。絶対に。

コンコン、とドアをノックする音がした。小さく咳払《せきばら》いをしてから、「どうぞ」と応える。

「軽食をお持ちいたしました」

分厚いカーペットの上にワゴンを滑らせて、さっきの白ジャケットの男が入ってきた。そしてその後ろからコンツが、続いて早川織絵が現れた。ティムは織絵の表情をすばやく盗み見た。頬にはうっすらと赤みが差し、唇は半開きになっている。なんとも不思議な表情——いましがた夢から覚めたような、陶然とした顔つきだった。その瞬間に、ティムは、いまから自分が読まされる「物語」は、冷徹な研究者の心をも溶かすような、超一級の資料であると悟った。

コンツがドイツ語で何事か白ジャケットの男に指図した。男はワゴンを押してティムの前を通り過ぎ、部屋の片隅へと運んでいった。バイラーの代理人は、ティムに向かって冷ややかに笑いかけた。

「サンドウィッチを召し上がるのは読書のあとがよろしいでしょうね。こちらへどうぞ、ミスタ・ブラウン」

コンツの後に続いて部屋を出る瞬間、自分も余裕を見せようと、ティムは織絵に微笑を投げた。が、彼女はこちらをちらとも見ずに、何事か考えこむようにまなざしを宙に放っていた。

待機していた客間の隣、書斎のドアもまた、複雑な文様の彫刻が施されていた。そのドアを、音もなくコンツが開いた。ティムは一歩足を踏み入れて、その場に立ち尽くした。

さして広くない部屋だったが、窓はなく、床から天井にいたるまで四方を本棚で囲まれている。色とりどりの革の背表紙の書物がその中を埋め尽くしていた。ヴァザーリ、ヴィンケルマン、ヴェルフリン、ゴンブリッチ。古今東西、美術の歴史と叡智《えいち》が詰めこまれた部屋。この情景を見て心躍らせない研究者がいるだろうか。

豊かな蔵書に目を奪われ、入り口で呆然《ぼうぜん》としていたティムの背後で、コンツの声が響いた。

「どうぞ、前へ。中央のテーブルへお進みください」

部屋の真ん中に、どっしりとしたマホガニーのテーブルがあった。その上に、赤茶けた革表紙の本が一冊、載せられている。ティムはテーブルに近づき、真上から閉じられた表紙を見下ろした。

表紙にはタイトルも著者名もない。この手の古書は大体がそういうスタイルなのだが、背表紙にタイトルと著者名が刻印されているはずだ。が、背表紙にも二、三の金色のラインが施されているだけで、文字は見当たらない。ティムは、振り返ってコンツに尋ねた。

「これは誰の著作なのですか。年代は――」

「質問は一切受け付けません」と、間髪を容《い》れずにコンツが返した。

「この部屋であなたに許されていることは、その書物の中に書いてある『物語』を一日に一章ずつ読むことだけです。『物語』を読了するまでは、質問や感想は無用です。また、メモを取ることや写真撮影は禁止です。途中退席もご遠慮いただきます。制限時間は九十分。早く読み終わって退出を希望する場合や緊急の場合は、お手もとのベルを鳴らしてください。お迎えに上がります」

いかにも事務的に述べてから、

「ちなみにミス・ハヤカワは時間いっぱいを使われましたが」

と言い添えた。テーブルの上には卓上ベルと金色の小さな置き時計があった。時計の針は十一時五十分を指していた。

「何かご質問は？」と問われて、

「質問は一切受け付けないとおっしゃいましたよね？」とすかさず返した。コンツはにやりと笑みを浮かべると、

「それでは、九十分後に。よい旅を《ボン・ヴォヤージュ》」

そう告げて、ドアの向こうへ姿を消した。

ティムはテーブルの前に一脚だけあるアール・デコ風の椅子《いす》を引いて腰掛けた。正面を見上げると、すぐに監視カメラが目に入った。一章よりさきに読み進もうものならば、別室で監視しているコンツがすっ飛んできて、すぐさま退場を言い渡すのだろう。とにかくこの部屋では言われた通りにするほかはなさそうだ。

柔らかな革表紙にそっと指で触れてみた。一瞬でも早く、その「物語」とやらを目にしたい気持ちをなだめて、ゆっくりと表紙を開く。その刹那《せつな》、不思議な甘い香り、南国の花々の香りが立ち上る気がした。

黄ばんだページが現れる。扉ページに、「物語」のタイトルらしき活字が浮かんでいる。フランス語だった。

J'ai rêvé（夢をみた）

あの作品のタイトルと同じだ。ＭｏＭＡ所蔵のルソー作品のタイトルは「Le rêve（夢）」。同じ「rêve」を、ＭｏＭＡの作品のタイトルでは名詞として、このタイトルでは動詞として使っている。

指の腹で紙の表面をなぞる。少し厚めの良質の紙、黄ばんではいるがおびただしい劣化はない。文字のフォントを見ても、さして古くささは感じられない。この本は二十世紀初頭よりまえのものではなく、「古書」と呼ぶほどのものではない、と直感した。

さらにページをめくる。章扉が現れた。

第一章　安息日

その文字を目にして、なんだろう、とティムの心中はざわめいた。

これはアンリ・ルソーにまつわる「物語」ではないのか。何事か、ルソーにまつわる新事実が隠されているのではないかと期待を高まらせていたが、この章タイトルからでは推し量れない。

海に飛びこむ直前に、ボートの縁に腰掛けるダイバーの気分だった。無意識に、ぐっと呼吸を止める。

ティムはページをめくった。ついさっき、コンツが去り際《ぎわ》に告げたひと言がふいに蘇《よみがえ》る。

ボン・ヴォヤージュ。

胸に湧《わ》き上がる高揚感は、まさしく旅の始まりに似ていた。いや、旅というよりも、冒険の始まりのような。

ある冬晴れのうららかな日、神の与えたもうた安息日のできごと。

ノートルダム大聖堂前の広場に、くたびれた初老の男がひとり、紐《ひも》のついた木箱を首から提げて、所在なさそうに立ち尽くしておりました。

木箱には赤や白の風船がくくりつけられ、ときおりそよ吹く風に揺れています。空は晴れ渡り、大聖堂の尖塔《せんとう》の真上をかすめて、ユリカモメがセーヌ川の方向へ飛んでいきます。

突然、大聖堂の鐘が鳴り始めました。日曜日のミサを終えた信心深い人々が、聖堂の中から広場へと次々に歩み出て参ります。シルクハットを頭に載せた紳士、ボンネットをつけた婦人、そのあいだをちょこまかと走り回るフリル付きのブラウスを着た子供たち。正装した人々の波に向かって、つぎはぎだらけのフロックコート姿の老いた男が声を張り上げます。

「ボンボンはいかがですか。パリいちばんのボンボン、甘くておいしいボンボン。いまなら風船のおまけ付き。ええ、ボンボン、ボンボンはいかが」

シルクの赤いリボンを金色の巻き髪につけた女の子が、男の前で立ち止まり、「ママン、買って」と母親らしきご婦人のドレスの裾《すそ》を引っ張りました。ご婦人はにっこりと笑って、「よくってよ」と応《こた》えます。

「ひとつ、くださいな。おいくら？」

「五個入り一袋五十サンチームです」と男が応える。「二袋お求めいただきますと、風船のおまけ付きですが」

「風船がほしい」と女の子が母親にすがりつくので、ご婦人は眉《まゆ》をひそめましたが、手首に提げていたビーズのパースから一フラン硬貨を取り出して、言いました。

「ご商売がお上手ですこと、ボンボン売りさん。さあジャンヌ、風船をいただきなさい」

「あなたの赤いリボンと同じ色にしましょうか、マドモワゼル」と男は言って、木箱から飴《あめ》入りの小袋をふたつ取り出し、赤い風船の紐を緩めて、小さな淑女に手渡しました。女の子は風船を受け取ると、無邪気に言うのでした。

「おじさん、おてて、きたない」

あら、と母親が困り顔になりました。

「そんなこと言ってはだめよ、ジャンヌ。ごめんなさい、娘が失礼を」

「いえ、いいえ。いいんですよ、本当のことですから。これがなかなか、洗っても落ちないのでね」

男は笑って、ご婦人に両手を差し出しました。十本の指すべてに、緑や黒の絵の具がこびりついております。ご婦人はもう一度、あら、とつぶやきました。

「絵を描くのがご趣味ですの？」

ご婦人の質問に、男は少し自慢げに答えました。

「いえ、趣味ではなく本業です。私は画家です」

そして、首から提げた木箱の中から名刺を一枚取り出して、手渡しました。

「絵画教室も開いています。よろしかったら、お嬢さんとご一緒にいかがですか」

アンリ・ルソー　アンデパンダン協会画家　ペレル街二番地乙　パリ
絵画およびヴァイオリンのレッスン　随時承ります

名刺には、そう書かれてありました。


ペレル街二番地は、パリの中心部でも最下層の人々が住むモンパルナス地区の外れにありました。六階建てアパルトマンの五階、小さな居間と小さな寝室のたったふた間が、画家アンリ・ルソーのアトリエ兼住居でした。

ささやかな部屋ではありましたが、ひとり暮らしの男やもめには十分でした。絵画教室やヴァイオリンのレッスン代、それに週末のボンボン売りでどうにか収入を得てはいたものの、そのほとんどをカンヴァスと絵の具につぎこんでしまいます。できるだけ質素な食事を心がけ、無駄な出費を控えても、部屋代はこの二カ月ほど滞納していました。督促する大家には「ご家族の肖像画を描いて差し上げます」と約束してもおりました。そのためにまた、新しいカンヴァスと絵の具を買い足さなければなりません。今月は、ボンボンの仕入れ先の商店にも二カ月分の代金を支払う予定があるのです。そっちの店主にも、家族の肖像画を描くからと言って、なんとかごまかしていました。それ以外にも、二カ月後に迫ったアンデパンダン展に出品する作品の制作を急がなければなりません。収入のほとんどがカンヴァス代と絵の具代に消えていたのですが、画材屋への支払いも足りていないのです。まじめに働けば働くほど、力のすべてを傾けて絵を描けば描くほど、ますます生活は困窮してしまう。ルソーには安息日などないのでした。

売れ残りのボンボンが入った木箱を肩から提げ、アパルトマンの狭い螺旋《らせん》階段をぎしぎしいわせて上がっていきます。六十一歳の体に、階段の上り下りはこたえました。大型のカンヴァスを出し入れするときだけは、画材屋の人夫に頼むようにしているのですが、その運搬費用に五フランかかります。それも惜しかったのですが、階段から落ちて骨折でもしようものなら制作できなくなってしまうのだから、それはまあ、必要経費なのです。

やっとのことで五階にたどり着くと、鍵《かぎ》をがちゃがちゃと回してドアを開けます。こんな貧しいアパルトマンを狙《ねら》うこそ泥などいないので、住人のほとんどが鍵をかけておりません。しかしルソーは几帳面《きちょうめん》に施錠していました。部屋の中でもっとも高価なものはヴァイオリンでしたが、蚤《のみ》の市《いち》に出されれば二十フランもしないでしょう。それでも、万が一盗まれて、ヴァイオリンのレッスンができなくなって生活の糧《かて》をひとつ失うことになれば、困ります。

ルソーは、子供の頃からヴァイオリンに親しんで参りました。ヴァイオリンは、彼の人生の友でした。最初の妻、クレマンスが他界したときには、彼女を想《おも》ってワルツを作曲し、その楽譜を印刷して知人に配ったこともあるくらいです。もう少し実家が経済的に豊かだったら、ルソーは音楽家の道を歩んでいたのかもしれません。しかし、幸か不幸か、音楽はあくまで「趣味」に留まりました。プロフェッショナルの画家を自称するいまとなっては、音楽の道に進まなかったことは幸運だったと自分では思っているのです。

ドアを開けるとすぐに、むっとするほど濃い匂《にお》い、油絵の具の匂いに包まれます。入ってすぐの居間が、ルソーのアトリエでした。

狭い部屋をいっぱいに埋め尽くして、カンヴァスが立てかけてあります。未使用のものは一枚もありません。すべてに何かしらが描かれています。正面を向いた生真面《きまじ》目《め》な人物像、パリ郊外の風景、花瓶に生けられたダリア、しかめっ面《つら》をした愛らしくない子供。イーゼルには大型のカンヴァスが置かれています。画面の上部に、ぽっかりと、ラッパを吹く女神が浮かんでいます。その周辺はまだ白いままで、木炭でなぞられた旗や樹木のかたちがかすかに見えています。

壁にはさまざまな紙片がピンで留めてあります。飛行船の写真、エッフェル塔のポストカード、新聞記事の切り抜き——その多くは写真や挿絵入りの新聞「イリュストラシオン」のものでした——。「我らがアンリ・ルソー氏、『サロン・ドートンヌ』展でまたもや話題騒然」の文字があります。何度見てもうっとりする見出しです。

イーゼルの横にある赤いビロードの長椅子にボンボンの木箱を置き、フロックコートを着たまま、イーゼルの上の描きかけのカンヴァスに向かうと、ルソーは両腕を組んでじいっと画面をみつめ、長いため息をつきました。

「ああ、まったく」と彼は、思わずひとりごちました。

「この作品が完成したら、またもや話題騒然になるはずだ」

カーン、カーン、カーン、午後三時の鐘が近所の教会から聞こえてきました。はっと我に返って、ルソーは窓を開けました。冷たい空気が部屋の中にたちまち流れこみます。

窓辺に身を乗り出して、アパルトマンの中庭を見下ろしました。石畳の中央に井戸があり、そのかたわらに女がひとり、立っております。ポンプを懸命に押して、金だらいに水を張っているのが見えます。

「ボンジュール、ヤドヴィガ!」ルソーは声を張り上げました。呼びかけられて、女は、頭をちらともたげましたが、またすぐにポンプを押し始めました。ルソーは歌うように、彼女に向かって声をかけました。

「いま帰ってきたんだ、ちょっと待ってて！　君に渡したいものがあるんだ」

大急ぎで木箱から売れ残りのボンボンの袋をひとつ、それから赤い風船を手に取って、あわただしく階段を駆け下ります。ボンボン売りの仕事から戻ってきたときには、五階にたどり着くのが天国のように遠く感じられたのに、あっというまにルソーは中庭へ駆け下りました。日曜の午後三時には、彼女が井戸端に現れることを知っていたのです。だから今日は、おまけの風船の最後の一個を誰にも渡さずに取っておいたのでした。

「安息日にも仕事をするなんて。君はほんとうに働き者だね、ヤドヴィガ」

たらいの中に山と積まれた下着を洗濯板でごしごしこすっている女に、ルソーは話しかけました。ヤドヴィガと呼びかけられた女は、何も応えません。ルソーは腰をかがめて、「ほら、これを、君に」と、ボンボンと風船を差し出しました。「気に入ってくれると、うれしいんだけど」

洗濯物をこする手を止めて、ヤドヴィガはルソーのほうを向きました。あかぎれで真っ赤になった両手を前掛けで拭《ふ》くと、その手を腰に当てて、「あんた馬鹿《ばか》？」と言いました。

「どこの女がそんな子供だましなものもらって喜ぶのさ？　あたしゃそのへんのマドモワゼルじゃないんだよ、こう見えても亭主持ちなんだからね。人妻を口説きたけりゃ、もうちょっと気のきいたもの持ってきな」

「わかっているよ、ヤドヴィガ」とルソーは、肩をすぼめてあわてて返しました。

「君に配達人夫の立派なご主人がいることは知っているとも。君を口説こうなんて、そんな恐れ多いことは思っていないよ。ただ……」

「ただ、何よ？」ヤドヴィガが、じろりとにらみます。

「いや、その、ご婦人というのは、皆こういうものが好きかなと思っていたのでね。色のきれいなふわふわした、夢のようなものが」

風船をちょいとつついて、ルソーは言いました。ふん、とヤドヴィガは鼻を鳴らしました。

「そんなちっこいもの。どうせなら、あれ持ってこいっての。エッフェル塔より高く飛んでる、あれ。飛行船」

「飛行船？」ルソーは、心底驚いた声を出しました。

「いや、いくらなんでもあれはちょっと……。一日借りるとなると、いったいいくらなんだろう……。借りてこられるかな……。しかしまあ、君が望むなら、私の知り合いのアカデミーの教授のつてで、どうにかなるかもしれない」

ヤドヴィガは白い目でにらんでいましたが、ルソーがあんまりあたふたするので、とうとう噴き出してしまいました。

「馬鹿ねえ、あんた」最後には高笑いしながら、ヤドヴィガは言いました。

「洗濯女とボンボン売りが、飛行船に乗ってセーヌの真上でランデヴーするっての？ばっかみたい」

「いや、違うよヤドヴィガ。私はボンボン売りじゃなく、画家だ。栄《は》えあるアンデパンダン協会にも、サロン・ドートンヌにも認められた画家なんだ」

ヤドヴィガが笑ってくれたのがうれしくて、ルソーは胸を張ってそう言いました。

ヤドヴィガはいっそうおかしがって笑っています。ルソーはますます調子に乗って、自慢の口ひげをぴんと反らせて、ヤドヴィガに向かって語り続けました。

「君だって、洗濯女なんかじゃない。私にはわかる。誰も知らない、君自身も知らない真実を教えてあげようか。いいかい、実はね、君は楽園の姫君なんだ。異国の笛吹きも、象も猿もライオンも、ジャングルの中で息を潜めて、君の一挙手一投足をみつめている。君に夢中なんだよ、誰も彼もが」

ルソーの言葉を聞こうともせず、洗濯女はけたたましく笑い続けるばかりです。

ペレル街二番地に引っ越してきて八週間、ヤドヴィガという名の亭主持ちの洗濯女に出会って七週間。安息日ごとに、老画家の片思いは募るばかりでありました。

アンリ・ルソーが絵画を真剣に制作し始めたのは、ちょうど四十歳のときのことです。その頃、ルソーは、パリ市入市税関の小役人を務めておりました。小役人、といえば聞こえは悪くないでしょう。けれど実際のところは、パリ市内に出入りする商売人の馬車や人力車を止めて入市税を徴収する、門番のような仕事だったのです。こつこつと地道に働き、特段出世をしたわけではないのですが、仕事が終わればまっすぐ家に帰り、安息日にはヴァイオリンを奏《かな》でる、つましい暮らしを続けてきました。

フランス西部の小さな都市、ラヴァルでルソーは生まれました。父の仕事はブリキ職人で、副業として不動産業を営んでおりました。中世の城門だったブシュレス門の塔の中が、ルソーの生家でした。

少年ルソーは決して成績のよい子供ではありませんでしたが、音楽と美術の点数だけはなかなかのものでした。残念ながら、家族の誰もそのことに気づいてやれませんでした。ルソーは芸術家を目指すこともなく、ごく普通に成長し、やがてアンジェという町で代訴人の事務所で働くようになりました。その間、ちょっとした出来心で、仲間とともに事務所で盗みを働いてしまいます。それが発覚して、告発されてしまいますが、裁判でどうにか情状酌量を得ます。その後、実家が世間の中傷にさらされるのを避けるために、ルソーは自ら志願してアンジェの歩兵連隊に入ります。兵役は苦しいものでしたが、盗人《ぬすっと》の汚名を一生引きずるよりはましだったわけです。

その後、ルソーは二十四歳の頃にパリへ出て、執達吏の事務所で職を得ます。まもなく、下宿先の大家の娘、クレマンスと結婚し、二男三女をもうけましたが、子供は次々と死去、三女ジュリアと次男アンリ＝アナトールが生き長らえました。その後、クレマンスは結核で他界し、アナトールも十八歳で病没。ジュリアは十八歳のときアンジェの叔父の家へ移り住み、その後結婚してからは、ほとんど音信不通となってしまいました。ルソー五十五歳のとき、ジョゼフィーヌという女性と再婚しましたが、結婚後わずか四年で、二番目の妻も還《かえ》らぬ人となってしまいました。

パリ市入市税関に勤めていた頃、ルソーの安息日の楽しみは、ヴァイオリンのほかにもうひとつ、ルーヴル美術館に出かけることでした。きっかけは、ごく単純なことでした。パリにいるからには、パリが誇る美術館に行かない手はないじゃないか。そう思ったのです。

その頃、パリは一種の美術ブームに沸いていました。万国博覧会が開かれ、世界各国のめずらしい工芸品や美術品を目にすることができたし、毎年開催されるパリ美術アカデミー主催の「官展《サロン》」では、すばらしい芸術家たちが腕を競い合っていました。都市生活を謳歌《おうか》する市民たちは、サロンでお気に入りの画家をみつけ、肖像画や風景画を買い求めました。サロンに入選し、アカデミーに認められた画家たちは、晴れて芸術家の仲間入りを果たします。その作品は金持ちの居間を飾るばかりか、いずれはルーヴルに展示される可能性をも約束されるのでした。

ルーヴル美術館は、ルソーにとって、わくわくする遊園地のごとき場所でした。日頃はつましい生活を心がけているぶん、ルーヴルにいるときは、気分がすっかり大きくなって、まるで名画の数々を自分が生み出したような心持ちになります。あるときはジャック゠ルイ・ダヴィッドになりきり、ナポレオン一世の戴冠式《たいかんしき》に臨みます。またあるときはジェリコーになりきり、荒海で遭難し波間を漂う筏《いかだ》に乗りこみます。いつしかルソーは、空想の中で、宮廷や皇帝のお抱え画家となり、自作を後世に残す名誉ある作業にいそしむのでした。

そして四十歳の頃、ルーヴル美術館での模写の許可証を得ました。これは申請すれば誰でも得られるものではなく、ある程度の絵心が必要だったのです。音楽同様、絵を描く趣味もあったルソーは、ルーヴルで絵を描くことを許されて有頂天になりました。

あるとき、ルーヴルで模写をしながら、いまをときめくアカデミーの画家、ウィリアム・アドルフ・ブーグローの作品を目にして、ぐいっと引っかかるものを感じました。

あれ？　ひょっとして私は、こんなふうに、女神や天使を描けるんじゃないのか？

それは、それまでに感じたことのない、奇妙な誘惑でした。もちろん、ブーグローはアカデミーの大家です。素人《しろうと》が真似《まね》しようとてとうていできるものではありません。

それなのに、どういうわけか、ルソーはすっかり思いこんでしまったのです。自分は、いいいいいいいいいいいい、ブーグローを超える画家になれるかもしれない、と。

いったんそう思い始めると、本格的に自分自身の絵を描いてみたい、という誘惑にむずむずと落ち着きません。とうとう、ルソーは画材屋に出向き、有り金をはたいて、最高級のカンヴァス、絵筆と絵の具、パレットのひと揃《そろ》いを買い求めました。イーゼルがないので、食卓の上にカンヴァスを立てかけ、写真入り新聞の切り抜きをお手本に、試しに一枚、描いてみました。ダンスに興じる若者たちの絵——。結果は驚くべきものでした。自分でも信じられないのですが、最初の一枚から、やすやすとブーグローを超える名作を生み出してしまった気がしたのです。

初めて描いた自信作で、ルソーは官展に応募しました。見事入選したデビュー作の前で、ブーグローと握手を交わす場面を思い描いて結果を待ちましたが、どういうわけか落選でした。一日落ちこんだものの、翌日にはもう次回の官展に向けて新作に取りかかりました。

きっと審査員の中にブーグローがいなかったに違いない、とルソーは想像しました。もしもブーグローがいれば、自分と同じロマン派の高貴な匂いを我が作品に嗅《か》ぎ取ってくれるはずだ。ブーグローが審査してくれさえすれば、問題ないはずなのだ。

自分で自分を励ましつつも、ルソーの落胆は大きいものでした。自分よりもはるかに若い画家たちが、次々に官展デビューを果たしています。自分はもう四十一歳、人生も後半だ。官展の審査会には応募者の年齢を考慮するくらいの大らかさがないのだろうか。

それからすぐに、官展落選者の集まりである展覧会の存在を知りました。「アンデパンダン（独立）」という名のその展覧会は、まったくの無審査で、応募者全員の作品が特設会場に展示されるというのです。グラン・パレでの展示でないのが残念なものの、とにかく作品を公《おおやけ》に展示できるわけです。言うなればフランス国民の審査を受けるようなものではないか。アカデミーの画家がなんだというんだ、国民の人気を得てこそ画家は確立されるのだ、とルソーは意気ごみました。

ルソーの読みは見事に的中しました。ルソーの作品は、アンデパンダンで初めて公衆の面前に掲げられ、驚くべき人気を博しました。人々は会場に到着すると、我さきにとルソーの作品のある展示室を目指しました。そしてルソーの作品の前で、ある者は腹を抱えて大笑いし、ある者は笑いすぎて呼吸困難に陥るほどでした。「こんなに気色の悪い絵は見たことがないわ」と、青ざめて出ていく老婦人もいました。新聞や美術評論誌はこぞって書き立てました。「アンリ・ルソー氏、アンデパンダンで話題騒然。嘲笑《ちようしよう》にもへこたれず、へっぽこ絵画を描き続けるルソー氏に幸あれ！」これらの記事を見て、さらに多くの人々が会場を訪れます。まるで見世物小屋でした。

それがいかなる中傷記事であっても、ルソーは自分の名前が掲載されている記事はすべて切り取って、スクラップブックにきれいに貼付《はりつ》けておきました。これほどまでに国民の耳目を集め、これほどまでに人気を博しているのに、どうして絵画制作の依頼状の一通もこないのか。もしやアンデパンダンの事務局に依頼が殺到しすぎて、担当者が困惑しているのではないか。そう思って、事務局に問い合わせもしました。「いいえ、ムッシュウ・ルソー。絵画制作の依頼は一件もきていません」。事務局の担当者は、冷たく返すだけでした。

家族は、ルソーが次第に仕事そっちのけで猛然と絵筆を奮うのを黙って眺めておりました。半ばあきれているといった様子で。完成した自作を、ためつすがめつ、うっとりと眺めて、ついにルソーは家族の前で宣言しました。「私は今日から画家になる」。妻はまったく取り合ってくれず、子供たちはきょとんとするばかりでした。

絵を描くことがあまりにも楽しくて、絵を描くこと以外にいっときたりとも無駄な時間を費やしたくない、とルソーは思い詰めました。それで、四十九歳になったとき、思い切って税関を退職したのです。退職の理由は「このさきは絵筆一本で生活をしていきたい」。上司や同僚には笑われたり、本気で心配されたりしましたが、決意は変わりませんでした。

あれから十年以上が経《た》ちました。気がつけば、妻も息子も逝《い》き、娘も嫁いで、ひとりきりの生活をもう三年ほど続けておりました。パンとスープばかりの食事や、階段の上り下りもきつかったのですが、何より骨身に応《こた》えるのは、こんなにも心血を注いで制作した絵がなかなか売れてくれないことでした。

毎年一度、ルソーはアンデパンダンに作品を出品し続けてきました。昨年は、秋のサロン《サロン・ドートンヌ》にも出品して、万人の好評を博しました。にもかかわらず、まともな絵画制作の依頼はほとんど一度も入りませんでした。わずかに近隣の知り合いに静物画を頼まれたり、借金返済の代わりに肖像画の制作をこちらから申し入れたりするばかり。アンデパンダンに出品する作品は年々大きくなっていき、買い手も現れずにたまっていきます。アトリエに使っているアパルトマンの居間が手狭になって──そして大家からの家賃の督促に耐えきれずに──何度も下宿を引っ越さなければなりませんでした。

いつか、この絵のすべてが売れる。そう信じて、ルソーは大作の数々をていねいにパラフィン紙で包み、大切に保管しておりました。

私の絵が売れるようになるのは、決して奇跡などではない。それは必然なのだから、ただ静かに待ちさえすればいいのだ。

しかし、どれほどの日々を待たなければならないのか。大画商か、大富豪か、大コレクターが現れて、ムッシュウ、すばらしい、あなたは天才だ、あなたの作品のすべてを買い上げましょう、と目の前で小切手を切ってくれるまで。

心がくじけそうでした。自作が売れることは、いや、自分が世の中で正当に評価されるということは、必然ではなく、もはや奇跡なのだろうか。カンヴァス代も絵の具代も馬鹿《ばか》にならない、もう大作など創らないほうがいいのだろうか。

そうして昨年末、この下宿に落ち着きました。やはりもっと大きな、もっとすごい作品を創ろう、と決心したのは、その一週間後でした。ヤドヴィガという名の、ひとりの女に出会ってからのことです。

毎週日曜日の午後三時に、ルソーの住むアパルトマンの中庭へ洗濯をしにやってくる女。栗色《くりいろ》の、ゆるやかなウェーブのかかった長い髪、濃い眉《まゆ》と切れ長の目、エキゾティックな顔立ちの洗濯女。ちょうどルソーが日銭稼ぎにボンボン売りを始めた頃でした。ノートルダム大聖堂から帰ってきたルソーは、たらいの中の洗濯物と格闘する彼女を一目見て、はっとしました。

その「はっ」とした感じが、いったいなんなのか、すぐにはわかりませんでした。多くの画家たちが「霊　感《アンスピラシオン》」と呼ぶものだったかもしれません。とにかく、「この人を絵に写しとってみたい」という衝動が、ルソーの中にふいに生まれた瞬間でした。

ヤドヴィガ、という名前を聞き出すのに、安息日をみっつ、数えました。結婚している、と聞き出すまでに、安息日をさらにみっつ。あなたのことばかりを想《おも》っている、と告げるまで、あといくつ安息日を数えなくてはならないのかは、わかりませんでした。

とりあえず、安息日をふたつ数えよう、と決めました。飛行船が浮かぶ風景画を仕上げて、彼女のもとに届けるまでに。小さな風景画を一枚、彼女のために仕上げるのなら、仕事が増えるのも画材屋の借金がかさむのも、画家の喜びとなるのでした。

S

夏の夕刻、バーゼル市街はまだ十分に明るい。

徐々にオレンジ色が増す空を映して、ライン川は滔々《とうとう》と流れている。川岸にデッキチェアを出して、ワインを飲んで歓談する市民の姿もちらほら見える。

ティムと織絵を乗せたキャデラックが、ライン川のほとりにたたずむ最高級ホテル「三人の王《ドライ・ケーニゲ》」の正面入り口で停まった。ドアマンが後部座席のドアを開け、ベルボーイがふたり、すっ飛んできた。入り口ではホテルの支配人、ヨーゼフ・リヒャルトがふたりを出迎えた。

「ようこそ、ミスタ・ブラウン、ミス・ハヤカワ。当ホテルを代表いたしまして、おふたりのご滞在を歓迎いたします。お部屋は準備が整っておりますが、もしお疲れでなければ、バーでシャンパンなどいかがでしょうか」

正直、ティムは飲み直したい気分だった。しかし、織絵が「せっかくですが、結構です。少し疲れていますので」と答えたので、「いや、私も……」と歯切れの悪い返事をした。

「さようでございますか」愛想のいい笑顔でリヒャルトはそれを受けた。

「夕食のご手配はいかがいたしましょう。当ホテルのレストランか、あるいは市内のスイス料理店などのご予約も承りますが」

「私は何もいりません。今日はもう、休みたいので」織絵が弱々しく笑って言った。

「私も……いや、私は、そうだな、橋の近く、ライン川沿いに魚料理の店がありましたね。あそこで軽く食べようかな。毎年、アートフェアの時期に立ち寄るんだ」

自分が「トム・ブラウン」であることを思い出して、ティムはわざとらしくそう言った。

「ああ、『トロイメライ』ですね。あそこのフォレレ・ブラウは絶品ですよ。お時間はいかがいたしましょう」

「では八時に」

「かしこまりました。お食事代はホテルへつけるように、あちらの支配人に伝えておきます」

にこやかに言ってから、

「当ホテルのオーナーからそのように申し付けられておりますので。わたくしども経由でご予約されるものはすべて、食事でも車でも花束でも、美容室のご利用でも、ホテルづけにしていただけます。あなたもどうぞご遠慮なく、マドモワゼル」

織絵に向かって、支配人は笑いかけた。わたくしども経由で、というところに強いアクセントがあった。そうすればふたりの行動を監視できる、というわけか。

「ドライ・ケーニゲ」は、古くはナポレオン一世やゲーテなど、名だたる名士が泊まった由緒《ゆいしょ》あるホテルで、本来はアシスタント・キュレーターごときが泊まれる宿ではない。長い歴史の中で何度か転売され、現在はコンラート・バイラーがオーナーとなっていた。チェックインの際にパスポートの提示を求められたら万事休すだ、とティムはひやりとしたが、宿泊の手続きなどは一切なかった。ひょっとすると「どういう人物が泊まっているのか」を、自分のホテルの関係者にすら知らせまいとしているのかもしれなかった。

「夢をみた」第一章を読み終えたあと、遅い午餐会《ごさんかい》があり、バイラーとコンツを相手に、ティムと織絵は会話の弾まない昼食をともにした。

さして長くはない第一章、「安息日」を、織絵同様、九十分めいっぱい使ってティムは読みこんだ。最初はできるだけあっさりと読み、二度目にじっくり細部を検証しながら読む。そういう作戦を立てて臨んだつもりだった。それなのに、海底めがけて落ちていく錨《いかり》のように、あっというまに物語の世界に深くのめりこんでしまった。

物語は、もちろん、初めて目にするものだった。極めて困難な内容、あるいはルソーにまったく関係のない内容だったらどうすればいいだろうか、との懸念《けねん》は、冒頭部分の最初の二行を読んだだけで霧散した。物語はごく正統なフランス語で、拍子抜けするほど単純で、まさにルソーその人に焦点を当てたものだった。

物語の舞台はパリ、時代は一九〇六年であると読み始めてすぐにわかった。ルソーがペレル街二番地乙に引っ越したのが一九〇五年の年末、その翌年のできごととして書かれているからだ。その頃、ルソーはアンデパンダン展の常連になり、一九〇五年にはサロン・ドートンヌに名作「飢えたライオン」を出品して、本格的に人々の注目を集めていた。しかし作品はなかなか売れず、日銭稼ぎのためにボンボン売りをしていたこともわかっている。簡単になぞっているルソーの生い立ちも、史実と照らし合わせてほぼ間違いないだろう。

それにしても奇妙な物語だ。これは史実なのか、それとも創作なのか。

そもそも、誰がこれを書いたのか。いったい、なんのために？

経済的にしいたげられたルソーを描写するくだりは、史実そのものだ。画材店に借金を重ね、訴えられもした。家賃を滞納して画家が困窮し、支払いの代わりに肖像画を描いて贈っていたことは、研究者のあいだでもよく知られている。だが、これほどまでにルソーが自信家で、自作がブーグローを超える名作だと妄信している、というあたりが引っかかる。

さらには、「ヤドヴィガ」の登場。M o MAが所蔵するルソーの代表作「夢」の画中で、女主人公のごとく君臨する裸婦の名前と一致している。ルソーは、最晩年に制作したこの作品に捧《ささ》げる詩を自ら書いている。文学的には「出来が悪い」といえる詩、しかし牧歌的で、密《ひそ》やかで、感傷的な詩。その詩の中に登場する女性の名前——ヤドヴィガ。

あなたのことばかりを想っている、と告げるまで、あといくつ安息日を数えなくてはならないのかは、わかりませんでした——と、第一章の締めくくりに書かれていた。この一節に、ティムは注目した。

これはやはり創作、しかもラブストーリーじゃないか。アンリ・ルソーその人の視点で描かれた、せつない恋物語だ。

そして、最後の一節の文末に、残された一文字――「S」。

謎《なぞ》めいた大文字《キャピタル》を穴の開くほどみつめるうちに、制限時間を迎えてしまった。これは、はたしてこの一章を書いた人物のイニシャルなのだろうか。

書斎にティムを迎えにきたのは、コンツではなく、執事のシュナーゼンだった。

「お疲れさまでございました。このあと、ムッシュウ・バイラー主催の歓迎午餐会にご参加くださいませ」

シャンデリアのきらめくダイニングルームで、バイラーとコンツ、ティムと織絵、たった四人の午餐会は、まるで告別式のように静まり返っていた。織絵はずっと考え事をしているようで、ちっともフォークを動かしていない。ティムもそうだった。コンツに「質問も感想も無用」と言われているのだ、いったい何を話せばいいというのか。

「明日は、午前九時にホテルへ車を手配いたしますので、おふたりでご一緒に邸《やしき》へいらしてください。本日と同様、ミス・ハヤカワを先攻に、九十分ずつ、第二章をお読みいただき、あとはご自由にお過ごしいただいて結構です」

別れ際《ぎわ》に、コンツが言った。そして、

「よろしければ、こちらにサインを」

と、革製のファイルを広げて書類を見せた。『バイラー邸において見聞した一切を他言しない。この契約に違反した場合は責任を取る』というようなことが、一枚の紙に英語で書かれてあった。

ティムと織絵は、しばらく書類をみつめていたが、織絵がさきにサインをした。ティムは一瞬、迷ったが、見慣れているボスのサイン――くしゃくしゃとした文字、T. Brown――を真似《まね》て、サインをした。

ああ、とうとうやってしまった。これで、文書偽造罪成立だ。

これがバレたら、MoMAは一発でクビだ。それどころか、このさき一生、美術業界で生きていけなくなるだろう。こん畜生、どうしてくれるんだよ、ルソー。

そんなわけで、飲み直したい気分だったのだ。しかし、織絵を誘うわけにもいかない。お互い、講評日まで感想は封印なのだから。

こうなったら、リヒャルト推薦のレストランで、マス料理を思う存分食って、リースリングを浴びるほど飲んでやる。

ホテルの部屋は、ティムが四階、織絵が五階だった。ふたりは一緒にエレベーターに乗りこんだ。古いけれど手入れの行き届いた金色の密室は、ゆっくりと昇り始めた。

ふたりは会話のないままだった。バイラーの邸で織絵が書斎に導かれていったときから、いまのいままで、ずっと。

チン、と音がしてエレベーターが四階に止まった。ティムは下り際に織絵を振り返って、「じゃあ、また明日」と言った。織絵はやはり無言だったが、突然、閉まりかけたドアの間に身を滑りこませてエレベーターを下りた。驚いて立ちすくんだティムの前に立つと、織絵は言った。

「ひとつだけ、聞きたいことがあります。第一章の、最後の一節の末尾に――大文字がありましたか」

織絵の目は真剣だった。真実以外は言わないで、とまなざしが訴えている。ティムは、思わずうなずいた。

「ああ、あったよ。確かに見た」

「その大文字は？」

「……『S』」

織絵のまなざしが、ふっと緩んだ。「よかった」と、織絵は、安堵《あんど》のため息をついた。

「確かに『S』だったわ。ということは、私が読んだものとあなたが読んだものは、同じということですね」

　どうやら、織絵も自分同様、「ふたりは同一の物語を読むのか」ということが引っかかっていたようだ。織絵が質問したことに少し勇気を得て、ティムも訊《き》いてみた。

「あれは、あの物語を創作した人間のイニシャルだろうか。どう思う？」

　織絵は、ふっと微笑を浮かべた。鼻っ柱の強い研究者に戻って、彼女は訊き返した。

「どうしてあれを『創作』だと言いきれるんですか？」

　チン、と音がして、エレベーターの金色のドアが開いた。織絵はエレベーターの中へ歩み入って、長い黒髪を揺らして振り向くと、感情のない声で告げた。

「また明日」

　閉まるドアの向こうに、冷たい微笑が一瞬で消えた。

第五章　破壊者

一九八三年　バーゼル／一九〇八年　パリ

ライン川のほとりのレストランで、バイラーのつけで浴びるほどリースリングを飲んだせいだろうか、バーゼル初日の夜、ティムはぐっすりと眠ることができた。あまりにも深い眠りで、夢もみなかった。八時のモーニング・コールがなかったら、きっと昼まで眠りこけていただろう。

川に面した部屋のテラスへ出ると、朝の日差しが実にさわやかだ。ひんやりとした空気が心地よい。ニューヨークならば、この時間すでに華氏90度に達する。暑苦しいマンハッタンを抜け出して、スイス随一の名門ホテルでヴァカンスを送っている気分になってくる。ティムは大きく背伸びをして、手すりに身を乗り出した。滔々《とうとう》としたラインの流れが朝日を受けてきらめいている。川に架かるミットレレ橋では、スイス国旗とバーゼル市旗がゆらゆらとはためいて、トラムがのんびりと行き交うのが眺められる。

真下をのぞくと、ちょうどレストランのテラスが見えた。白髪のカップルが何組か朝食をとっている中に混じって、つややかな黒髪の女性が視界に入った。白いジャケットのウエイターがオムレツの皿を彼女のテーブルに運んでいる。ティムはすぐに洗面所へ飛んでいって、顔を洗ってひげを剃《そ》り、白いワイシャツとコットンパンツに着替え、足早に部屋を出た。

「おはよう。コーヒーをご一緒してもいいかな」

オムレツを食べる最中の織絵の目の前に立って、ティムは朝のあいさつをした。もちろん、自分がトム・ブラウンであることを十分に意識して、多少なりとも威厳のある面持ちと声を心がけた。織絵は細い眉《まゆ》をかすかに動かしたが、「ええ、どうぞ」と薄い笑顔で返事をした。織絵の向かい側に座ると、ティムはウエイターにコーヒーを注文した。

「朝食は食べないで行こうかと思って。昨夜、ひとりで飲み過ぎちゃったからね」と、訊《き》かれもしないのに言い訳をする。

「あの橋向こうにある『トロイメライ』で……フォレレ・ブラウは、支配人の言う通り、絶品だった。マス料理があんなにうまいとは知らなかったよ」

に、いつも何を食べていらっしゃったんですか」

「毎年いらしてるんでしょう？　バーゼルに」と織絵が言った。「マス料理を食べず取られかけた。ティムは「ああ、それはね」と苦笑いをした。

M oMAのチーフ・キュレーターたる余裕を演出しようとして、うっかり挙げ足を

「僕はサケは得意なんだが、マスは水っぽくて苦手なんだ。あの店に行くときは、いつもサケを注文してたんだよ。いままではね」

我ながらおかしなことを言ってるな、と思ったが、織絵は聞き流したようだった。ティムはコーヒーを啜《すす》りながら、黙々とオムレツを口に運ぶ織絵の様子をうかがっていた。織絵はティムと目を合わそうとせず、視線は前方の川の景色に放たれている。一晩経《た》ってもティムを強く警戒していることがあからさまにわかる。

昨夜「トロイメライ」でひとりで飲みながら、どうも味気なくて困った。せっかくバーゼルにいて、伝説のコレクターとまみえて、ルソー作とおぼしき名画を目にして、不思議な物語を読んだにもかかわらず——これらのことはルソー研究者としては無上の喜びだった——誰とも語り合えないのが無性に残念だった。本来ならば、美術史学会の新星たるオリエ・ハヤカワは、ルソーとその作品について語り合うにはもっともふさわしい人物だ。これから闘う相手でなければ、冷えたリースリングを飲み交わし、

心ゆくまで議論したことだろう。いったい、あの物語は誰が書いたのか。いつ、なんのために。あれを読んだ上で作品を講評するなどと、なぜバイラーは考えついたのか。物語の内容は創作なのか史実なのか。そして、あの物語の中で、ルソーはこれからどうなっていくのか――。

カチャリ、とナイフを皿に置いてから、織絵が言った。

「私はこれで失礼します。九時に迎えが来るんでしたよね。また、のちほど」

黒髪を揺らして席を立った。「ちょっと待って」と、反射的にティムは彼女を引き止めた。

「今日の第二章……どんな展開になると君は思う？」

唐突な質問に、織絵は眉根を寄せた。が、ティムの表情があまりにも好奇心に満ち溢《あふ》れていたからだろうか、観念したように再び席に着いた。

「さあ、どうかしら……。一九〇六年一月で話が終わっていたから、その年のアンデパンダン展のエピソードから始まるんじゃないでしょうか。第一章の中にも、アンデパンダン展に出品する作品のことがちらっと出ていたし」

一九〇六年三月、第二十二回アンデパンダン展に、ルソーは「第二十二回アンデパンダン展への参加を芸術家に呼びかける自由の女神」など五点を出品している。第一章の文中に、「画面の上部に、ぽっかりと、ラッパを吹く女神が浮かんでいます。その周辺はまだ白いままで、木炭でなぞられた旗や樹木のかたちがかすかに見えています」という一文があった。これがどの作品のことを指しているか一瞬でわからないようでは、ルソークイズ初級に失格だ。

なるほど、ともっともらしくティムはうなずいてから、

「僕の見解は少し違うんだが」

織絵は、黒目がちな瞳《ひとみ》でティムを見据えている。研究者ならば、モダン・アートの権威の見解がどういうものであるか、興味を持たずにはいられないだろう。織絵の関心を十分引きつけてから、ティムは言った。

「今日僕らは、あの物語の中でピカソに会うはずだ」

織絵の瞳がかすかに揺れるのが見えた。よほど意外だったのか、返す言葉を探しているようだ。鼻っ柱の強い研究者が素で驚いているのを見て、ティムはほのかに愉快な気分になった。が、織絵が戸惑いを隠せなかったのはほんの一瞬だった。すぐに勝ち気な表情に戻って、彼女は言った。

「そうきましたか。さすが、ピカソ研究の世界的権威でいらっしゃるだけのことはありますね」

その通り、MoMAのチーフ・キュレーター、トム・ブラウンは、ピカソ研究者としては世界的権威と目されている。が、ティムはそれを装《よそお》って言ったわけではない。きのう第一章を初読してからずっと、なぜ作者が一九〇六年という微妙な年を最初の章に選んだのかを考えていたのだ。

ルソーは一九一〇年に没している。〇六年から一〇年まで、晩年の五年間は、彼の画業の中でも注目すべき事件が続く。その中でも、二十世紀美術の黎明期《れいめいき》を支えた天才画家たちとの接触がある。その最たる人物が、パブロ・ピカソだ。

文中で一九〇五年の秋のサロン《サロン・ドートンヌ》についてわずかに触れられていたが、ティムはその短い文章に注目していた。確か、「昨年は、秋のサロン《サロン・ドートンヌ》にも出品して、万人の好評を博しました。にもかかわらず、まともな絵画制作の依頼はほとんど一度も入りませんでした」との記述があったと記憶している。この〇五年のサロン・ドートンヌは、ルソー作品のみならず、のちに近代美術史上で「事件」となった作品の数々が出展されている。すなわち、アンリ・マティスやアンドレ・ドランが巻き起こした「野獣《フォーヴ》」の襲来だ。荒々しく奔流する色彩が逆巻く異様な作品群に、サロン・ドートンヌの一室は占拠された。「野獣の檻《おり》」と批評家に揶揄《やゆ》されたこの一室の中に、偶然にも、ルソーの「飢えたライオン」も展示されていたのだ。

野獣派《フォーヴィスム》の登場は大変な話題になり、多くの画家たちもこの「野獣の檻」を訪れている。その中にはピカソもいた。のちにピカソはルソーを見出《みいだ》す芸術家のひとりとなるが、天才画家の目に「飢えたライオン」がどう映ったか、残念ながら文献は残っていない。いずれにせよ、この「万人の好評を博した」作品、「飢えたライオン」は、遠近法も知らぬ素人《しろうと》画家とからかわれ、「見せ物」扱いされてきたいままでのルソー作品とは、明らかに一線を画するものだった。最晩年にもっとも熟した果実を得るための、画家の準備が始まっていたのだ。

そして、この時代の芸術的変革を名実ともに体現しているのは、パブロ・ピカソだ。ティムは、物語の作者が、ぷっと噴き出してしまうほど単純で子供じみた文章を書き綴《つづ》っている背景に、周到な伏線が張り巡らされているのを感じていた。どうしようもない貧乏生活、六十一歳にもなって若い人妻に熱を上げてしまう情けない男。誰にもほとんど見向きもされず、下手だクズだと笑われた画家を見出して、最終的には二十世紀美術の変革者に祭り上げたのは――ピカソだったんじゃないか。

「きっとピカソが出てくるよ。賭《か》けてもいい」

重ねてティムはそう言った。なんの確証もなかったが、「近代美術の権威」として、ライバルに心理的に揺さぶりをかけてやりたい気持ちがあった。

「何を賭けるの？」織絵は強気で訊き返した。

「第二章でピカソが出てこなかったら、講評のときの先攻・後攻の決定権を君に渡そう。けれど、もしも出てきたら……」

テーブルの上を人差し指でトントン、とつついて、ティムは言った。

「今夜、この席で、リースリングを一緒に飲んでもらおうかな」

第二章　破壊者

マルティール街の骨董屋《こっとうや》の店先に、ずんぐりと小柄な男がひとり、立っておりました。

擦り切れたジャケットの両腕には、肘当《ひじあ》てが付いています。両手をズボンのポケットに突っこんで、立ち尽くしたまま、男はなかなか動きません。まるで彫像になったかのように、もうどれくらい長い時間、そこに立っているのでしょう。ふたつの大きな目は、闇《やみ》の中で獲物《えもの》に狙《ねら》いを定めるフクロウのようです。視線の先には、折り重なって置いてあるカンヴァスの山がありました。

「おや、これは、ピカソの旦那《だんな》。古カンヴァスをお探しですか」

店の奥から店主が出て参りました。どうやら、男は、この店の常連のようです。パブロ・ピカソという名のこの男は、スペインのバルセロナから八年まえにパリへやってきました。目的は、職業画家になること。それ以外のどんなことも、眼中にはありませんでした。爛々《らんらん》と大きな目は、ただ新しい芸術を求めて輝いていたのです。

「これは、いくらだい」

ピカソは、山積みになったカンヴァスの中の一枚を指差しました。店主は、「はあ、どれでしょうか」と、重なり合った何十枚ものカンヴァスの山をごそごそと動かします。

「ああ、それじゃない。もっと下の……そう、それ。女の顔がのぞいてるだろう。それだ」

店主は三、四枚ずつカンヴァスを移動して、ずっと下のほうに埋もれていた大型のカンヴァスを掘り出しました。そうして、黒いドレスをまとった、たっぷりとふくよかな体の女の肖像画が、ピカソの目の前に現われたのです。

その頃、貧しい画家たちは、新しいカンヴァスを買う元手がなく、こうして古道具屋の店先で売られている二束三文の古い絵を買って、絵の具で塗り潰《つぶ》し、その上に自分の絵を描くこともままありました。その骨董屋の店先に並んでいたのも、壁紙ほどの価値もない、カンヴァスを再利用するために集められた絵ばかりでした。

「ああ、やっぱり旦那はお目が高いね。これなら大きさも十分だし、さほど古くもないから、潰して使っても悪くないでしょう。五フランでお譲りしますよ」

「五フランだって？」

ぎょろりと目を向けられて、店主は、あわてて言い添えました。

「勘弁してくださいよ、五フラン以下にはなりませんや。一フランでも値切られたら、もう利益が出ませんで」

ズボンのポケットの中でもぞもぞと手を動かして、ピカソは、一フラン硬貨をきっちり五枚、取り出しました。店主の手のひらの上に載せると、笑いながら言いました。

「五フランで売ったことを後悔するなよ、親父《おやじ》」

自分の体ほどもありそうなカンヴァスを担《かつ》ぎ上げると、意気揚々とモンマルトルのアトリエ目指して帰っていきました。

潰される運命だったカンヴァスに描かれていたのは、まさしく、アンリ・ルソーの筆による「女の肖像」でした。鷹《たか》のように鋭いピカソの目は、あまたの古カンヴァスの中からその一枚を見出したのです。こんなかたちでルソーの作品をあっさりと手に入れて、ピカソは有頂天になりました。

まったくの偶然ですが、その数日まえ、ピカソは友人で詩人のギョーム・アポリネールに連れられて、ペレル街二番地にあるルソーのアトリエを訪問したばかりでした。新鮮な絵の具で描き上げられた密林の絵や、生真面目《きまじめ》に正面を向いた人物の肖像画を見せられて、いつもは平然と他の画家の作品を本人の目の前で批判するピカソは、すっかり黙りこんでしまったのでした。

「すげえな。あの人は、ほんものの創造者だ。いや、破壊者だ」

ルソーのアトリエから帰る道々、独り言のように、けれどアポリネールの耳にはっきり届くように、ピカソはつぶやきました。

パブロ・ピカソ。その頃、「前衛」を自称するパリの芸術家たちのあいだで、この画家の名前を知らぬ者はいませんでした。ある者は彼を革命児と呼び、またある者は創造者と呼び、そしてまたある者は破壊者と呼びました。いったいどの呼称が正しいのか。そのすべて、というのがもっとも正しいかもしれません。

ピカソがルソーと出会う前年、二十世紀の美術の行方を決定的にする作品を、このスペイン人は創り出していました。つまりそれは、あの作品――「アヴィニョンの娘たち」です。

さて、あの作品を、どう表現したらよいのでしょう。ひょっとすると、作品そのものをどうこう語るよりも、ピカソの周辺にいた芸術家や支援者たちの反応を語ったほうが、よっぽどわかりやすいかもしれません。

その頃、ピカソは、モンマルトルの丘の上にたたずむおんぼろなアトリエ長屋「バトー・ラヴォワール（洗濯船）」の住人でした。絵の具と犬の匂《にお》いが充満する足の踏み場もないアトリエで、美しい恋人のフェルナンド・オリヴィエと愛犬フリカとともに暮らしておりました。二十七歳、若く野心的な画家が棲《す》み着いていた長屋には、それはもう、たくさんの芸術家たちが出入りしていたものです。画家、詩人、作家、評論家、音楽家、役者、それに新しいもの好きな画商や新進のコレクター。さながらサーカスか移動式遊園地のようなどんちゃん騒ぎ、激しい議論、殴り合いの喧嘩《けんか》や色恋沙汰《ざた》が日々繰り広げられていました。誰もが新しい世紀の始まりに期待を膨らませ、自分たちの時代がいまにもそこの壊れかけたドアを蹴破《けやぶ》ってやってくると信じておりました。ルソーが固執してやまなかった「サロン・ド・ムッシュウ・ブーグロー（官展）」などくそくらえ、と唾《つば》していたのです。

アンデパンダン展やサロン・ドートンヌなど、脱官展を目指して開かれた発表の場が注目を集め、セザンヌやモネの評価が高まり、ルーヴル美術館やトロカデロ宮殿ではアフリカやイベリアの「アール・プリミティーフ（未開の地の美術）」の展示会なども行われ、自由で新しい芸術の風がパリに吹きこんでいました。ピカソのように、開かれた芸術の都パリで腕試しをしようと、フランス周辺の国々やアメリカからも、外国人たちが続々と集まり始めてもいました。

独特の青やばら色の色調で、アルルカンや盲目の乞食《こじき》など、社会の底辺で生きる人々をモチーフに描いていたピカソは、技術の上でも野心の大きさでも、文句なく仲間たちに一歩先んじる存在でした。もっとも、その頃、画家たちのあいだでは、「技術」は問題にはならなかったでしょう。絵を描くのが巧《うま》い画家はごまんといました。しかし、芸術家たちの議論の中心は、もう「絵が巧い」という出発点からとっくに離れてしまっていたのです。つまり「巧い絵」とはいったいどういう絵のことを指すのか？　「絵が巧い」とはどういう芸術家のことをいうのか？　もはや誰もが正確に定義をできなくなっておりました。人物であれ静物であれ風景であれ、目の前にある対象物をそっくりそのままカンヴァスに写し取った絵だけが「巧い絵」ではなくなっていたのです。

研ぎすまされた感性と、時代を先取りしようという気概においてこそ、ピカソは一歩先んじておりました。しかし、マティスやドランが「色彩の破壊者」として、世間の耳目を集めたような大胆な表現方法を、まだみつけられずにおりました。

いったい何が新しいものなんだ、いったいおれは何を描くべきなんだと、ピカソは毎日貪欲《どんよく》に街中をうろつき、美術館に出入りし、ゴーギャンやセザンヌの展覧会を見ては胸に何か熱いものがこみ上げて、それが引っかかったまんまになっているのを感じていました。少しずつ少しずつ、この若い画家は自分の脳みそと心を時代の波にさらし続けました。彼は決して「巧い絵」を描きたかったわけではありません。彼が求めていたのはただひとつ、「新しい表現」だったのです。

ある夏、ピカソは恋人のフェルナンドとともに、スペインの田舎町、ゴゾルで過ごしました。素朴な人々の几帳面《きちょうめん》な暮らしと、岩肌がむき出しのごつごつした風景を、若い画家の目はどのようにとらえたのでしょうか、その旅のあとから、彼の描くものに変化が訪れました。彼はある着想に導かれ、次々に素描を繰り返しました。まだ誰も発見したことのない大陸が、水平線のはるか彼方《かなた》にかすかに見えてきました。ぴちぴちと雨粒が心の地表を打ち、やがて激しい嵐《あらし》になる予感を、ピカソは自分の中に覚えていました。そしてついに、その作品が完成したのです。

それができあがるまでの数カ月間、ピカソはアトリエにこもりっきりでした。あんなににぎやかだったアトリエを誰も訪れない日々が続きました。彼が作品にのめりこむすさまじさは、同居していたフェルナンドがいちばんよく知っています。そのフェルナンドすら、隣のアパルトマンに引っ越してしまったほどでした。

何人かの親しい友人たちが、最初の発見者としてピカソのアトリエに招き入れられました。その作品、「アヴィニョンの娘たち」を見た友人たちは、ほんとうにまったく、声も言葉もなくして立ち尽くすばかりでした。

「どこに母子像があるんだい？　アルルカンは？」もっとも言葉に敏感なはずの詩人、アポリネールはうろたえました。ピカソが得意としてきた青やばら色で彩《いろど》られた人物像、その叙情性を誰よりも賞賛してきたのはアポリネールです。その彼がすっかり途方に暮れてしまうほど、新作の画面から叙情性は消え失《う》せていたのでした。

「ぞっとするわ」とひと言、言ったのは、ピカソやマティスの擁護者、アメリカからやってきた作家のガートルード・スタインです。「長いことかかって、苦労してこんなものを創《つく》っただなんて、恐るべき無駄よ」と。ガートルードの兄でコレクターのレオは、「ピカソは破滅の道に踏みこんだんだ」と嘆きました。

「人物がまるっきり怪物のように描かれてるのはなぜなんだ」と衝撃をうけたのは、

画家のジョルジュ・ブラックでした。「なんだこの鼻は……鼻じゃなくて、楔《くさび》じゃないか」

アンドレ・ドランは、いたたまれずに、モンマルトルじゅうに触れ回りました。「ピカソの試みは絶望的だ。あの絵の後ろで、彼が首を吊《つ》ってしまう日がくるかもしれない……」

もっとも手厳しく批判したのはマティスでした。彼は断じて言い放ちました。「ピカソは近代絵画の破壊者で、狂人だ」

いままでピカソを支え、その才能に魅了されてきた人々を、これほどまでに混乱させ、怒らせ、絶望させた「アヴィニョンの娘たち」。それは確かに、従来、「絵画はこうあるべきだ」と人々に備わっていた概念を、まったく覆《くつがえ》してしまうものでした。

画面には、娼婦《しょうふ》とおぼしき五人の女が描かれています。カーテンのようなものをたくしあげる左側の女、画面の中央には片手と両腕を挙げて立っているふたりの女がいます。右側には後ろ向きに座る女、いちばん右手には画面の奥から出てくる女が見えます。女たちは、左から右へいくほど、表情がなく、いや、なくなるどころか、完全に顔面が破壊されています。人間の顔でなく、呪術《じゅじゅつ》的な仮面のような、まさしく怪物のような恐ろしい顔。角張った体には官能のかけらもなく、座りこんでいる女にいたっては、後ろ向きなのに顔は正面を向いている、といった具合。画面からは遠近法も立体感も退けられ、気色の悪い五つの裸体が、ぺたんと貼付《はりつ》けられています。

それは、ひと言で言えば「醜い絵画」でした。「フランス美術にとってなんという損失か」と誰かが言いました。哀調を帯びたピカソの作品の美しさに心酔していた人々の心情を、この言葉がよく表しています。ピカソを知る人々は、あのはかなげで美しい人物像を見る楽しみを彼らから奪ってしまったこの作品の出現を、心底呪《のろ》いました。

しかしこの作品こそ、ピカソが間断なく美と美術について考え続け、苦しみもがいて、試行錯誤の末に導き出した結論なのでした。ピカソは、この「醜い絵画」を突きつけることで、「美とは何か？」「美術とは何か？」という、とてつもなく大きな、かつ本質的な提議をしたのです。

それは、見る者にとって、いきなり素手で心臓をまさぐられるようなものでした。せっかくこちらを向きかけていた人々の心が離れる危険を冒してまで、どうしてそんなことをしなければならないのか。苦労をしなくても、多少の早足を心がけさえすれば、変わりゆく時代にくっついていけるじゃないか。しかし、そんなことではピカソはまったく満足できないのでした。

その頃、ピカソは、一冊の本を読んでいました。「地獄の季節」。あの放浪の詩人、アルチュール・ランボーの詩集です。その中の一節が、画家の心のひだにぐいっと指を突っこんできて、そのまま抜けずにおりました。

……ある夜、おれは「美」を膝《ひざ》の上に座らせた……つれないやつだと思った……おれは彼女をののしった……。

冷たい舌で首筋を舐《な》められたように、ひやりとしました。その一節は、ピカソの思いとあまりにも一致していました。美について考えると、いらいらして、腹立たしく、ねじ伏せてやりたいような気分に苛《さいな》まれていたのです。美とは、いくら思いを寄せても決して振り向いてくれない気位の高い女に似ている。なんとつれなくて、むしゃくしゃさせるものなんだ。我がものにできないくらいなら、罵倒《ばとう》して、ぶん殴って、殺してやりたいくらいだ。若き天才画家は、美に対して激しく執着するあまり、かえってうんざりしていたのでした。

一方で、それが美かどうか明確には定義できないが、もやもやした思いをピカソの胸に募らせるものたちとの出会いがありました。ゴゾルのごつごつした風土、四、五世紀頃のイベリア彫刻、アフリカの仮面、カタルーニャのロマネスク絵画、ゴーギャンの描くタヒチの原住民の女たち、自然界のすべてを円柱と球体と円錐《えんすい》に分解してしまったセザンヌ……そして、アンリ・ルソー。

ピカソがルソーの絵を初めて目にしたのは、「アヴィニョンの娘たち」を完成させる二年まえのことです。サロン・ドートンヌの「野獣の檻《おり》」の中でのことでした。そのとき、マティスの描いた荒々しい緑色の顔の女の出現に、誰もが目を奪われて、いつもは「見せ物」の中心的存在であったルソーの作品の前には、腹を抱えて笑う群衆はおりませんでした。

ピカソは、このとき、マティスの色彩に対する挑戦を、どちらかというと冷ややかに見ておりました。色彩は確かに作品のできばえを決定づける重要な要因のひとつだ、しかしひとつの要因に過ぎないじゃないか、と。ピカソがむしろ気になったのは、ルソーの「飢えたライオン」のほうでした。

執拗《しつよう》なほどに色濃く塗り重ねられた緑、その中央で、鳴き声もなくライオンに食い殺されるレイヨウ。そのビー玉のような真っ黒い瞳《ひとみ》から、涙がひと粒、こぼれ落ちます。全体重をかけてレイヨウにのしかかり食らいつくライオンの顔は、いやらしく笑っているように見えます。それはまったく、抵抗のすべない処女を乱暴する野卑な男さながらでした。舞台背景のごとく奥行きのない画面の真ん中に、いままさに太陽が無慈悲に落ちていきます。ピカソは、その暗闇《くらやみ》のような目を見開きました。

なんだ、これは、いったい。

セザンヌでもない、ゴーギャンでもない。過去のどんな画家にも、いま注目されている画家の誰にも似ていない。いかなる美術の系譜にも属さないその絵に、ピカソの目は釘付《くぎづ》けにされました。

まるでフレスコ画のようだ。いや、中世のタペストリー、あるいはロマネスクの祭壇画か。

当時、ルソーの絵をまっとうに評価する評論家や芸術家はほとんどいませんでした。ライオンがレイヨウを食らう奇妙にドラマティックな絵に「美しい」と賛辞を送る変り者など、もちろん、いるはずがありません。しかし、ピカソはその絵と出会ったとき、瞬時にして嗅《か》ぎ取ったのでした。暗い密林の奥深く蠢《うごめ》いている、まったく新しい美のかけらを。

そのあとも、アンデパンダン展や翌年のサロン・ドートンヌで、ピカソは注意深くルソーの作品を見守っていました。作家のアルフレッド・ジャリや、画家のロベール・ドローネー、そしてアポリネールなど、何人かの先進的な芸術家たちが、やはりルソーを気にかけていました。はっきりとした理由はわからないが、どうも気になる。皆、そんな具合でした。

そうこうするうちに、ピカソは、ついに「アヴィニョンの娘たち」をこの世に産み落としました。この文字通りの「鬼っ子」は、生まれたとたんに敬遠されました。しかしピカソは落ち着き払っていました。彼には、ある確信があったのです。

傑作というものは、すべてが相当な醜さを持って生まれてくる。

この醜さは、新しいことを新しい方法で表現するために、創造者が闘った証《あか》しなのだ。

美を突き放した醜さ、それこそが新しい芸術に許された「新しい美」。それが、ピカソの結論でした。

かくも大胆で独創的な美の論理を得たピカソには、世界中の人類の中でたったひとり、何もかも破壊して創り直すことを神から許されたような、絶対的な自信がありました。

その後の芸術の流れを大きく変えることになる、醜い美をまとった「アヴィニョンの娘たち」、そしてキュビスム。革命を叫び断行する若き指導者たるピカソの心の中に、アンリ・ルソーが棲み着いていようとは、彼の仲間たちも後世の美術史家も、なかなか気づけずにいたのでした。

P

バーゼル滞在二日目、バイラー邸。その日の午後も、前日と同じように、広すぎるダイニングルームで昼食会が開かれた。

ワイングラスに白ワインが注がれる。リースリングだ。グラスを持ち上げて、軽く乾杯をする。ティムは、ちらりと隣の織絵に目配せした。織絵は、今日のところはあなたの勝ちね、というように、少し唇を歪《ゆが》めて微笑《ほほえ》み返した。

広いテーブルを挟んで、ティムの向かい側にはコンラート・バイラーが、織絵の向かい側にはエリク・コンツが座っている。前日同様、誰もが黙りこくって、自分の手もとをみつめている。きのうと違うのは、ティムも織絵も、活発にナイフとフォークを動かしていることだ。自分の予想が当たってピカソが登場したことに、ティムは少々浮かれた気分になっていた。

「まるで追悼ミサのようだな」口をもごもごと動かしながら、突然バイラーがフランス語で言った。

「誰も、何も言わん。味気ないにもほどがある」

あわててナプキンで口を拭《ぬぐ》うと、ティムが即座にフランス語で返した。

「講評日まで質問も感想も無用と……ムッシュウ・コンツがおっしゃいましたので」

無感情な視線をこちらに向けて、コンツもまたフランス語で言い返す。

「考え《イデー》は無用、ということです。見解《ヴュ》ならばどうぞ、ムッシュウ・ブラウン」

食えない男だな、と思いつつ、ティムは、「見解」を述べたくてむずむずしていたので、すぐに話し始めた。

「きのう、『夢をみた』の第一章を読んだときに、いずれピカソが出てくるだろうと予感してはいました。この物語の重要な登場人物のひとりとして。が、これほど斬新《ざんしん》な説とともに出てくるとは、正直、意外でした」

「斬新？」もごもごと口を動かして、バイラーが復唱した。「斬新な説とは、何のことだ？」

「『アヴィニョンの娘たち』です。あの革新的作品が誕生した背景にはルソーの存在があったと匂《にお》わせて、第二章は結ばれていましたね。私の知る限り、これはまったくの新説です」

そう述べてから、織絵のほうを向いて同意を促した。「そうは思わないですか？」

織絵は、フォークを皿の上に休めると、

「『新説である』と性急に結論づけることには同意しかねます」

研究者らしく、もっともなことを言った。まったくこっちも食えないな、と思いつつ、自分が「ピカソ研究の世界的権威」であることを忘れないようにしながら、ティムはバイラーに向かって続けた。

「『アヴィニョンの娘たち』がアフリカ彫刻やイベリア彫刻、それにゴーギャンやセザンヌの強い影響を受けて誕生したことは、研究者のあいだではもはや常識になっています。ゴゾルへの旅のあとに素描に変化が見られたのも確かなので、これは史実ですね。しかし、ルソーの作品が『アヴィニョン』に影響したという説は、一度も浮上したことはない。もしこれが本当ならば、ピカソ研究においては、かなりセンセーショナルな新説です」

本物のトム・ブラウンがもしもいまこのテーブルに着いていたならば、こんなふうに落ち着いてはいられないだろう。ルソーごときがなんでピカソに影響を与えるものかと鼻で嗤《わら》っているはずだ。しかし偽者《にせもの》のトム・ブラウンは、ルソーを異常なまでに偏愛している老コレクターの感情を考慮して、遠回しに意見してみた。こんな風変わりな新説を唱えているこの物語は、やはり何者かの創作なのでしょう、と。ルソーこそが二十世紀美術の変革に一役買ったと定義づけたいルソー崇拝者の創作だろう。それがティムのいまのところの見解だった。

「私の意見は、少し異なります」

ティムの言葉を受けて、織絵が口を開いた。

「確かに、アポリネールやアルフレッド・ジャリ、それにロベール・ドローネーがルソーの発見に一役買ったことは間違いありません。けれど私は、彼ら以上に、実はピカソが『ルソーの発見』に絡《から》んでいたのではないかとかねてから考えていました。一九〇八年頃に、ピカソが骨董屋《こっとうや》でルソー作『女の肖像』をみつけ出したことはあまりにも有名なエピソードです。そして、それを生涯自分の傍らから手放さなかったことも……。なぜそこまでピカソがルソーに執着したのか。それを明白にすることは、近代美術の変革がいかにして起こったのかを解明することにも繫《つな》がるのではないかと、私は思っています」

ふむ、とバイラーは低いうなり声を出した。すらすらと自説を唱える織絵に、感心したかのような声だった。このテーブルでの意見のやりとりは、ひょっとすると講評会の前哨戦《ぜんしょうせん》になってしまうのではないか。これは捨て置けないぞ、とティムは急いで反論を唱えた。

「ピカソとルソーが直接会うのは一九〇八年のことです。『アヴィニョンの娘たち』は一九〇七年に完成している。〇五年、〇六年、〇七年のアンデパンダン展やサロン・ドートンヌに出品したルソーの作品のうち、どれかひとつにでも『アヴィニョン』との共通点があるでしょうか？」

「アヴィニョンの娘たち」制作までの二年間で、ピカソが目にしていた可能性のあるルソー作品は、「飢えたライオン」、「第二十二回アンデパンダン展への参加を芸術家に呼びかける自由の女神」、「陽気な道化たち」。どの作品も「アヴィニョンの娘たち」との関連性は薄い。モチーフも表現方法も技法も、美術に対する洞察も思想も哲学も、もっと言えば美術との向き合い方も、ピカソとルソーはあまりにも違いすぎる。たとえルソーの研究者であり、その芸術性や現代性を認める者であっても、この二者を同族の画家として位置づけるのは無理があるだろう。

ところが織絵は、意外なことを言った。

「アングルは？」

「え？」と思わず、ティムは訊《き》き返した。「アングル？」

ジャン＝オーギュスト＝ドミニク・アングル。十九世紀の新古典主義の画家を引き合いに出して、織絵は続けた。

「一九〇五年、サロン・ドートンヌでアングルの回顧展が開かれたでしょう。ピカソはそれを見ているはずです。彼は、同じ年に『フォーヴ』の画家たちが色彩革命に挑んでいるのを冷ややかに見ていたけれど、アングルからは逃れられなかったんだと思います。その証拠に、〇五年の秋には、まだばら色の時代の特徴を残してはいるものの、人体表現やポーズを様式化した『整髪』や『扇子を持つ女』をすぐに描いています」

目の前にピカソの作品が見えているように、織絵は宙をみつめた。

「まるで未完成かのように簡略化されたふたりの女性と裸の子供……意味不明なポーズで扇を持つ女……ピカソは、アングルから表現方法を学んだわけじゃない。対象物の『様式化』を学んだんです。たとえば、アングルの『トルコ風呂《ぶろ》』は、裸身の女性の群像を様式化している。あんなふうに女性の肉体をかたまりにしてしまっていること自体、『抽象化』に近い『様式化』とも言えるんじゃないでしょうか。そういう意味では、『アヴィニョン』の背後にはアングルの存在があったと仮説を立てることは可能です。……とはいえ、『トルコ風呂』のどこがピカソの『アヴィニョン』に似ていますか？」

「複数の裸体の白人女性、ということだけだな」バイラーが愉快そうに口を挟んだ。

「ええ、おっしゃる通りですわ」織絵はバイラーに笑いかけた。

「つまり、ある芸術家が別の芸術家からなんらかの霊感を受けたとして、その結果創作したものが必ずしも『似ている』必要はないんです。すなわち、ちっとも似ていなくても『アヴィニョン』の背後にルソーの存在があったと仮説を立てることも、私は可能だと思います」

ティムは、二の句が継げなかった。

グラスの底に残った白ワインを飲み干してから、「さて」とふたりのやり取りを黙って見ていたコンツがようやく発言した。

「今日のところはこれくらいにしておきましょうか。講評日まえに勝負がついてしまうのでは、いかにも味気ないですから」

前日同様、バイラー邸からホテルへ戻る車の中で、ティムと織絵はそっぽを向き合い、無言のままだった。

バイラーの目の前で、織絵にすっかりやられてしまったティムは、苦々しい思いでいっぱいだった。心のどこかで、この若い研究者などに負けるはずがない、との自負があった。自分は名門ハーバード大出身で、まがりなりにもＭｏＭＡの学芸職にある。ルソーの作品が常設されているギャラリーのすぐ近くで仕事をしているおれが、机上論ばかりを展開する新人学者に先んじられるはずがない、と。

思い上がりにもほどがあった。オリエ・ハヤカワは、想像以上に手強《てごわ》い研究者なのだ。しかも、憎らしいことに……。

ティムは、車窓の外を流れる風景を眺めている織絵の横顔を、こっそりと盗み見た。

……美しいんだ、彼女は。

ふと、黒い瞳《ひとみ》がこちらを向いた。ティムは、あわてて目を逸《そ》らした。ふっとため息のような笑い声が聞こえる。ティムは、わざとらしく窓の外に顔を向けた。

「今夜、何時にテラスへ行けばいいですか？」

織絵の質問に、どきっとした。そうだ、今朝の「賭《か》け」にはかろうじて自分が勝ったのだ。そんなことをすっかり忘れていたティムは、前を向いたまま「覚えててくれたのか」と苦笑した。

「こてんぱんにやっつけられて、あの約束もなくなったかと思ったよ」

「約束は、約束ですから。それに、やっつけられただなんて……」

くすっと笑って、織絵が言った。

「私がやっつけるときは、あの程度じゃないわ」

ぞっとすることを言う。ティムは、もう一度苦笑せざるをえなかった。

ホテルのテラスで七時に食事をする約束をして、ふたりは別れた。少し気分を持ち直して、ティムは部屋へ戻った。鼻っ柱が強く、小憎らしいほど頭がいいが、なかなか誠実なところもあるじゃないか、彼女は。

ディナーのまえにシャワーを浴びよう、と鼻歌まじりでシャツを脱ぐ。ふいに、今日読んだ第二章の最後に、第一章と同様、記されていた大文字《キャピタル》を、なんの脈絡もなく思い出した。

――P。

あれ？　と何かが引っかかった。

確か、きのうの大文字は「S」だった。「P」と「S」。この二文字を繋げることで、何か意味を成すのだろうか。

そういえば、第二章は、第一章と比べて、文章の書き方が変わっているように思われた。達者になったというか、知的になったというか。ひょっとして、第一章とは別の人物が書いたのだろうか？

部屋の電話が鳴って、我に返った。さっき、テラス席の予約をコンシェルジュに頼んでおいた。テラス席は予約でいっぱいだったが、なんとか都合をつけて連絡をします、とのことだった。きっと、席が取れたのだ。

「はい、もしもし」と弾んだ声で応答する。

『国際電話が入っていますが、お繋ぎしますか』

ホテルの電話オペレーターだった。心臓が、大きく波打った。

国際電話？

「誰からですか」とっさに訊いた。

『ミスタ・マニングです』オペレーターが答える。『ニューヨークの』

ニューヨークのマニングだって？ まったく聞き覚えのない名前だ。懸命に頭の中でアドレス帳をめくる。自分のではなく、ボスのアドレス帳。マニング、マニング……誰だ？

『お繋ぎしますか』とオペレーターがせっついてきた。ままよ、とティムは腹をくった。

「繋いでください」

プツッと回線が繋がる音がして、サーッと水が流れるような音に変わった。

『もしもし？……トムかい？』

受話器の奥から聞こえてきたのは、聞き覚えのない声だった。ティムは額に汗を浮かべながら、「はい」と、できるだけ短く、ボスの声色を真似《まね》て応答した。

『やあ、元気かい。ポール・マニングだ。そっちは、かなり涼しいんだろ？』

はっとした。

ポール・マニング。世界最大のオークションハウス、「クリスティーズ」のニューヨーク支社、印象派・近代美術部門ディレクターだ。MoMAでのレセプションやオークションの内覧会《プレビュー》で何度か会ったことがある。トムに紹介してもらって、そういえば、会話も交わした。マニングの口調から憶測するに、トムとはかなり親しい関係のようだ。たちまち、背筋を冷たい汗が流れるのを感じた。

「や……やあポール。どうして私の居場所がわかったんだい？　休暇のときの行き先は、うちの館長にも秘密にしているんだが」

落ち着け、と自分に言い聞かせながら、ボスの口調を注意深く真似て応《こた》えた。心臓が、ばくばくと音を立てている。マニングは『そんなの、簡単さ』と軽く返してきた。

『君も知っての通り、オークションハウスってのは芸術品の密偵みたいなものだからね。世界中のお宝が動きそうな気配があれば、そこに何者が絡んでるのか、ちゃんと追いかけてるんだよ。今回はまた、とびきりの一品が動きそうなんだから、我々がほうっておくわけがないだろう。……君が招待されていることも、事前につかんでいたってわけだ。君は、あの天下の……』

もったいぶったように一拍置いて、マニングは言った。

『天下の大コレクター、コンラート・バイラーに招待を受けた。とある名画の鑑定のためにね。……そうなんだろう？』

ひやりとした。

……バレている？ こっちの動きが、すべて？

世界の二大オークションハウス、クリスティーズとサザビーズが、世界中に匿《かく》されている名画の動きに敏感なことはよくわかっている。特に「印象派・近代美術部門」は、もっとも高額な作品の取引がされるため、両オークションハウスの部門ディレクターには確かな選定眼とコレクターを口説き落とせる交渉力が必要だ。世界中のコレクターの動きを追跡し、マークした作品をオークション会場に引っ張り出すためにあらゆる戦術を仕掛ける。おそらく、マニングは、かなり以前からバイラーの秘宝に着目していたに違いない。美術館のキュレーターたちのあいだでは「伝説」と言われていたバイラー・コレクションも、クリスティーズはとっくにその存在を把握していたというわけか。

「コンラート・バイラー？」心臓が転がり落ちそうになるのを必死に止めながら、ティムはとぼけてみた。

「伝説のコレクターがバーゼルにいるっていうのか？」

『とぼけないでくれよ』マニングの冷ややかな声がした。

『バイラーがコレクションの鑑定を近々誰かに依頼するってことは、とっくに調べがついていたんだ。何しろあの怪物は御年九十五歳だからね、コレクションの今後の行方は私でなくたって気になるってもんさ。中でも、あの嘘っぱちの鑑定書付きの作品……「夢をみた」には、ことさら注目しているんだよ』

こちらの気配を確かめるように、マニングはそこで口をつぐんだ。驚愕《きょうがく》の余り、ティムは相槌《あいづち》すら打てなかった。いったいどう反応すればいいんだ。へえよく知ってるね、さすがはクリスティーズのディレクターだな、とおべっかのひとつでも言えばいいのだろうか？

『秘宝中の秘宝の鑑定を依頼するには、信頼できる人物でなければならない。嘘《うそ》っぱちの鑑定書に平然とサインできるような輩《やから》には、バイラーだって頼みたくないだろう。となれば、世界中であの作品の鑑定をできる人間はごく限られてくる。テート・ギャラリーのチーフ・キュレーターがそうでないとしたら、他に誰がいると言うんだい？』

そこまで聞いて、ティムは、あの作品の周辺の事情をすべてマニングは把握しているのだ、と悟った。バイラーが「夢をみた」を所蔵していること、テート・ギャラリーのチーフ・キュレーター、アンドリュー・キーツが鑑定書に署名していること――しかもそれを「嘘っぱちの鑑定書」と断定している――、さらには、トム・ブラウン以外にルソー作品の鑑定をできる権威《オーソリティ》が存在しないこと。ひょっとすると、オリエ・ハヤカワが鑑定に関わっていることも、とっくに調べはついているのかもしれない。

「わかったよ、「ポール」ティムは観念してようやく応えた。

「それで、わざわざ私に電話してきた理由を教えてくれないか」

『率直に言う。君がいま鑑定に関わっているあの作品について、君と取引をしたい』

間髪を容《い》れずにマニングが言った。

『さっきも言った通り、バイラーは九十五歳なんだ。天国の門は、もう視界に入っているのさ。自分の死後あの作品をどうするか、それがいまのバイラーの最大の関心事だ。君も知っての通り、バイラーの家族は全員他界して、彼には相続人がいない。ゆえに、どこかの美術館に寄贈するか、売却するか、第三者に委託するか。もちろん、我々もあの手この手でアプローチをしているんだが、奴《やっこ》さん、どうにもオークションハウスを信用してくれなくてね。……鑑定を依頼するほど信用できる人間の言うことなら、おそらく受け入れるはずだろう』

マニングは、ここ数年、細心の注意を払い、また少なくない経費も注《つ》ぎこんで、バイラー周辺に接触を図ってきたという。その結果、つかんだ事情は――。

バイラーの現時点での方針は、コレクションの中でもっとも偏愛している「夢をみた」を鑑定できる人物に、全面的に作品の取り扱い権利《ハンドリングライト》を託そうというものだった。バイラーが白羽の矢を立てた人物は「ひとり」ではなく、「もうひとりいる」ということも、マニングはすでにつかんでいた。

「それで、私にどうしろと言うんだ」

ティムは少し苛立《いらだ》った声を出した。「もうひとりの鑑定人」の存在――オリエ・ハヤカワの名前こそ出てはこなかったが――までつかんでいるとは、まったく空恐ろしい調査力だ。ひょっとすると、バイラーに近い人間を抱きこんでいるのかもしれない。運転手、使用人、看護師、執事――代理人。

『まあ、落ち着いてくれ。悪い取引じゃないんだから』マニングは揚々と応えた。『正直に言おう。バイラーと、君と、もうひとりの鑑定人のあいだで、どういう約束が交わされているのか、残念ながら我々はそこまで把握しきれていないんだが――とにかく、「夢をみた」の所有権を、バイラーから譲り受けてほしい。ＭｏＭＡが、ではなく、君が』

「――私が？」ティムは復唱した。マニングの言葉の意味が、よくわからなかったのだ。

『そう、君が』マニングがもう一度言った。

『つまり、君が「夢をみた」の所有者になるってことだ。そして、それを我がクリスティーズ・ニューヨークのオークショニアに引き渡す。当然、名前は伏せるが、売り主は君だ。作品の予想落札価格《エスティメート》は三百万ドル。我々は君から十パーセント、落札者から十パーセント、合計二十パーセントの手数料をいただくだけ。君はハンマーの一振りで億万長者になる』

思わず、ごくりと喉《のど》が鳴った。受話器をくっつけている耳がしびれて発熱している。

「そんな……」ティムは、なさけない声を出した。

「そんなこと、できるわけないじゃないか。MoMAの窓口として、作品の寄贈を受けるならまだしも……だいいち、あの作品に三百万ドルだなんて……さすがに、そこまでの価値はないよ」

つい本音を漏らした。アンリ・ルソーの作品は、ほとんどオークションに登場したことがないし、美術市場でどれほどの値段で売買されるのか、指標となる前例がほとんどない。ピカソやモネならばともかく、ルソー作品が百万ドルを超えるとなれば仰天するほどの高額だ。三百万ドルの予想落札価格をつけようとは、どういう了見なのだろうか。

『MoMAに入ってしまえば、あの作品がオークション会場のテーブルに載るのを見る日は永遠に訪れないだろう。それを思えば、相当な価値がある』

マニングの声は真剣だった。どうやら、自分のキャリアのすべてを懸けて、あの作品をオークションに引っ張り出そうという魂胆のようだ。そのためになら、友人であるMoMAのチーフ・キュレーターを利用するのも厭《いと》わない。マニングの暗い情熱に、ティムはあらためてぞっとした。

これが本物のトム・ブラウンならば受けて立つのだろうか。――考えても無駄なことだった。

「残念ながら」ティムは、深いため息をついて返事をした。

「受けられないな、そんな馬鹿《ばか》げた話は。私はMoMAのチーフ・キュレーターとしてバイラーに招かれているんだ。万が一、作品の所有権を譲渡されたとしても、そっくりそのままMoMAに委譲するのが筋だろう。もしもあの作品がうちのコレクションに加われば、私としても、これ以上の幸運はない――」

『猿芝居はそこまでにしておくんだな、ティム』

ぎくりとした。

……いま、確かに、とっくにわかっている。そろそろショータイムはおしまいだ』

『君が誰なのか、とっくにわかっている。そろそろショータイムはおしまいだ』

「え……え？」乾いた唇を震わせて、ティムはようやく返した。

「な……何を言ってるんだポール、冗談はやめ……」

『バイラーの客であるからには、君がそのホテルに泊まっているのは間違いないと思って電話してみたんだ。「ドライ・ケーニゲ」は超一流のホテルには違いないが、電話オペレーターは二流だな。ミスタ・ブラウンに繋《つな》いでくれ、と言ったら、こうしてまんまと繋がったよ。トム・ブラウンじゃなくて、ティム・ブラウンにね』

今度こそ、ティムは完全に言葉を失った。推理小説の伏線を解き明かすように、ゆっくりと、マニングは語った。

『きのうの朝、君はチューリッヒ空港のロビーにいた。そして、金色の「B」の封蝋《シーリング》がついた封書を見せていたね、バイラーのよこした運転手に。なんとも運のいいことに、私は偶然、その場を通りかかったんだよ。ジュネーブの保税倉庫から戻って、帰国便に乗るために。とは言っても、行き先はニューヨークじゃない。ハワイのオアフ島だ』

ティムの脳裡《のうり》に、きのうの朝、チューリッヒ空港に到着した場面が、閃光《せんこう》のごとく蘇《よみがえ》った。

ああ、そうだ。おれは、確かに、封筒をかざして見せた。——一瞬、ほんとうに、ほんの一瞬の出来事だ。

あの瞬間、わずか二秒か三秒のやり取りを、ああなんてことだ、マニングは目撃したと言うのか。

『オアフでは友人との夕食の約束があったんでね、休暇も兼ねて行くことになっていたんだ。ついさっきまで、夕食の席で、私が誰と一緒にロミロミサーモンを食べていたと思う？　そう、君のボス——トム・ブラウンだよ』

頭の中心で、がんがんと鐘が鳴り響いている気がした。全身の血管から、すうっと血が逃げていく。空洞のような耳の中で、勝ち誇ったようなマニングの声がこだまする。

君の愛するＭｏＭＡから追い出されたくなかったら、私の言う通りにするんだな。

——いいね、ティム？

第六章 予言

一九八三年 バーゼル／一九〇八年 パリ

まえの晩とは打って変わって、その夜、ティムはすこぶる寝つきが悪かった。

明け方近くにようやくうとうとしたが、何やら悪夢にうなされて目が覚めてしまった。時計を見ると、六時まえだった。カーテンの隙間《すきま》から、朝日が差しこんでいる。ベッドを抜け出すと、カーテンを開け、窓を全開にした。たちまち、心地よい川風が部屋の中に吹きこんでくる。

悪い夢をみているのか、おれは。

ライン川に面したテラスの手すりにもたれて、ティムはそう思った。

ゆうべの電話。クリスティーズ・ニューヨーク、印象派・近代美術部門ディレクター、ポール・マニングからの国際電話は、いきなり喉《のど》もとに突きつけられたナイフの刃のようだった。

君と取引をしたい。「夢をみた」の所有権を、バイラーから譲り受けてほしい。MoMAが、ではなく、君が。

君の愛するMoMAから追い出されたくなかったら、私の言う通りにするんだな。

――いいね、ティム？

はあっ、と息を放って、ティムは右手で額をぴしゃりと押さえた。

まったく、悪夢のような展開になってしまった。

マニングは、ハワイのオアフ島で休暇中のトム・ブラウンと会った、と言っていた。本当か嘘《うそ》かわからない。が、トム・ブラウンになりすまして自分がここにいることが完全にバレてしまったのだ。どのみち、自分の命運はマニングにすっかり握られてしまった。

こうなったら、とティムは、ライン川の流れをうつろに眺めながら考えた。

マニングの言う通り、織絵との講評対決に勝利して、あの作品の取り扱い権利《ハンドリングライト》をもぎとるしかない。取り扱い権利 ＝《イコール》 売却権利だ。そうして、あの作品をクリスティーズのオークションテーブルの上に載せるんだ。やつの言うように落札価格《ハンマープライス》が三百万ドルになってみろ。おれはたちまち億万長者だぞ。

そうしたら、アップタウンに二千スクエアフィートの高級アパートを買える。故郷のシアトルでなら、プール付きの豪邸だ。そこに両親を呼び寄せて暮らしたっていい。株でもやりながら、ときどき美術史学会で論文を発表して余生を過ごす。アメリカ人なら一度は憧《あこが》れる、幸せな若隠居《ハッピー・アーリー・リタイアメント》ができるじゃないか。

そう自分に言い聞かせてみた。けれど、心はこれっぽちも晴れなかった。

もしもそんなことになってしまったら——まるっきりルソーと逆だな。

ルソーは四十の手習いで本格的に絵を始めた。そのまま税関に勤めていれば、平穏なリタイアが待っていただろうに。

下手だクズだと嘲笑《ちょうしょう》されながら、あえて険しい道を選んだ男。貧しさゆえにボンボン売りをしてまで、自分が信じた道をひたむきに進もうとした画家。

そんなルソーが、おそらくは生涯の最後に精魂傾けて描き上げた作品——「夢をみた」。

その作品が、オークションハウスの駆け引きの場に引きずり出され、何百万ドルもの大金で取引されるのか。そしてその金で、おれは高級アパートを買うっていうのか？

ティムはもうひとつ、大きなため息をついた。

どうすりゃいいんだ。

それもこれも、みんな、あなたのせいだよ。……ルソー。

「おはようございます、ミスタ・ブラウン。今朝はテラスでお姿を見かけませんでしたが……よくお休みになられましたか？」

バイラーの邸《やしき》から差し向けられた車が、その日も九時五分まえにホテルに到着していた。ティムがロビーに姿を現したのは九時十分だった。正面入り口の回転ドアの前で、支配人のヨーゼフ・リヒャルトに声をかけられた。ティムは「おはよう」と返しただけで、余計な口をきかずに、すぐに車に乗りこんだ。

「おはようございます。体調はいかがですか」

さきにキャデラックに乗って待っていた織絵が声をかけてきた。

昨夜、約束通り、ホテルのテラスで冷えたリースリングで乾杯をしたものの、ティムはまったく上の空で、ろくな会話ができなかった。織絵はティムの様子がおかしいことにすぐに気づいたようだったが、何も訊《き》きはしなかった。

織絵はアルコールをたしなまないのか、ほとんどグラスを口に運ばなかった。ティムのグラスが空になるまでの短い時間、ふたりはだんまりで過ごし、それぞれに部屋へと戻っていった。ティムはエレベーターの中で、時差ぼけ《ジェットラグ》がいま頃出てきてしまったようだ、と短く言い訳をするにとどめた。

「おはよう」ティムは努めて明るく返した。

「なかなかジェットラグが治らなくてね。困ったものだ」

織絵はくすっと笑って、

「そうですか。じゃあ、物語の続きを読むのにはつらいかしら……」

ティムは、左手を伸ばすと、革のシートの上を人差し指で軽く叩《たた》いた。織絵が不思議そうな目をティムに向ける。ティムは口を真横に固く結んで、かすかに首を横に振って見せた。何も話さないでくれ、という意思表示だった。

もはや、自分の周りのすべての人間を疑わざるを得ない。リヒャルトも、この運転手もだ。誰がどんなふうにマニングに接触されているのかわからないのだから。

織絵は一瞬、戸惑ったようだったが、何事もなかったように黙って窓の外に顔を向けた。ティムは、彼女の勘のよさにとりあえず感謝した。

バイラーの邸に到着すると、正面の車回しで待ち構えていた執事のシュナーゼンが、

「おはようございます」とせわしなく後部座席のドアを開けた。

「ご到着が十分ほど遅いようでしたが……途中、渋滞でも？」

さりげなく嫌味を言ってきた。当然、この男も怪しい。ティムは何も答えずに、さ

っさと邸の中へ入っていった。

例の客間では、バイラーの代理人、エリック・コンツがふたりを出迎えた。ティムは意識的に、コンツと目を合わさないようにした。頭の中でハザードランプが点滅するのを感じる。

――この男がもっとも危険だ。

「ミスタ・バイラーは時間に非常に厳格な方です」コンツは眉《まゆ》ひとつ動かすでもなく言った。

「おふたりとも、それをお忘れなきように。では参りましょう、ミス・ハヤカワ」

踵《きびす》を返して、客間を出ていった。織絵はかすかに不安の色を浮かべた目をティムに向けたが、すぐにコンツの後に続いて部屋を出た。パタン、とドアが閉まってから、ティムは監視カメラを意識しながら、ひとり掛けのソファにどさりと身を投げた。

このゲームに乗ってしまったからには、大変なことになるだろうとは予測していた。

それにしても、この疲労感はどうだ。

まだ三日目、物語「夢をみた」はようやく第三章の幕開けだ。

おれは、はたして、七日目の最終章までたどり着けるのだろうか――。

第三章　予言

　その日もまた、貧しい洗濯女のヤドヴィガのもとに、一枚の絵が届けられました。セーヌ川のほとりをそぞろ歩く、いや、歩いてなどいない、直立不動の豆粒のような人々。川の向こうにはエッフェル塔らしきタワー、空には飛行船らしき物体が浮かんでいます。ヤドヴィガは両手を腰に当てて、「まったく、あのへっぽこ画家！」と、心底あきれたようにため息をつきました。

「そりゃあ、あたしゃ学がないから、芸術ってのがどんなもんかなんてわかりゃしない。だけど、この絵にこれっぽちも価値がないってことくらいはわかる。どうよ、このへんちくりんな人間ども。後ろに描いてあるこれ……エッフェル塔のつもりかね。あたしには不格好な蝿叩《はえたた》きにしか見えないよ」

　おんぼろアパルトマンの歪《ゆが》んだ床に平置きにされた油絵に向かって毒づくのを、夫のジョゼフは背中で聞いておりました。やがて、みしみしと床をきしませて妻のそばへやってくると、声をかけました。

「何度も言っただろ。絵ってのはそんなふうに見るもんじゃない。壁に立てかけて見るもんだ。こうして」

両手でていねいに絵を持ち上げると、粗末な食卓の上にそうっと載せ、壁に立てかけました。ふん、とヤドヴィガは鼻を鳴らして「どうやって見たって、代わり映えしないよ」と、ますます罵《ののし》ります。

「このまえ、ちょっと大きいのを描いてよこしたから、うちには持ち帰らないで、そのまんまマルティール街の骨董屋《こっとうや》に持ってったんだよ。なんでも、このへんの古道具屋よりは古カンヴァスを高値で引き取ってくれるって噂《うわさ》を聞いたからね。ところがどっこい、たったの四フラン！　その場にへたりこんじゃったよ。苦労して持ってったってのにさ……」

「大きい絵？」ジョゼフは目を輝かせました。「どんな絵だったんだ？」

「忘れた」ヤドヴィガは憮然《ぶぜん》として返しました。「下手くそだったことは覚えてるけど」

「お前なあ。それじゃ芸術家に失礼だろう。下手くそでもなんでも、せめてどんな絵だったかくらい覚えておけよ」

今度は、ジョゼフが心底あきれたような声を出しました。ヤドヴィガは、「何よ、あんた？」と夫をにらみつけました。

「自分の女房が言い寄られてんのに、あっちの肩を持つっての？　何が芸術家だよ。あのへっぽこが芸術家だって言うんなら、地面に落書きしてるその辺の子供だって芸術家だっての」

馬鹿《ばか》ばかしい、と言い捨てて、ヤドヴィガは粗末なベッドの中にもぐりこみ、夫に背を向けました。

そんなに怒るなよ、とやさしい言葉のひとつでもかけて、背中から抱いてくれればいいのに。

そう思っても、口にしません。自分の両手で自分の体を抱きしめて、ヤドヴィガは心の中でつぶやきます。

やさしさなんか、もうこの人に期待しちゃいけないんだ。

同い年の夫と、十八歳で結婚して二年。若い夫婦は、子宝に恵まれませんでした。自分は子供ができない体に違いない、とヤドヴィガはほとんど捨て鉢になっておりました。

きっと自分はそのうち離縁を言い渡されるだろう。早く子供がほしいからと言われて結婚したのに、全然だめなんだから。ほんとうに、ついてない。

ジョゼフも自分も、貧しさのどん底の家庭に育ち、幼い頃から牛乳配達や子守りをして家計を支えてきた。ジョゼフは生真面目《きまじめ》で、やさしい青年だった。この人となら、貧しくても満ち足りた家庭を築けると思っていたのに。

自分たちが経験したようなつらい思いは、子供にはさせたくない。おれたちの子供はちゃんと学校に行かせて、立派な人間に育てよう。ヤドヴィガに結婚を申しこんだとき、ジョゼフは顔を輝かせてそう言ったのでした。

結婚してから、ジョゼフは配達人夫になり、商品やら家具やら道具やらを、店から家、アパルトマンからアパルトマンへと運んで賃金を得ておりました。一年ほどまえから画廊の依頼が増え、絵の配達や展覧会会場への作品の搬出入などを手伝うようにもなりました。その頃からでしょうか、妻に絵の見方や置き方をあれこれ指図するようになったのは。もっとも、ヤドヴィガが目にする絵とは、すなわちあのへっぽこ画家、アンリ・ルソーのものばかり、だったのですが。

人妻に、次々に絵を贈る画家。恋文が添えられているわけではありません。だから、ほんとうのところ、せっせと絵を描き贈ってくる理由ははっきりとはわかりません。遠回しに言い寄ってきているのだろう、とは感じられるものの……。

それにしても彼の描く絵の数々は、お世辞にも「巧《うま》い絵」だとは言えません。けれど、ひたむきな何かがある。そう気がついたのは、ヤドヴィガではなく、夫のジョゼフのほうでした。

もちろん、そんなことを夫が妻に言うはずはありません。ジョゼフは、ただ黙って、アンリ・ルソーとかいう謎《なぞ》の画家から贈られた絵画に対して妻が存分に毒づくのを見守り、やがてその絵がどこかに消えてしまっても、何も意見はしませんでした。

ヤドヴィガは、ルソーから贈られた絵を次々に売りに出しました。初めのうちは、「官展《サロン》」とやらに出品される作品がびっくりするほどの金額で売買されているという噂を聞き、「絵画」であるからには多少の値段で売れるのではないかと期待もしました。しかし、どの画廊に持ちこもうとしても、門前払いにあってしまいます。仕方なく古道具屋に持っていくと、二フランか三フランになりました。

壁紙ほどの価値もない絵を自分は贈られているのか。そう思うと、自分まで価値のない女であると烙印《らくいん》を押されるようで、無性に腹が立ちました。けれど、一フランにでも換金できる限り、黙って受け取っておこう。少しでも家計の足しになれば、それでいいのだ。そんなふうに、あきらめに似た気持ちもありました。

ルソーの絵を売り払って得た金で、ヤドヴィガはアブサントを買い、疲れ果てて帰ってくる夫とともに、つましい食卓を囲んで飲み交わします。それだけが、若い夫婦に許されたささやかな贅沢《ぜいたく》なのでした。

とてつもなく奇妙な絵を、ドイツ人ふうの画廊主に頼まれて、ヴィニョン街にできた新しい画廊に運びこんだ。

ある夜、ジョゼフがヤドヴィガにそんな話をしました。ヤドヴィガは、「ふうん」と、特に関心もなさそうです。ジョゼフは興奮気味に話し続けました。

「それが、おそろしく気味の悪い絵なんだ。完成された油絵じゃなくて、習作のようなものだったんだけど……怪物みたいな女が五人……そのうちのひとりは、後ろ向きに座ってるのに、顔は正面を向いてるんだ。化け物みたいな、でもなんていうか……何かがものすごく引っかかるんだ」

「へえ」ヤドヴィガは、食卓に肘《ひじ》をつき、目を半分開いて、つまらなそうな返事をしました。

「そんなのが芸術だっていうんなら、この絵だって、もう少しましな値段で売れそうなもんなのに」

食卓の上には、ついきのう、またもやルソーから贈られた子供の肖像画が置かれていました。にこりともせずに正面を向いた赤ん坊の顔。人形や花束とともに描かれているにもかかわらず、威嚇《いかく》するかのような赤ん坊の表情はまるで年増女《としま》のようです。ヤドヴィガはすぐに古道具屋へ持っていこうとしましたが、珍しくジョゼフがそれを止めました。もう二、三日眺めていたい、と夫は言いました。子供を持てないさびしさからか、こんなおっかない赤ん坊の絵にも愛着がわくのだろうか、とヤドヴィガは複雑な気分でした。

「だから……お前、この絵をその画廊へ持っていってみないか？　なんでも、ぜんぜんいとかいって、世の中でまだ価値を認められていない絵を買い上げているそうだよ」

「こんなもん、どこへ持ってったって三フラン以上にはならないわよ」ヤドヴィガは、変わらずにつまらなそうな声を出しました。

「金の問題じゃないさ。あんな化け物みたいな絵にだって価値を見出《みいだ》す人間がいる、ってことがおもしろいじゃないか。ひょっとしたら、その絵だって、価値を認めてくれる誰かがいるかもしれないだろう。その……こんな絵こそが、『近代的《モデルネ》』っていうんじゃないのかな」

ヤドヴィガは、頬杖《ほおづえ》をついたまま、「へんなの」と苦笑しました。

「何よ、『近代的』って？」

「おれにもよくわかんないけど。ドイツ人ふうの画廊主が、何度も口にしてたんだよ。たぶん、新しいってことかな。新しい絵……新しい価値観、っていうような」

ヤドヴィガは、不思議に思いました。

この人は、なぜだかこの画家の絵に興味を持っている。近代的とか新しい価値観とか、そんなむずかしいことを言う人じゃなかったのに。新進の画廊に出入りするようになってから、なんだか変わったな。

「いいよ。じゃあ明日、行ってみる」

翌日、ヤドヴィガは、夫が「化け物みたいな絵を運びこんだ」と言っていたヴィニョン街にある真新しい画廊、「ダニエル・カーンヴァイラー」へ出かけてみました。

パラフィン紙に包んだカンヴァスを抱えて、店のショーウィンドウからこっそり中をのぞきこみます。

布に包まれた大きなカンヴァスがいくつか壁に立てかけて置いてある中で、若い画廊主らしき人物と、小柄でずんぐりした体型の男が向かい合い、何やら話し合っています。店の外に貧しいなりをした女がカンヴァスを抱えてうろうろしているのに最初に気がついたのは、小柄な男のほうでした。

「なんだ、あんた？ 画家かい？」

画廊のドアを開けて、男は好奇心に満ちた声をかけてきました。真っ黒で鋭いふたつの目が、ヤドヴィガをまっすぐにとらえました。首を横に振って、ヤドヴィガはようやく答えました。

「これを……買ってもらえませんか」

ふたりの男は顔を見合わせました。

初めて門前払いになることなく、ヤドヴィガは画廊の中へと招き入れられました。パラフィン紙の中から現われた絵を見て、ふたりの男は、同時に黙りこんでしまいました。腕組みをしたまま、じっと動かずに、むずかしそうな顔つきで画面を眺めています。ほらやっぱりね、とヤドヴィガは、胸の内側を爪《つめ》で引っ搔《か》かれるのをがまんできない、というような気分になりました。

こんな絵を「新しい」だなんて思う人間なんか、この世界にいやしないよ。

「なんであんたがこの絵を持ってるのか知らないが」

しばらくして、ため息まじりに男が口を開きました。大きな黒々とした目の男のほうが。

「この絵をやすやすと画廊に持ちこんだりするなよ。大損するぞ」

ヤドヴィガは目を瞬《しばた》かせて、男を見ました。男は、暗闇《くらやみ》のように深い目をこちらに向けて、

「予言してやろうか」

いきなり言いました。

「この絵は……いずれ、ものすごく価値が上がる。なぜなら、この画家は天才だから」

ヤドヴィガは穴が開くほど、じいっと男をみつめました。言っていることの意味がまったく理解できなかったのです。ふと、男の頬に、白い絵の具がわずかにこびりついているのが見えました。ジャケットの肘にも、指先にも。

「あんた、画家なのね」ようやく気がついて、ヤドヴィガは言いました。

「ああ、画家だよ」男は答えました。

「そしておれは、この絵を描いた画家が誰か知っている」

「価値が上がるって、ほんとに？」急に飛び上がりたいような気分になって、ヤドヴィガは訊《き》きました。

「あんたもそう思う？　ねえ画廊主さん？」

画廊主らしき男は、苦笑いになりました。それから、強いドイツ語なまりのフラン

ス語で答えました。

「さて、私にははっきりとはわかりません。しかし、まあ……まちがいなく『新しい絵』ではありますね」

「それって、『近代的』ってこと？」

思わぬ言葉が女の口から飛び出したからか、男たちはもう一度顔を見合わせて、くすくすと笑い出しました。

「ええ、そうですね。近代的。そうも言えます」

ドイツ語なまりの男が、まんざらでもなさそうなことを言いました。ヤドヴィガは、期待の泉から手押しポンプで水をくみ上げるような気分になりました。

「じゃあ、いま買ってくれない？　付け値で売るわ、だから……」

こらえきれずに身を乗り出して言うと、

「いま売ったら大損するって言っただろう。待つんだよ、そのときがくるのを」

ぴしゃりと男が言い放ちました。ヤドヴィガは、言いかけた言葉をぐっとのみこみました。

自分とさほど年が違わないような、若い画家。しかし、この男の「予言」と呼べないほど確信に溢《あふ》れていました。

「ものすごく価値が上がる……天才」男の予言をヤドヴィガは復唱しました。

「その通り」男が、にっと笑ってうなずきました。

「これこそが、『新しい絵』だよ」

結局、持っていった絵を、その画廊は買い取ってはくれませんでした。帰り道、古道具屋にも寄らずに、ヤドヴィガはおんぼろアパルトマンへとぼとぼと帰っていきました。

貧しい食卓の上に、もと通りに絵を載せ、頬杖をついて、眺め続けました。ジョゼフが帰ってくるまで、何時間も。暗くなってきてからは、ランプに火を灯《とも》して。

なんだろう？　新しい絵って。どういうこと？

待つ？　――そのときが、くるのを。

貧しい洗濯女が、芸術について思いを巡らせた初めての夜が、静かに更《ふ》けていきました。

O

午後二時半。ティムは、バーゼル市内を走るトラムに乗っていた。

隣の座席には、織絵が座っている。トラムの窓はひとつ残らず気持ちよく開け放たれて、涼やかな風が車内の前方から後方まで、一気に吹き抜けていく。織絵の髪が風のかたちに揺れて、そのつど、甘い花の香りがティムの鼻先をくすぐった。

トラムは、バーゼル動物園に向かっていた。美術館ではなく、動物園だ。まさかそんなところにライバルと一緒に出かけることになろうとは、今日のランチが終わるまで、想像すらしなかったのだが。

第三章を読み終わったあと、ティムと織絵は、もはや定例となったバイラー、コンツが同席する昼食会に参加した。きのうとは打って変わって、ティムは料理をフォークで運ぶ以外には口を開かなかった。

「やはり追悼ミサのようだな」バイラーが、さもつまらなそうにつぶやく。

「今日は、いかなる見解もないということですか」

コンツが問いかけたので、「まあそうです」と、ティムはしれっとして答えた。

この男とはこのさきできるだけ会話を慎まなければならないし、この昼食会の場で、きのうのように無用な議論を織絵と闘わせるのは危険だ。どうやらミスタ・ブラウンよりもミス・ハヤカワのほうに軍配が上がりそうですよ、などとマニングに知らされでもしたら、たまったもんじゃない。

マニングがすでに織絵に接触しているかどうかはわからないが——勝算のありそうな競技者《プレイヤー》を抱きこみたい、と考えたとしてもおかしくないのだ。

　そうなると、織絵までもが疑わしくなってくる。

　すでにマニングに同じような条件で「必ず勝て」と言われているのではないか。自分と織絵をそれぞれに抱きこんでおいて、どっちが勝ってもクリスティーズはあの作品をオークション会場に引きずり出せる算段をしているのではないだろうか——。

　突然、ティムは席を立った。メイン料理の皿がまだ下げられていなかったが、もう我慢できない、という調子で言った。

「申し訳ありません、体調が思わしくなくて……今日は、これで失礼します」

　テーブルに背を向けて、足早にダイニングルームを出た。長い廊下を玄関に向かって歩いていくと、後ろからコツコツとヒールの音が追いかけてきた。玄関のポーチで邸《やしき》の使用人に「車を回してくれ」と頼む。直後に、背後で織絵の声がした。

「私も一緒に帰ります」

　ティムは振り向いた。黒い瞳《ひとみ》が心配そうにみつめている。本気で心配してくれているならありがたいが、と思いつつ、「ひとりになりたいんだ」とティムは言った。

「きのうからおかしいわ。何があったんですか」

「何も」と短くティムは返した。

「ジェットラグがひどいんだよ。そういう体質なんだ」

「じゃあ、ジェットラグが早く治る方法を教えてさしあげます」織絵もすかさず返した。

「あなたはニューヨークから、私はパリから来ている。考えてみると、フェアじゃないわ。お互い、体調も同じように万全で、同じ条件で資料に当たって、講評日を迎えなくちゃ、フェアに闘えません」

キャデラックが車回しに到着した。後部座席に乗りこむ直前に、織絵が言った。

「とにかく。ホテルに戻ったら、そのあと、私についてきてください。一発でジェットラグが治る場所へお連れしますから」

そうして連れられてきたのが、動物園だったのだ。

「驚いたな……バーゼル動物園っていうのは、こんなに広かったのか」

総面積三十二エイカーもあるバーゼル動物園は、一八七四年に開園され、世界でももっとも古く、もっとも人気のある動物園のひとつだ。ティムもその存在は知ってはいたが、美術業界に身を置く者としては、ヨーロッパ最古の美術館やアートフェアを擁するこの街に来たならば、美術館に行くという以外の発想はない。まさか自分が動物園を訪れることになろうとは。

ティムがあんまりきょろきょろするので、織絵はとうとう笑い出した。

「やっぱり何度もバーゼルに来ていても、さすがに動物園にはいらっしゃらないんですね」

「まあ、普通のキュレーターはそうだろうな」ティムは苦笑した。

「ジェットラグに効く場所だとは、まったく想像もできなかったよ。君はよく来るのかい？」

「ええ。バーゼルに来たときには、必ず」と織絵は軽快に答えた。

「もっとも、パリからは飛行機で一時間もかからないから、ジェットラグを治すために来るわけじゃないんですけどね。単純に、好きなんです。ここが」

ふたりは、ライオンが寝そべっている場所――こんもりと緑が生い茂るオアシスのような場所で、檻《おり》ではなかった――にたどり着くと、柵《さく》にもたれてその様子を眺めた。昼寝中のライオンたちはなんとものんきで、眺めるうちにこっちのほうが眠たくなってくる。ティムが思わずあくびをひとつするのをみつけて、「ほらね」と織絵がまた笑った。

「心が楽になって、眠たくなってくるでしょう。ジェットラグになったら無理に眠らないで、動物園や植物園に行くといい。美術館じゃないところに行きなさいって。教えてもらったの、父に」

「お父さんに？」

織絵はうなずいた。

「私、父の仕事の都合で、子供の頃から外国に住んでいて……家族で海外に行くことも多かったから、いつもジェットラグで苦しんでたんです。それに、小さなときから美術館に行くのが好きでたまらなかったの。どんなにジェットラグがあっても、初めて訪れる都市に行けば、すぐにその町のどこかにある美術館へ出かけていこうとしたんです。アートは私にとって、世界中、どこででも待っていてくれる友だち。そして美術館は、『友だちの家』みたいなものだったので」

おもしろいことを言う。今度は、ティムが思わず笑った。

「アートは友だち、美術館は友だちの家か。確かに、そう思っていた時期が私にもあったな」

「でしょう？　アートが好きな人は、きっとみんなそうよ」織絵が、無邪気に笑い返した。

「でもね、あんまり私がアートに夢中になって、真剣に向かい合うから……美術館じゃなくて、似て非なるところへ行ったほうがリラックスできるぞ、って、父が教えてくれました。試しに一度やってみたら、あ、なるほど、って。それからは、ジェットラグになったらまず動物園や植物園に行って、体調を整えてから、友だちの家に元気いっぱいで遊びにいくようになったんです」

織絵の父は、動物園や植物園を、「美術館とは似て非なるところ」と表現した。少女の織絵にはその意味がよくわからなかったが、最近ようやく気がついたと言う。

美術館とは、芸術家たちが表現し生み出してきた「奇跡」が集積する場所。動物園や植物園は、太古の昔から芸術家たちが表現の対象としてみつめ続けた動物や花々、この世界の「奇跡」が集まるところ。

アートを理解する、ということは、この世界を理解する、ということ。アートを愛する、ということは、この世界を愛する、ということ。

いくらアートが好きだからって、美術館や画集で作品だけを見ていればいいというもんじゃないだろう？　ほんとうにアートが好きならば、君が生きているこの世界をみつめ、感じて、愛することが大切なんだよ。

「あるとき、父が私の隣に立って、そう囁《ささや》いてくれたような気がしたんです。……ずっとまえに、天国へ逝《い》ってしまったはずの父が」

事故で父を失い、母は実家でひとり暮らしの老母の面倒をみるために日本へ帰り、自分ひとりがパリに残った。亡《な》き父や遠く離れた母の期待に応《こた》えようと、美術の研究にすべてを捧《ささ》げ、持てる限りのエネルギーを注いできた。

けれど、あるとき、ふと気がついた。ルソーも足しげく通ったというパリ植物園に、ジェットラグを治しに出かけたときのことだった。

ひょっとすると私は、アートばかりを一心にみつめ続けて、美と驚きに満ちたこの世界を、眺めてはいなかったんじゃないのだろうか？

「なんとなく、わかったんです。そのとき、ルソーの気持ちが。彼はアートだけをみつめていたわけじゃない。この世界の奇跡をこそ、みつめ続けていたんじゃないかな、って」

生真面目《きまじめ》な人物像も、不思議なかたちのエッフェル塔や飛行船も。草いきれのする密林も、沈みゆく真っ赤な夕日も。ライオンも、猿も、水鳥も。横笛を吹く黒い肌の女も、長い髪の裸婦も。

画家の目が、この世の生きとし生けるもの、自然の神秘と人の営みの奇跡をみつめ続けたからこそ、あんなにもすなおで美しい生命や風景の数々が、画布の上に描かれ得たのだ。唯一無二《ゆいいつむに》の楽園として。

自分の思いを静かに語る織絵の横顔は、ほんのりと哀愁を帯びて、けれど不思議に満ち足りていた。

ティムは、思いがけず、織絵の言葉に胸が震えるのを感じていた。

そうだ。少年だった自分も、いまと同じように、胸を震わせていたのだ。

初めてＭｏＭＡでルソーの「夢」に出会ったとき。一目見た瞬間に、魔法にかかったように作品をみつめた。少年ティムは密林の中へ一歩踏み出し、長椅子《ながいす》に横たわる横顔の女性に話しかけたのだ。

何がそんなに悲しいの？

この人は、何かがとても悲しくて、さびしくて、やりきれないんだ。なぜだかわからない。けれど、少年ティムは、この人を助けてあげたい、と思った。

そして、いま。

織絵の美しい横顔を眺めながら、なぜだろう、同じ思いがティムの胸を震わせている。

その日の午後、たっぷりと時間を使って、ティムと織絵は動物園のあちこちを見て回った。

バーゼル動物園では、特に人間に害を与えたり逃げ出したりする心配のない動物を放し飼いにしていた。小径《こみち》を歩いていると、巨大なペリカンが目の前を横切っていったり、ワラビーが悠然と草むらを飛び跳ねていくのを目撃したりした。そのたびに、ティムと織絵は驚き、声を合わせて笑った。

やはり織絵は鋭い勘の持ち主だった。ティムがもはや、例の物語やルソーとその周辺の芸術家たちについて言及したがらないことを心得ているようだった。きのうの昼食の席で切れ味鋭い持論を展開した若き研究者は、今日はどこにもいなかった。ティムは、実のところ、「夢をみた」第二章について、今日こそ織絵と話がしたいような気分にかられていた。

第三章「予言」は、第二章「破壊者」とは、まったく違う書き方のように感じられた。文末の大文字《キャピタル》は「O」となっていたが、やはり書き手が変わっているのだろうか。ということは、この物語は連作のように、ある書き手から次の書き手へと、リレーのように引き継がれているのだろうか？

単純で幼稚な文章の綴《つづ》り方は、どちらかというと第一章に近いか、さらに退化した印象を受けた。それでいて、いままでの中でもっともみずみずしい感性があった。貧しく学のないヤドヴィガが、「芸術への目覚め」を体感する。春の息吹《いぶき》のような生命感が彼女の中に芽生えるさまが、ページの表面から立ち上ってくる気がした。

そして、ルソー本人は文中に一度も登場しないにもかかわらず、その存在感は圧倒的だった。

名前こそはっきりとは述べられてはいないが、ピカソらしき画家と、近代美術を世界に広めた伝説の画商、ダニエル・カーンヴァイラーとの短い会話、そして「予言」。二十世紀美術の基盤を創《つく》り上げてきた立役者たちが、ルソーの存在をいかに尊重していたのかが、さりげなく伝わってくる。

恋文を添えるでもなく、口滑らかに口説くでもなく。けれど、無骨に絵を描き、贈り続ける画家ルソーの恋心が、何にも増してせつなかった。

この不器用な画家を、ヤドヴィガが受け入れてくれればいい。そんな思いひとつを胸に浮かべて、ティムは書斎を出た。きのうまでは、行間に隠されているはずの秘密をみつけ出そうと必死だったのに。

君は、どんなふうに感じたんだい？

ティムは織絵に、そう訊《き》いてみたかった。

君がもしもヤドヴィガだったら——名も無く貧しい老いぼれ画家の恋心を、受け止めるのだろうか？

「ずいぶん歩きましたね。ちょっと休憩しましょうか。コーヒーでも買ってきます」

ベンチのある広場に行き着いて、織絵が言った。ティムはすかさず「コーヒーなら、私が買ってくるよ」と返した。

「ジェットラグを治してもらったお礼にね。ちょっと待ってて」

織絵をベンチに残し、小径の途中にみつけたコーヒースタンドへと足早に引き返す。まるでハイスクール時代のデートのようだなと、なんとなく愉快な気分になった。

「コーヒーをふたつください。ひとつはブラックで」

スタンドでコーヒーが出来上がるのを鼻歌まじりで待つ。香ばしい湯気を立てたカップをふたつ、受け取った瞬間だった。

「ちょっといいですか、ムッシュウ？　――お尋ねしたいことがあるのですが」

ふいに、背後で女性の声がした。やわらかなフランス語だった。「ウイ？」と機嫌よく答えてから、ティムは振り向いた。

目の前に、見知らぬ女が薄笑いを浮かべて立っている。

「なんでしょうか、マダム？　何かお困りで……」

言いかけて、はっとした。

白い麻のパンツスーツ、ウェーブのかかった長い栗色《くりいろ》の髪、どことなくエキゾティックな顔立ち。

……見覚えがある。どこかで、見かけたことがある。しかし、誰なのかはわからなかった。

女は、微笑を浮かべたまま、落ち着き払った声で言った。

「あなたは、いま、コンラート・バイラーの邸《やしき》に出入りしている。いい、ある作品の鑑定のために。——そうですね？」

いきなり言い当てられて、ティムは息をのんだ。

まさか、マニングの——クリスティーズのスタッフか？

「いいですよ、別に。答えたくないのなら。けれど、こちらはあなたがいまなさっていること、あるいはなさろうとしていること——すべて把握していますから、そのつもりで聞いてください」

女は、ジャケットの内ポケットから小さな手帳のようなものを取り出した。それを開けると、ティムの目の前にかざして見せた。ティムは目を見開いて、その表面に刻印されている文字を追いかけた。

I…C…P…O…。

「私はジュリエット・ルルー。国際刑事警察機構《インターポール》の芸術品《アート》コーディネーターです。今回、ある作品の調査のためにパリから来ました。あなたと、もうひとりの鑑定人が、現在、その作品の鑑定に取りかかっていることは、もう内偵済みです」

ぐらりと腕が揺れて、コーヒーをこぼしてしまった。「熱《あ》っつ……」と叫びかけると、

「気をつけて。そのコーヒーが冷めるまでに話は終わるから」

ジュリエットと名乗ったその人が、冷ややかな声で言った。ティムは顔をこわばらせて彼女を見た。

「話って……私が、何か逮捕されるようなことをしでかしたのですか」

「逮捕なんて」ジュリエットは苦笑いをした。

「言ったでしょう。私はアートコーディネーターで、刑事ではありません。あなたが何をしでかそうと、逮捕する気もなければ、そんな権限もないわ」

そういえば、以前に一度だけ、ＭｏＭＡ所蔵の作品を照会したい、と言って、インターポールから連絡を受けたことがある。その人物も刑事ではなく、アートコーディネーターだと名乗っていた。世界中で裏取引されている盗品である美術品のリストを管理し調査するのが、彼らの仕事なのだ。

さっき見せられた身分証明書が本物ならば、彼女が調査している「ある作品」につ

いて、自分は話さざるを得ないのだろうか。

「それで、私に何の用でしょうか」

とにかく聞こう、と腹を決めて、カップをいったんスタンドのカウンターに戻してから、ティムは尋ねた。あの作品に関わっている限り、こういう事態からもう決して逃れられないのだ、と悟って。

「質問があるんです」ジュリエットは観察者のようにティムを見据えて言った。

「あなたが鑑定を引き受けたあの作品……ムッシュウ・バイラーの所蔵している『夢をみた』が、盗品であること、わかっていらっしゃるんですよね？」

えっ、とティムは思わず声を上げた。ジュリエットの口もとが、かすかに歪《ゆが》むのが見えた。

「知らなかったんですか」ジュリエットは、小さく息をついた。

「盗品だなんて……じゃあ、もともとは誰が持っていたものなんですか？」

「かつてロシアの富豪だった人物です。ソ連からスウェーデンに亡命する際に持って出た隠し財産だったんですが……いまから十年ほどまえに国際的な窃盗組織に盗まれて、闇《やみ》マーケットで取引されていました。そのうちに、恐ろしいほどの金額に跳ね上がったんです」

何度か転売され、最後にバイラーが買い上げた。MoMAのトム・ブラウンに匹敵するモダン・アートの世界的権威、テート・ギャラリーのチーフ・キュレーター、アンドリュー・キーツが「真作である」と署名した鑑定書が付いていたことが、購入に踏み切る決定打になった。その額、三百万ドル。

ティムは、思わず唾《つば》を飲みこんだ。マニングが言っていた予想落札価格《エスティメート》と、ぴったり一致している。

「まさかと思うでしょう？ ルソーの研究者であるあなたが、きっといちばんよくご存じなはずですよね。アンリ・ルソーの作品は未《いま》だに市場価値が不安定だから、そんな高額で取引されるはずはないって」

ティムの心中をすっかり言い当てて、ジュリエットは目だけで笑った。ティムは空恐ろしくなってきた。

この女は、あの作品に関して、何もかも知り尽くしているようだ。――マニング以上に。

しかし、おそらくは長い時間をかけて調べ上げた究極の秘密を、なぜこの場で自分に語って聞かせるのだろうか。

「いま会ったばかりの私に、そんな大切なことを話してしまっていいんですか」

ティムは声が震えてしまうのをどうにか抑えながら訊いてみた。

「いまあなたが話していることは、インターポールの機密事項ですよね？　私が絶対に第三者には漏洩《ろうえい》しないとあなたは思っているんですか？」

ジュリエットは、冷たい視線をティムに注いだ。真意を確かめでもするように。やがて、ごく落ち着いた声で言った。

「本件は、インターポールの仕事として動いているわけではありません。私が個人の裁量で動いているんです。……あの作品を、助けたいから」

不思議な響きの外国語を耳にしたように、ティムは目を凝らしてジュリエットをみつめ返した。

――助けたい？

「おとといから次の水曜日までの七日間をかけて『夢をみた』の鑑定が行われる、というバイラー側の動きを私はつかんでいました。バイラーがもっとも愛情を注いでいるあの作品の運命は、おとといバイラーの邸に足を踏み入れて、七日目に邸を去る人間の手に握られることになる。すぐれた鑑定をしてくれたルソーの研究者にあの作品を委《ゆだ》ねる、とバイラーは決めていたようですから。そして、どうやらその鑑定を任されるのは、ひとりではなく、ふたり――」

淡々と話すジュリエットの様子をみつめるうちに、ティムの頭の中では記憶の回線がパチパチとショートし始めていた。

おれは、確かに、彼女と会ったことがある。いや、見かけたような気がする。わからない。いつ、どこで見かけたんだ——。

「鑑定人として、いったい誰を招くのかまではつかんでいなかったのですが——偶然、あなたを見かけたんです。バイラー家のキャデラックに乗りこむのを。おととい、チューリッヒ空港で」

あっ。

記憶の回線が、一気に繋《つな》がった。

おととい、チューリッヒ空港で——時計台の下にたたずんでいた、あの女だ。

白いスーツ、長いくせ毛、エキゾティックな顔立ち。確か、あのときも、どこかで見たような——と思って、つい目を奪われてしまったんだ。

インターポールの人間だったとは……！

「あなたが乗った車の後を、タクシーですぐに追いかけたわ。バイラーの邸に入っていく瞬間まで」

なんてことだ。

ティムは、思わず肩を落とした。苦々しい思いが体中を駆け巡る。

あの空港で、マニングとジュリエット、ふたりの人物に目撃されたっていうのか。

どれだけ間抜けなんだ、おれは。

一方で、ティムは、美術品の専門家《エキスパート》のすさまじい執念に圧倒されもした。狙《ねら》った秘宝の周辺はこうして徹底的に洗うのだ。自分のような一介のキュレーターには想像もできないほど、人と金とネットワークを動かして、地の果てまでも作品を追いかけていくのだ。

ティムが言葉を失っているのをジュリエットはみつめていたが、ややあって問い質《ただ》した。

「仮にあなたがあの作品を譲渡されたとしたら……どうするつもり？」

ティムは、目をつぶった。

「答えられない」

ひと言だけ、返した。そう言うのがせいいっぱいだった。ジュリエットの長い髪を揺らして、夕風がふたりのあいだを通り過ぎていく。

「……真作だと思う？」

ジュリエットの問いに、ティムは口の端を歪めて笑った。

「いま、ここで、答えられるわけないだろう」

「そうね」ジュリエットも苦しそうな笑みを浮かべて言った。

「あなたがあの作品を真作と言おうが贋作《がんさく》と断定しようが、どっちだっていい。……救ってくれさえすれば」

ティムは、ジュリエットの瞳《ひとみ》を見た。鳶色《とびいろ》の虹彩《こうさい》が、かすかに揺れている。ふたりは、ほんのわずかのあいだ、ただ黙ってみつめ合った。

震える瞳のままで、やがてジュリエットが囁《ささや》いた。

「あの作品に隠された秘密を教えましょう。……そのかわり、必ず、あの怪物から……バイラーから作品をもぎとって、守ると約束して」

予言を告げるごとくおごそかな声色が、ティムの耳朶《じだ》を静かに打った。

「夢をみた」には、もうひとつの秘宝が匿《かく》されている。

あの楽園の下には——ピカソの「青の時代《ブルー・ピカソ》」の大作が、眠っているのよ。

第七章　訪問―夜会

一九八三年　バーゼル／一九〇八年　パリ

夕風に乗って、遠くから鐘の音が響いてくる。

ああ、あれはきっと、五時を知らせるバーゼル大聖堂の鐘の音だ。十五世紀に再建された、ゴシック様式の大聖堂の。きのうは、ホテルの部屋の開け放った窓辺に、あの音が届いていた。

ぼんやりとろけた頭の片隅で、ティムはそんなことを考えていた。両手には、すっかり冷めてしまったコーヒーの入った紙コップがふたつ、握られている。一足踏み出すたびに、褐色の液体が手の中で跳ねる。

織絵はベンチで待っていた。所在なさそうな顔が、ティムを認めるとたちまち笑顔になった。彼女は立ち上がって、ティムを迎えた。

「ずいぶん時間がかかったんですね。遠くまで買いにいったの？」

「ああ……それが、その……急に、めまいがしてね。近くのベンチで少し休んでいたんだ。待たせてすまなかった」

そう言い訳して、コーヒーを差し出した。指先がかすかに震えている。織絵はカップを受け取ると、ありがとう、と礼を述べた。冷めたコーヒーを一口啜《すす》って、文句も言わない。

新しいコーヒーを買い直すべきだったのだろうが、そんなことにも気づけないくらい、ティムは動揺していた。

――あの楽園の下には――ピカソの「青の時代《ブルー・ピカソ》」の大作が、眠っているのよ。

ついさっき、国際刑事警察機構《インターポール》のアートコーディネーター、ジュリエット・ルルーと名乗る女に聞かされた、驚くべき事実。――「真実」かどうかはわからないが、よどみなく淡々と、彼女はその「事実」を語ったのだ。

あの作品「夢をみた」は、まごうかたなきアンリ・ルソーの真筆である。ただし、ピカソの「青の時代」の知られざる傑作がその下に描かれている。

そもそもの所有者だったロシアの富豪は、それとは知らずに、ルソーの死後、フランス人のとある画商から五千フランで購入した。その後、ロシア革命のさいにスウェーデンに亡命したが、二十年ほどまえに窃盗団に盗まれた。他にもピサロやボナールなどの絵画を所有していたが、それらは皆無事だった。狙《ねら》いすましたように、「夢をみた」だけが盗まれたのだった。

ロシアの富豪は、あの絵を「価値のないもの」として、スウェーデン当局にも亡命時の財産として申請していなかった。いまさら騒ぎになってはまずいと感じ、泣く泣くあきらめたのだと言う。したがって、インターポールの盗品リストにあの作品が現われることもなかったし、追跡の対象になってもいない。

作品は闇《やみ》マーケットで転売を繰り返され、そのうちに莫大《ばくだい》な価格に膨れ上がっていった。ピカソの「青の時代」が楽園の絵の下に匿《かく》されている、という秘密が、どの段階で明らかになったのかはわからない。しかし、ルソーとピカソの世にも稀《まれ》な「二重作品《ダブル・ワーク》」だからこそ、恐ろしいほどの金額で取引されていたのだ。バイラーが闇マーケットであの作品を買い上げるのに使った金額は三百万ドル。ルソーの作品としては破格の値段だったにもかかわらず、バイラーは値切りもせずに即金で支払ったという。

ジュリエットの話は、にわかには信じがたかった。ティムは、事の真偽を見極めようと頭をフル回転させた。

もしも「夢をみた」にピカソが匿されているとすれば、なにゆえにクリスティーズのポール・マニングがあまであの作品にこだわっているのか、合点がいく。予想落札価格《エスティメート》は三百万ドル、と言っているのもつじつまが合う。もしも未発見のブルー・ピカソであれば、それでも安いくらいだ。あの作品がオークション会場に登場し、クリスティーズのやり手オークショニアがオークションを操れば、落札価格《ハンマープライス》は五百万、いや、ひょっとすると一千万ドルまで跳ね上がる可能性もある。そうなれば、まちがいなく過去最高の落札価格になるはずだ。マニングは大手柄で、いずれクリスティーズ・ニューヨークの社長の座への道を拓《ひら》くこともできるだろう。

しかし、バイラーはどうだろう。それと知って、あの作品を購入したのだろうか。ルソーとピカソの二重作品《ダブル・ワーク》と知っているならば、その鑑定をわざわざ自分と織絵に求めているのはなぜか。専門家に「贋作《がんさく》」と鑑定してもらいさえすれば、安心して表面のルソー作品を取り除き、匿されているブルー・ピカソを救い出せる、ということなのだろうか。そして、「ルソー」ではなく「ピカソ」を、このゲームの勝者に譲渡するつもりなのか？

そもそも、なぜジュリエットは「夢をみた」を追っているのだろう。確か、「あの怪物から……バイラーから作品をもぎとって、守ると約束して」と言った。つまり、バイラーはルソーではなくピカソを、ジュリエットはピカソではなくルソーを、救おうとしている――？

「あなたは、なぜそこまであの作品について知っているのですか」

ほとんど耐えられない気分になってティムは質《ただ》した。

「インターポールのコーディネーターとしてではなく、あなた個人の裁量で動いている、と言いましたね。なぜそんなにも、あの作品に執着しているのですか」

そうだ。この女もおれにコミットしてあの作品を手に入れようとしているんじゃないか。やはりマニングの一味か。嫌疑がたちまちティムの胸を覆《おお》った。

「私は、過去二十年間に渡って、さまざまな盗品や紛失した美術作品について追跡調査をしてきました」

ジュリエットは、ティムの目を冷たく見据えて答えた。あなた以上にその道の専門家《エキスパート》なのよ、と言わんばかりに。

「ロシア革命のときに亡命したロシア富豪は複数いて、亡命のどさくさで行方不明になったコレクションや、亡命後に盗難に遭った作品がいくつかあるんです。それらを調べるうちに、偶然、『夢をみた』の存在を突き止めたんです」

アンリ・ルソーの知られざる大作。個人的な興味を持って調査を重ねている最中に、紛失したと見なされているピカソの初期の作品の調査依頼が入った。依頼主は、近代美術のコレクターで世界屈指の美術評論家、故クリスチャン・ゼルヴォスの代理人だった。

ゼルヴォスは、ピカソの生前からそのカタログ・レゾネを編纂《へんさん》・発刊したことで、その名を世界に知られている。ゼルヴォスの死後もピカソのカタログ・レゾネは編纂され続け、九十七巻を数えるまでになっていた。ピカソは九十一年の生涯を通してあまりにも旺盛《おうせい》に創作をしていて、調べるほどに次から次へと作品が出てくる。未発見の作品がどれほどあるかも不明なほどだ。特に「青の時代」の未発表の作品などは、どこかに隠匿《いんとく》されて公《おおやけ》には知られていない可能性もある。

「青の時代」といえば、駆け出しの画家だったピカソがパリへやってきて、都会の最下層で貧困にあえぐ人々を描いた時期、つまり初期作品群を指す。盲人、乞食《こじき》、貧しい母子などが、哀調を帯びた青を基調にして描かれているが、二十代前半の若さにもかかわらず、ピカソはこの時代に驚くべき技術と豊かな感性をすでに開花させている。

ピカソはその生涯に十万点以上の作品を遺《のこ》したが、その中でも「青の時代」に描かれた作品は特別に「ブルー・ピカソ」と呼ばれ、美術史においても美術市場においても特別視されている。

ゼルヴォスの代理人は、インターポールのアートコーディネーターであるジュリエット・ルルーに秘密裡《ひみつり》にコンタクトしてきた。というのも、亡《な》きゼルヴォスが探し続けていた行方不明の「ブルー・ピカソ」の作品があり、どうやらそれが特別なもののようだからである。ゼルヴォスは自分の死後もその作品を探すように代理人に託したらしいが、「他の重要な画家の作品の下に匿されている可能性がある」と言い残したのだ。

ピカソとゼルヴォスは親しく交流していたが、あるとき、ピカソがひょっこりと「誰も見たことがない初期の作品がどこかにある」とゼルヴォスに囁《ささや》いた。一九〇三年に青の時代の代表作「人生《ラ・ヴィ》」を描いたのと前後して、「2m×3m」くらいの、最大級の作品を描いたというのだ。ただし、その作品は誰にも見せていない――たったひとりを除いては。その作品がどんなものなのか、また、誰の手に渡ったのか、「その『たったひとり』の名誉のために」と、ピカソはいっさい教えてくれなかった。

ゼルヴォスが推理したのは、ピカソの囁きが真実だったとすれば、ひょっとするとその作品は、当時付き合いのあった貧しい画家仲間に贈られたかもしれない、ということだった。ベル・エポックの画家たちは、お互いの絵を交換して、アトリエに飾ったり、転売したり、ひどいときには自分の絵を描くためのカンヴァスとして再利用したりしたらしい。ピカソもときおりこれをやっていた。それほどまでに、彼らの絵は当時価値がなかったのだ。

ゼルヴォスがどんなに探してもそれらしき絵はみつけられなかった。とうとう、彼は死の間際《まぎわ》に代理人に託した。自分の死後もそれらしき作品を探し続けてほしい、そして編纂途中のピカソのカタログ・レゾネにかならず掲載してほしい、と。ただし、万が一、他の重要な画家の作品の下にそれがみつかったときは――そのときはどうすべきか、ピカソに尋ねてほしい。

ところが、ゼルヴォスが一九七〇年に他界した三年後、ピカソも逝《い》った。結局、その作品についての画家の公的な言及はなく、それらしき作品も発見されぬままに。

代理人の話を受けて、ジュリエットは隠密《おんみつ》に調査を開始した。それが盗品であればインターポールを正式に動かせるが、そのときはまだ雲をつかむような話だった。が、同時並行で「夢をみた」について調査をしていたジュリエットは、この作品のサイズ[204cm × 298cm]が、ＭｏＭＡ所蔵の「夢」とまったく同じであることに気づく。同時に、ピカソが言っていたという「２ｍ×３ｍ」という作品サイズとほぼ一致していることにも。

ピカソとルソーが出会ったのは一九〇八年のことだ。ルソーの才能を見抜き、この貧しい画家を助けようとピカソが自作を贈ったとしたら……。

ジュリエットは、実際には一度も「夢をみた」の実物を見たことがなかった。はたして「二重作品」なのかどうか調べようがない。ようやく作品の在処《ありか》を特定できたとき、それはすでにコンラート・バイラーの邸《やしき》の中だった。しかし、高齢のバイラーがいずれこの世に遺すことになるあの作品を巡って、美術界の裏側でさまざまな陰謀が蠢《うごめ》いているのをジュリエットは察知したのだ。

「あれは、アンリ・ルソーの作品であって、パブロ・ピカソの作品じゃない。それなのに、誰もが『楽園の下のピカソ』を狙っているのよ」

憔悴《しょうすい》した様子で、ジュリエットが言った。ティムは「まさか……信じられない」と口に出して言った。

「そこまでわかっているのなら、なぜその『事実』をバイラーに伝えないんですか？」

「インターポールのコーディネーターが言うことに耳を貸す御仁じゃないわ」ジュリエットは、少しいらついた声で返した。

「バイラーは、知っているのですか。あの作品が、ルソーとピカソの二重作品であることを？」

ジュリエットは、声を出さずに嗤《わら》った。

「あなたは、なぜ自分がバーゼルに呼び出されたのかわかっていないのね。その判定を、彼はあなたに求めているのよ」

ティムは、ぐっと力を入れて拳《こぶし》を作った。

堂々巡りだ。なぜバイラーが自分にあの作品の鑑定を依頼しているのか、なぜジュリエットがこんな重要なことを自分に伝えるのか、なぜルソーを守ってほしいなどと言っているのか——結局、何もわからない。わかったことは、ただひとつ——。

誰もがあの作品を狙っている、ということだ。

混乱を深めているティムに向かって、ジュリエットは、さらに追い打ちをかけるように言い放った。

「あなたのライバル、あの日本人研究者——オリエ・ハヤカワ。彼女に油断しないで。もしもあなたが私同様、ルソーを救いたいと思うのなら……あなたは、絶対に彼女に勝たなければならない」

もしも彼女に軍配が上がり、「夢をみた」の取り扱い権利《ハンドリングライト》を奪われたら——あの作品は、永遠にこの世から消え失《う》せることになるわ。

なぜなら……。

「もう、帰ったほうがよさそうですね。とても顔色が悪いもの」

織絵の声に、はっと我に返った。ティムは顔を上げて、織絵を見た。

冷めたコーヒーが入ったカップを両手で包んで、涼しげな瞳《ひとみ》をこちらに向けている。

ティムは、逃げるように目を逸《そ》らした。

「そうだね。……帰ろうか」

つぶやいて、力なくベンチから立ち上がった。

織絵が前に、ティムが後ろに、少し離れて、動物園の小径《こみち》を出口へと向かった。ティムの頭の中では、ジュリエットの言葉が呪文《じゅもん》のように鳴り響いていた。

——なぜなら、彼女は、テート・ギャラリーのチーフ・キュレーター、アンドリュー・キーツと組んでいるから。

オリエ・ハヤカワは、キーツの愛人なのよ。彼に妻子がいると知っていて、深い仲になった。

そのキーツは、サザビーズ・ロンドンのプライベート・セールス部門のディレクター、ステファン・オーウェンと結託して、ルソーの下のブルー・ピカソを手に入れようとしている。

そう。テート・ギャラリーの新収蔵作品として——理事たちがなんとしても欲しがるはずの超目玉作品としてね。

そうすれば、キーツは、テートの館長就任への階段を一気に駆け上れることでしょうね――。

第四章　訪問

ルソーが暮らすアパルトマンの階段を、ぎしぎしときしませながら、上っていくひとりの女がおりました。洗濯女のヤドヴィガです。彼女は、その日、心を決めて、ルソーのアトリエを訪問しようとしておりました。薄汚れたスカートの裾《すそ》をたくし上げ、急な階段をぐるぐる、ぐるぐる、五階まで。ドアの前にたどり着くまでに、すっかり息が切れてしまいました。

それまでにも、何度か、ルソーに誘われたことがあります。私のアトリエへ遊びにいらっしゃい、お茶と焼き菓子をごちそうしましょう。いいえ、あなたひとりでおいでにならなくてもいい、ご主人のジョゼフと一緒にいらっしゃい。彼は私に親切なんです、このまえも作品の搬出を手伝ってくれたんだ、ええそうです、ただでね。だから私には、細君であるあなたをもてなす義務があるんです……。

絶対に行くもんか、とヤドヴィガは思っていました。けれどここのところ、少し気持ちが傾いていました。夫のジョゼフがルソーの部屋に出入りして、作品の出し入れを手伝っていたのは知っていたのですが、帰ってきたときの顔つきが違うのです。うっとりとろける表情は、蜂蜜《はちみつ》をなめた子供の顔です。あのへっぽこ画家のところでヌードモデルにでも会ったのかい？　と嫌味を言ってやったこともあります。けれど、ジョゼフは陶然として返すのでした。

ああ、あれこそが新しい絵。近代絵画《アール・モデルネ》ってやつなんだ。

いったいぜんたい、夫はどうしてしまったのか。おかしな酒だかクスリだかでも飲まされたのか、とヤドヴィガはいぶかりました。しかし、そんな自分も、へっぽこ画家の描く絵に、なんとなく奇妙に惹《ひ》かれ始めていたのです。最近は、あの男にもらった絵を古道具屋に持っていくことを、ジョゼフがどうしても許しません。アプサント代が入らなくなるよ、と言っても、それでもいい、と言うのです。安い酒なんかよりこの絵を見ているほうが酔えるさ、などと。

ルソーの描く絵は、ヤドヴィガの目には、どことなく不気味で、見てはならないもののように映りました。黒装束の女の立像などは、しんと静まり返って生きていないいない感じが、気色が悪くてたまりませんでした。一方で、この絵の前では絶対に目を逸らしてはならない気持ちも、なぜだか強くあります。まるで、まなじりから血を流す奇蹟《せき》の聖母の絵に向かい合うような。そう気がついたとき、そら恐ろしさが胸の中をひゅっと駆け抜けるのを感じました。

たまらなくなって、食卓の上に立てかけて置いていたその絵を裏返しにしました。やがて帰宅したジョゼフが、それに気づいてもと通りにしようとするのを、「やめて！」と金切り声を上げて止めました。

「あたし、その絵が恐《こわ》いんだ。見たくないんだよ」

おののく妻に、ジョゼフは、一度ルソーのアトリエを訪ねるといい、と勧めました。「いやよ」と言うと、「いいから」としつこく勧めます。あの老いぼれ画家が自分の妻に気があるとわかっていて、会いにいけ、という夫。そのこと自体が、ヤドヴィガには不安でした。

「なんでなの」と訊《き》くと、ジョゼフは超然として答えます。

「あの人が描いているものを、何もかも全部、見せてもらえばいい。そういう時代がきたんだ、って、わかるはずだよ。きっと」

どうやら、夫は、新進の画廊や芸術家のアトリエに出入りするうちに、毒されてしまったようでした。得体のしれない「近代絵画」とやらに。

それで、とうとう、意を決して、ヤドヴィガはルソーの部屋のドアを叩《たた》いたのでした。

無防備に開いたドアの向こうに、アンリ・ルソーが現われました。驚きの稲妻に打たれた顔に、すぐに喜びの天使が舞い降りました。

「やあ……来てくれたんだね」画家は、ドアを目一杯開いて、ヤドヴィガを招き入れました。

「ジョゼフが、どうしても行ってこいって言うもんだから」言い訳をしながら、部屋の中に足を踏み入れます。次の瞬間、ひっと小さく喉《のど》を鳴らしました。

緑、緑、緑。いちめん、おびただしい、妖《あや》しく濡《ぬ》れた緑が小さな部屋を埋め尽くしていました。うっそうとした森、その中心にぽっかりと現れた月。葉陰に蠢く名も知らぬ生き物たち。部屋の真ん中では、虎《とら》がいましも野牛をしとめようと、牙《きば》と爪《つめ》とをむき出して襲いかかっています。それを振り切ろうと必死の野牛。命と命のぶつかり合い、甘美な殺戮《さつりく》が、音もなく、ただ静かに、こんなに小さな空間で密《ひそ》やかに繰り広げられている――。

ヤドヴィガは、息苦しくなって、思わず喉もとをさすりました。その様子を見て、ルソーが「おや、君も、やっぱり？」と微笑します。

「この部屋で絵を描いているとね、なんだか息苦しくなるんだ。どんどん森の中へ引きこまれてしまうようで。だから、こうして、ときどき窓を開けるんだよ」

ルソーは窓辺へ歩み寄ると、きい、とさびしい音をさせて窓を開けました。秋の初めのひんやりした空気を浴びるようにして、ルソーはそのまま窓辺にたたずみ、振り向きました。

「あいにく、今日は、焼き菓子もお茶も用意していないんだ。その……君が来てくれるなんて、夢にも思っていなかったから」

ヤドヴィガは、しばし黙って、密林の中の虎と野牛の闘いに目を向けていました。やがて、「知らなかった」と、ぽつりとつぶやきました。

「あんたがくれる絵は、女子供や、セーヌ川の風景ばっかりだった。こんな絵も描いてたのね。こんな、けったいな……」

野牛に襲いかかる虎の様子は、いかにも残酷でした。しかし、ヤドヴィガは、不思議とその絵を「きれい」だと思いました。そう、美しかったのです。猛獣たちの命がけの闘いと、それを取り巻く密林の深さ、濃厚な空気。いっさいの音を奪って、小さく貧しい部屋をおおいつくす緑の容赦のなさ。ヤドヴィガは、軽いめまいを覚えました。すぐ近くの擦り切れた赤いビロードの長椅子《ながいす》に腰を下ろすと、ふう、と思わず息をつきました。

「やあ、これは美しい」思いがけない風景をみつけたように、ルソーが言いました。

「その年季ものの長椅子に、君が座ると、まるで絵のようだ」

画家の言葉に、ヤドヴィガは、たちまち耳が熱くなるのを感じました。すぐに立ち上がると、ルソーに向かって、ぶっきらぼうに言い放ちました。

「お茶もお菓子もないんなら、つまんない。帰るわ」

「そうかい」とルソーは、意外にも引き止めようとはしませんでした。

「悪かったね、なんのおかまいもできずに。今度来るときには、きっと用意しておくよ」

訪問のお礼にと、ルソーは密林を描いた小品を一点、ヤドヴィガに持たせました。絵の具がまだ乾いていないから気をつけて持つように、と言い添えて。

ぐるぐる、ぐるぐる、階段を下りていきます。胸の中に、まだ何かがつっかえていました。階段はまるで香《かぐわ》しい異国の森からの帰り路《みち》、出口は貧しい現実への入口のようでした。

アパルトマンの狭い出入口で、ふたりの男が入れ違いにやってきました。ヤドヴィガは、なぜだか、他人に顔を見られたくない気がして、うつむいたまま出ていこうとしました。すると、「おい、あんた」と、男のひとりが声をかけたのです。

「その絵を、またどこかの画廊に持っていくつもりか」

はっとして、顔を上げました。たちまち、真っ黒いふたつの目とぶつかりました。暗闇《くらやみ》のようなその目をみつけて、ヤドヴィガはすぐさま思い出しました。

カーンヴァイラー画廊で「予言」をした、あの画家だ。

「なんだいパブロ、知り合いなのか？」もうひとりの背の高い男が振り向きました。このまえの画廊主らしき男とは別の人物でした。パブロと呼ばれたあの画家は、「知り合いってわけじゃないが」と返しました。

「さきに行っててくれ、ギョーム。ルソーを待たせちゃいかんだろう。おれは、ちょっとこの女に話がある」

ギョームと呼ばれた男は、アパルトマンの階段をぎしぎしいわせながら上っていきました。パブロは、ヤドヴィガに向かい合うと、「なるほど。あんたがルソーの女神《ミューズ》ってわけか」と、いきなり言いました。

「女神」と言われて、ヤドヴィガは、再び耳が熱くなるのを感じました。それを気づかれたくなくて、「何さ、女神だなんて」と、あわてて言い返しました。

「関係ないよ、あのへっぽこ画家とあたしは、なんにも。この絵だって、欲しくもなんともないのに、むりやり持たされたんだから」

「おれの『予言』を忘れたか、姐《ねえ》さん？」パブロは、黒々とした目を向けたまま、言いました。

「欲しくもなんともなくっても、とにかく持っておけ。いずれその絵は、あんたの運命を変えるほどの力を発揮するはずだから」

不思議なことに、初めてまみえたときと同じように、この男の「予言」は「確信」めいて聞こえるのでした。ヤドヴィガは、言い返す言葉を探して、右手に持っていたカンヴァスを左手に持ちかえようと、ひらりと宙を泳がせました。「おっと、気をつけな」とパブロが言います。

「その緑《ビリジアン》色に指紋をつけるようなことになったら、最低百フランの損だぜ。覚えておけよな」

にやりと笑いかけると、挑発的な若い画家は、薄暗い階段をぎしぎしいわせながら上っていきました。

A

バーゼル、四日目。

読み進めている物語「夢をみた」の中で、ついにヤドヴィガがルソーのアトリエを訪問した。ふたりの距離が少しずつ縮まっていくのを、ティムは喜びたかった。けれど、心は日増しに重く、苦しくなるばかりだ。

物語の中では、明らかに、ピカソの存在が大きさを増している。この物語の真の主人公はピカソなのではないかと思えるほどに。とすれば、これはやはり、作品「夢をみた」の下にピカソが匿《かく》されている、というメッセージなのだろうか。

これを、織絵はどう読んだのだろう。毎晩、アンドリュー・キーツに電話で報告しているのだろうか。いや、国際電話をかければバイラー側にすぐさま知られる。そんな危険を冒すほど彼女は馬鹿《ばか》じゃない。

バイラーにも、織絵にも、顔を合わせたくなかった。まるで犯罪者にでもなってしまったかのように重い足取りで、ティムは昼食会のダイニングルームへと向かった。

ところが、ティムと織絵がテーブルに着くまえに、バイラーから思わぬ提案があった。

「今日の昼食は外へ出かけようじゃないか。いかがかな、ムッシュウ、マドモワゼル？」

ティムは驚いて、無意識に織絵のほうを向いた。織絵も同じ反応だった。ふたりの目が合うと、ティムはすぐに視線を逸《そ》らした。

「それは、その、もちろん……結構、ですが」

ティムはつっかえながら答えた。織絵も「喜んで」と、すぐに追随した。あわてたのは、エリク・コンツだ。

「これはまた……ずいぶん急なご提案ではありませんか。もうオープンに今日のメイン・ディッシュの子羊が入ってしまっていますよ」

「構わん」バイラーはいかにもわがままな富豪らしく言い放った。「シュナーゼン、わしの車をいますぐに表へ回せ。客人用のキャデラックもな」

「では、私もお供いたします」とコンツが立ち上がった。この大コレクターは一度言い出したら聞かないと、誰よりも知っているのは彼のようだった。

「昼食のテーブルはどちらに手配しますか。『ドライ・ケーニゲ』のダイニングか、『トロイメライ』のテラス席か、それとも……」

「君は来るに及ばん」いつになく冷たく、バイラーが言った。「わしがこのおふたりをご案内するでな」

周囲が急にあわただしくなった。ドアを開けたり車の手配をしたり、使用人たちが邸《やしき》の中を大あわてで走り回る。バイラーは車椅子を執事のシュナーゼンに押させて、涼しい顔で正面玄関へ向かった。ティムと織絵が急いでその後を追う。

バイラーが突然の提案をしてわずか五分、車椅子ごと乗りこめる黒塗りのマイクロバスがすでに車寄せに待機していた。もちろん、キャデラックもその後ろに着いている。バイラーの専用車には主治医と看護婦まで乗りこむ念の入れようだ。使用人一同はずらりと玄関前に横一列に並び、主《あるじ》のひさしぶりの外出を見送るために素早く待機していた。

キャデラックに乗りこもうとするティムと織絵に向かって、コンツが口早に英語で言った。

「講評日は三日後です。現時点でのいかなる感想も意見も、ミスタ・バイラーに述べられてはルール違反になりますので。お忘れなきよう」

語尾に力がこもっている。奇妙な敵意をティムは感じ取った。自分が除外されたことが意外だったからか、あるいは「監視」の目が届かないところへバイラーとともに行ってしまうことに不安を感じているのだろうか。

「なんだか、おもしろい展開になりましたね」

黒塗りのマイクロバスに続いてキャデラックが発車すると、すぐに織絵がティムの耳もとに口を寄せて囁《ささや》いた。

「鉄仮面のエリク・コンツが焦《あせ》ってたわ。ちょっと、いい気分」

ふふっと笑う。ティムは、吐息がかかるほど織絵の唇が接近した耳が、急に熱くなったのを感じていた。

きのう、バーゼル動物園を後にしてから、ティムはまたしてもぐったりと疲れ果ててしまった。一度は回復したかのように見えたティムが再び生気を失ってしまったことに対して、織絵は何も言わなかった。彼女はどこまでも賢く、奥ゆかしかった。それがいっそう、ティムの心をかき乱した。

クリスティーズのポール・マニングの電話で猜疑心《さいぎしん》が生まれ、インターポールのジュリエットの出現で衝撃を受けた。「ルソーの下のピカソ」について知らされ、さらには織絵があのアンドリュー・キーツの愛人であると聞かされて——急速に、落ちこんだ。

自分が運命の崖《がけ》っぷちに追い詰められていることは、もはやわかっている。こうなったら、このさき何が起ころうと、ボスのトムになりすましたまま、ルソー研究者の威信にかけて最高の講評をやり抜くしかない、と腹を決めつつあった。

「ルソーの下のピカソ」という説には戦慄《せんりつ》した。しかし、なぜだろう、織絵の一件が、それにもましてずしりと響いた。

織絵がキーツの愛人である、ということも信じがたかったが、彼女がキーツとサザビーズ・ロンドンのステファン・オーウェンと組んで、「ルソーの下のピカソ」を狙《ねら》っているとは、どうしても信じられなかった。ルソーの作品を通してピカソを見ている、などとは。

いつしか自分は、織絵という研究者にかすかな希望を見出《みいだ》そうとしていたのかもしれない。もしも自分が織絵に敗れ、「夢をみた」を譲渡されず、ＭｏＭＡと美術業界から永遠に追放されたとしても――織絵がルソーを、「夢をみた」を守ってくれる、守り抜いてくれる、と期待していたのかもしれない。

ならば、そうなってもいい。そう思えば、勝ち負けを考えずに講評に集中できる。取り扱い権利《ハンドリングライト》だとか出世だとか豪邸だとか、余計なあれこれを考えずにすむ。ただひたすら、アンリ・ルソーという画家を――愚直にアートを追い続けた画家を、彼の笑えるほどの、泣けるほどのすばらしさを、情熱のいっさいをこめて讃《たた》えればいいのだ。

そんなふうに願っていたのかもしれない。講評の重圧に耐えきれず、逃げ道を探し始めていたようにも思う。いつしか、織絵がその逃げ場所になっていたのだ。

それなのに——。

車が到着したのは、バーゼル美術館だった。スタッフの出入口で、バイラーは車椅子ごと降ろされた。看護婦が車椅子の背を押そうとすると、バイラーがしゃがれた声を目一杯張り上げて、キャデラックから降り立ったティムに向かって言った。

「君が押してくれるか、ムッシュウ・ブラウン」

今日のバイラーは少し違っている。そう思いながらも、ティムは是非もなく引き受けた。

稀代《きだい》の名士の突然の訪問を、美術館は当然ながら歓迎した。館長の秘書が飛んできて、館長はあいにく留守をしています、代わりにキュレーターにご案内させます、と申し出ると、

「構わんよ。世界第一級の専門家がふたりもいるんでな」さらりと返して、ティムと織絵を見上げて言った。

「さて。今日の昼食の主菜は子羊のローストじゃない。『詩人に霊感を与えるミューズ』だ」

エレベーターに乗り、バイラーの車椅子を押して、ティムと織絵は、二階の近代絵

画コレクションの展示室へと上がっていった。

美術館の入館口は、表通りから中庭を通ったところにある。一階のロビーに入ると、正面に見えるゆったりとした主階段が一階から三階まで続き、各階の広々としたロビーにつながっている。ロビーの左右に展示室への出入口があり、中庭をぐるりと囲んで回遊できる設計になっている。クラシックな内装と相まって、十七世紀にはすでに美術館として公開されていたこの館の長い歴史が、落ち着いた雰囲気を醸《かも》し出している。

ティムの場合、パリ大学院生の頃に一度だけ訪問したにすぎなかったが、一歩足を踏み入れたとたん、えも言われぬおだやかな気持ちに浸ったことを思い出す。しばらくいるうちに、母親の胎内に還《かえ》ったかのごとき安堵《あんど》感《かん》を覚えたものだ。キュレーターのはしくれとなったいまでは、美術館に行けば専門家として冷徹な目で眺め、関係者との面談のために緊張することが多いものだが、やはりバーゼル美術館では、不思議なほど落ち着いた空気を呼吸している。伝説のコレクターの車椅子の背を押しながら、ようやくとてつもない重圧から解放された気分になった。

真夏の午後、昼食の時間帯で、展示室には人影はなかった。ひっそりと静まり返った室内で、三人は、アンリ・ルソー作「詩人に霊感を与えるミューズ」の前に立った。

一九〇九年に制作されたこの作品は、その前年、一九〇八年からルソーが交流を始めた詩人、ギョーム・アポリネールと、その恋人で「詩人に霊感を与えるミューズ」たる画家、マリー・ローランサンの肖像画だ。

「これが完成されたのは、一九〇九年だが」バイラーがしゃがれた声で言った。「描き始めたのは一九〇八年、アポリネールと出会った年だ」

「アポリネールを通じて、ピカソと出会った年でもありますね」織絵が呼応した。「あの作者は、その年をかなり重要視していますね。第三章、第四章とも同じ年でした」

織絵は、ごく自然にあの物語について口にした。が、邸を出発まえにコンツに釘《くぎ》を刺されたのだから、危険を承知であえて言及したのかもしれなかった。展示室には三人だけだったが、どこで誰に盗み聞かれているかもわからない。けれど、バイラーがこのタイミングでこの絵の前にふたりを連れてきたのは、何か思うところがあるのかもしれなかった。ティムと同様、織絵もその真意を計りたいに違いない。

「いかにも」バイラーはうなずいた。

「あの頃のパリは、『ベル・エポック』などと呼ばれて、それは浮かれていたものだ。物事すべての価値観が変わる。若者は、誰もがそう信じていた。……このわしも」

ティムは、ふと、バイラーの年齢を考えた。確か、ポール・マニングが「あの怪物は御年九十五歳」と言っていた。ということは、一九〇八年当時、ちょうど二十歳だったわけか。そのとき、どこで何をしていたのだろうか。

そういえば、自分は、バイラーのことをほとんど知らない。「伝説のコレクター」ということと、アンリ・ルソーを偏愛しているということ、高齢にもかかわらず恐ろしく頭の回転が速いということ以外は。いったいどうやってクリスティーズやサザビーズが、そしてインターポールまでもがその動向を探るほどの大コレクションを形成したのだろうか。なんにせよ、マニングやジュリエットがこの人物を「怪物」呼ばわりするのはうなずける。

「まさに『祝宴の時代《ザ・バンケット・イヤーズ》』ですね」と織絵が言った。それを受けて、ティムはすかさず「ロジャー・シャタックが言うところの時代だね」と付け加えた。

「祝宴の時代」とは、アメリカの文化学者、ロジャー・シャタックが一九五八年に発表した本の題名だ。二十世紀の到来に浮き足立っていたパリの文化コミュニティを独特の視点でとらえている興味深い一冊で、ルソーとその時代を研究する上で、ティムもページが擦り切れるほど読んだ。そのシャタックが、新時代のパリの寵児《ちょうじ》として見出したのが、音楽家のエリック・サティ、詩人のアルフレッド・ジャリ、アポリネール、そしてルソーだった。

二十世紀初頭のパリで、かつてないほどの前衛芸術の波が押し寄せるただ中にアンリ・ルソーがいた。本人はそう望んだわけではないだろうが、歴史的にそうなってしまったのが事実なのだ。

「あなたもやはり『祝宴の時代』を享受《きょうじゅ》なさっていたのですか、ムッシュウ？」

できるだけさりげなく、ティムは訊《き》いてみた。バイラーは、口をもごもごさせて、

「さあてな」と、のんびり答えるだけだった。

「この流れだと、明日には読める気がしています。『ルソーの夜会』のこと」

織絵が、話題を「夢をみた」に戻した。会話の自然な流れを作るのは、ティムよりも織絵のほうがずっと上手《うわて》だった。バイラーは黙っている。ティムは口を挟んでみた。

「一九〇八年、ピカソのアトリエでルソーを招いて開かれた『夜会』のことかい？」

「ええ」と織絵はうなずいた。

「ピカソ、アポリネール、アンドレ・サルモン、ガートルード・スタイン……きらめく星々のような才能が集結して、ルソーを讃えた、あの『夜会』です」

それから、夢をみるような目つきで、「うらやましくって……」とつぶやいた。バイラーが、顔を上げた。

「うらやましいと言ったかな、マドモワゼル？」

「ええ、うらやましいです」織絵は微笑《ほほえ》んで返した。

「私、その場にいたかった」

タイム・マシンに乗りたいと本気で願う少女のような瞳《ひとみ》には、いかなる翳《かげ》りもなかった。その瞬間、織絵が純粋に願っているのがわかった。ルソーやピカソ、星々のようにきらめく才能溢《あふ》れる芸術家たちとともに、貧しくともにぎやかなテーブルを囲んでいたかった、と。

バイラー邸のダイニングテーブルで緊張している織絵ではない。彼女もまた、ゆるやかなバーゼル美術館の空気に、ほっと和んでいるように見える。

「そう……わしも、いたかったな」

バイラーは、しわくちゃの顔の中で微笑んだ。そんな顔を見せたのは、この四日間で初めてのことだった。

ルソーって誰のことだろう。わたしは知らなかったのです。けれど祝宴があってみんながそれに行ってわたしたちも招《よ》ばれてるとあれば、ルソーが誰だってそんなこと構ったことはありません。

なんの脈絡もなく、「アリス・B・トクラスの自伝」の一節がティムの心に浮かんだ。アメリカ人女流作家にしてベル・エポックの庇護者《ひごしゃ》、ガートルード・スタインが、当時の自分の秘書アリスの目線で書いた自伝的小説だ。ピカソやマティス、アポリネール、ローランサン、ジョルジュ・ブラック……憧《あこが》れの芸術家たちが次々に登場する。どんちゃん騒ぎ、片恋と失恋、喧嘩《けんか》、友情、息詰まるほど斬新《ざんしん》な芸術の誕生。まるで冒険小説のように、次から次へと、心躍るエピソードが連続する。輝く祝祭の日々と、やがて起こるふたつの大戦――。

学生時代に、夢中になって読んだ。繰り返し読んでは、夢をみていた。この時代に生きていたならば。自分も、ルソーの友だちだったならば、と。

ルソー。さびしいあなたの傍らに寄り添い、肩を叩《たた》いてやれまいか。

大丈夫、あなたの芸術こそ、新しい芸術なのです。いまはまだ、早すぎる。時代があなたに追いついていないだけなのですよ。きっとそのうちに、その日がきます。必ず、きますとも――。

「ときに、ムッシュウ、マドモワゼル――君たちがもし、ルソーに『あなたを描きたい』と言われたら、どうする?」

いたずらっぽい目になって、バイラーが尋ねた。ティムと織絵は、思わず顔を見合わせた。

「それは……つまりモデルになって、体じゅう、全部測られちゃうってことですか？」織絵が苦笑して訊くと、

「むろんだ」バイラーは意地悪く言う。「目も口も腕も足も、全部だ。ルソーは、モデルを目の前にしないと描けなかったんだからな。このアポリネールとローランサンのように」

「そうですねえ」織絵は心底困った声を出した。「どうしようかな」

「私は、受けて立ちましょう」ティムは楽しげに言った。実際、それは愉快な想像だった。自分の姿がルソーの筆で残される。永遠の時を生き、後世に伝えられる──。

その瞬間、隣の展示室の床の上で、人影が動いたのが目に入った。はっとして、ティムはその影をみつめた。

隣の部屋は彫刻を展示している。その彫刻にスポットライトが当たっている。その近くに身を潜めている誰かの影が、床に落ちているのだ。

ゆらりと影が動く。ウェーブのかかった長い髪の影。

「ルソーは、死ぬまで、モデルを目の前にしないと絵を描けなかったのだな？」

誰にともなく、念を押すようにバイラーがつぶやいた。次の瞬間、影がふっと消えた。影の主は、三人がいる展示室とは逆の方向へ、足音を忍ばせて去っていった。

第五章　夜会

どうにか家計をやりくりしてこしらえたへそくりで、ヤドヴィガは、小花模様の木綿のワンピースを新調しました。「夜会」に誘われたのです。あのアンリ・ルソーに。

「若い芸術家仲間に誘われたんだが、よかったら一緒に行ってくれませんか」と。

ほんとうか嘘《うそ》かわかりません。けれど、ルソーを崇拝する若い芸術家たちが、ルソーの画業を褒め讃え、ルソーに乾杯する集まりだ、と言うのです。

行くべきか、否《いな》か。ヤドヴィガは、ルソーにもらった招待状を夫のジョゼフに見せてみました。ジョゼフの顔が、光にあおられたように、見る見る輝きました。

「すごいじゃないか。『ピカソのアトリエにて』って書いてある。ピカソといえば、いま、ぜんえい的な画廊のあいだでは大人気の画家だぞ。その画家のアトリエに招かれるだなんて、やっぱりあの人はすごい画家なんだ」

しばらくパンも酒も我慢するから、新しい服のひとつでも作って行ってこい。そう勧めたのはやはり夫でした。ヤドヴィガはキツネにつままれた気分でしたが、「夜会」という言葉になんとなく胸が躍ります。近所の仕立て屋の女将《おかみ》に無理を言って、できるだけ安くワンピースを仕立ててもらいました。安物ながらも新しい服に袖《そで》を通すと、気持ちが華やいでくるのでした。

そうして、とうとう「夜会」の日がやってきました。

ルソーはアパルトマンの中庭の井戸端で、そわそわとヤドヴィガを待っていました。山高帽をかぶり、つぎの当たった燕尾服《えんびふく》を着こんで、左手にはヴァイオリンのケースを提げています。ヤドヴィガを一目見ると、ほんとうに思わず、といった感じで、ほうっとため息をつきました。そして言いました。

「なんて美しいんだ。まるで絵のようだ」

その言葉には、真実の響きがありました。ヤドヴィガは耳まで真っ赤に染めながら、

「そう？」とはにかんで笑いました。

「やあ、待たせたね、アンリ。すぐに行こうか。表に馬車を待たせてある」

息を切らせて井戸端へ走ってきたのは、いつかアパルトマンの出入り口ですれ違った、ギョームと呼ばれた背の高い男でした。ギョームは、ヤドヴィガを見ると、「この人は？」とルソーに尋ねました。

「ああ、こちらはヤドヴィガ。今夜、私がエスコートしようと思って、お招きしたんだ。ヤドヴィガ、こちらは私の友人で、大変高名な詩人であられるムッシュウ・ギョーム・アポリネール」

ルソーが紹介しました。ヤドヴィガは、いきなり「高名な詩人」に向かい合ってどうしたらいいかわからず、もじもじと下を向きました。アポリネールは怪訝《けげん》そうな顔でみつめていましたが、「そうですか。よろしく、マドモワゼル」と言いました。ヤドヴィガは、ぱっと顔を上げて「あたし、マドモワゼルじゃなくって、マダムです」と、おかしなことを口走りました。

「ああ、これは失敬。それではご一緒にどうぞ、マダム」

くすくす笑いながら、アポリネールは表通りへと歩いていきました。ルソーが、黒いジャケットの右腕をヤドヴィガへくいと差し出しました。ヤドヴィガは、一瞬戸惑いましたが、ままよとばかりにその腕につかまりました。つぎはぎだらけの燕尾服の初老の男と、安物の木綿のワンピース姿の年若い人妻。世にも奇妙なカップルが、詩人に導かれて、馬車に乗りこみました。

馬車が到着したのは、モンマルトルの小高い丘の上にある広場です。その広場に面して、貧しく若い芸術家たちが巣くうアトリエ長屋「洗濯船《バトー・ラヴォワール》」があったのです。どんちゃん騒ぎはもうとっくに始まっているようで、笑い声やどたどた足を踏み鳴らす音が広場まで聞こえてきます。ルソーとヤドヴィガは、共に緊張して、いつしかお互いの手をぎゅっと握り合っていました。

おんぼろ長屋の廊下は、一歩踏み出すごとに、ぎいい、ぎいいと舟を漕《こ》ぐような不吉な音がします。大人気の画家のアトリエだと夫が言っていたし、「夜会」というからにはお屋敷のような場所を漠然と思い描いていたヤドヴィガは、何よこのシケた長屋は、とがっくりしました。とあるドアの前で立ち止まると、アポリネールが振り向いて言いました。

「いいかい。ドアを開けたら、すぐに僕が紹介するから。堂々としてくれ、アンリ」

ルソーは、こくんこくん、と二回、うなずきました。ヤドヴィガもつられて、二回、うなずきます。

「……紳士淑女諸君！　いまここに、アンリ・ルソー氏が到着されました！」

ばたん、とドアを開けるなり、アポリネールが高々と言い放ちました。顔、顔、顔。小さなアトリエを埋め尽くしていた顔が、いっせいにこちらを向きました。

頭の上にちょこんと載っけていた帽子をおもむろに片手で取ると、ルソーは、見知らぬ顔のすべてに向かって丁重に言いました。「ボンソワール、みなさん。お招きをありがとうございます」

誰からともなく、拍手が起こりました。やがて、その場にいる者すべてが惜しみなく拍手を送りました。感動にも似た、ひたひたと明るい空気がその場を包みこみました。ヤドヴィガは、その一部始終をきょとんと傍観していました。

アトリエの天井からは、いっぱいのランタンがぶらさがっています。部屋じゅうに万国旗が張り巡らされ、リボンがいっぱいにかけられています。部屋の一番奥には、ピカソが骨董屋《こっとうや》で買い求めたルソー作品、「女の肖像」がイーゼルに立てかけられています。その絵はまるでこの部屋の女主人のように圧倒的な存在なのがわかります。その手前にしつらえられた、へんちくりんな形の「玉座」へ、ルソーは導かれました。ヤドヴィガも引っ張りこまれ、その隣りに座らされます。

「ようこそ、アンリ。……やあ、君の『女神』もご一緒なんだな」

ふたりのあいだに、ひょいと顔をのぞかせたのは——パブロと呼ばれた、あの大きな黒い瞳の男でした。

「あら、あんた」ヤドヴィガは笑い出しました。

「どうしたの。なんでこんなところにいるの？」

「こりゃあ、たいしたごあいさつだな」パブロのほうも笑い出しました。

「まあいいや、固いことは抜きだ。さあ、アンリ、飲んだ飲んだ。今日はあんたのために、おれの恋人のフェルナンドがパエリアを作ってくれたんだぜ。うまいよ、保証する。さああんたも、ほらグラスを出しな、女神さま」

差し出したコップに、ワインがなみなみと注ぎこまれます。ノルマンディーの古い歌を、マリー・ローランサンが歌います。ひとりが歌い終われば、また誰かが歌い出す。ひとりが踊り出せば、全員が踊り出します。アポリネールが即興の詩を朗々と読み上げます。

僕らは君の栄光を讃《たた》えるために集まった
君の名誉のためピカソは酒を注ぐ
その酒を　さあ飲もう　いまがそのときだ
みんな、声を揃《そろ》えて　万歳、ルソー万歳　と叫びながら万歳、ルソー万歳。万歳、ルソー万歳。その一節になると、全員が声を合わせます。ルソーはにこやかに、ひとりひとりの顔を眺め渡します。

そのときの、ヤドヴィガの気持ちを、いったいどう表したらいいのでしょうか。彼女の胸は、すっぱい木いちごのようでした。好意と悪意、敬意と軽蔑《けいべつ》。相反するふたつの感情が、背中合わせにその場にあることを、彼女は敏感に感じていました。若い芸術家たちの誰もが、アンリ・ルソーとの時間を心底楽しんでいました。と同時に、彼をからかい、馬鹿《ばか》にし、おもしろがっている意地の悪い気配が、そこここにちりばめられていたのです。

万歳、ルソー万歳。万歳、ルソー万歳。

ルソーを讃える白々しい合唱が重なるほどに、なぜでしょう、ヤドヴィガは泣き出したいような、耳を塞《ふさ》ぎたいような気分でいっぱいになりました。

ルソーが返礼にヴァイオリンを弾き始めたのを潮に、ヤドヴィガはこっそりとアトリエを抜け出しました。そして、そのまま、ふらふらと廊下にうずくまってしまいました。どのくらいそうしていたことでしょう、背中を叩《たた》く大きな手がありました。ヤドヴィガは、青白い顔を上げました。

「大丈夫か、女神さま」と声をかけたのは、あのパブロでした。

「大丈夫よ。酔っぱらっただけ」ヤドヴィガは、立ち上がろうとして、ふらっとよろめきました。すかさずパブロのたくましい腕が、細い体を抱きとめました。

「細っこい体だな。ちゃんと食ってるのか」

パブロの腕を振り払って、「余計なお世話だよ」とヤドヴィガは顔を赤くしました。

パブロは、あの暗闇《くらやみ》のような瞳《ひとみ》をじっとヤドヴィガに向けていましたが、

「あんた、ルソーと付き合ってるのか」

ふいに言いました。まったく、この男は、いつも突拍子のないことを言い出します。

ヤドヴィガは声を立てて笑いました。

「ご冗談でしょ。誰が、あんな貧乏臭い男と……」

「そうかな」とパブロは、鋭い目にかすかな笑みを宿して言いました。

「本気であの人の女神になってやれよ。それであんたは、永遠を生きればいい」

不思議な言葉に、ヤドヴィガは、パブロの目をみつめ返しました。吸いこまれそうに深い瞳を。

「永遠を生きる？　どういうことよ」

「さあね」パブロはいっそう不敵な笑みを口もとに寄せました。

「わかるさ。そのうちに」

「洗濯船」をルソーとヤドヴィガが辞したのは、午前三時を回っていました。

石畳の上を、からからと、馬車が進んでいきます。ルソーはすっかり眠りこけて、ときどき寝顔にくすぐったそうな笑みを浮かべています。幸せな夢をみてるんだ、とヤドヴィガは思いました。

幸せな夢なんか、あたしは一度もみたことない。

夜明けの空に月が沈んでいきます。街灯に突き刺さりそうな月を、ヤドヴィガは眺めていました。

そういえば、ルソーのアトリエでみた楽園の月も、あんなふうにぽっかり空に引っかかっていた。

夢のような、月でした。夢をみているように、美しい絵でした。

S

第八章　楽園

一九八三年　バーゼル／一九〇九年　パリ

　バーゼル滞在五日目の夜、ティムと織絵は、なんとも珍しいことに、バイラーの代理人、エリク・コンツから夕食の招待を受けた。

　物語「夢をみた」の第五章「夜会」を読んだあとのことだ。この章を読んで、ティムはひどく胸が疼《うず》いて仕方がなかった。

　祝宴の時代・二十世紀の到来をもっとも特徴的に表す出来事として、アンリ・ルソーを囲んで催された芸術家たちの「夜会」は、美術史上の伝説と化している。ルソーを囲む夜会については、それに参加した複数の芸術家がその様子を書き残しているため、この時代の空気を如実《にょじつ》に伝える資料として、多くの研究者が参考にしてきた。新世紀到来の華やいだ空気と、若く、無鉄砲で、才能溢《あふ》れる芸術家たちの刹那《せつな》的な交歓に満ちているのが、どの資料からも感じられた。ティムも、むろん、これらの数々の資料に親しんできた。知識の上では、それがいったいどういう会で、誰が参加して、何が起こったのか、よくわかっているつもりだった。

けれど、「夢をみた」第五章に漂う底知れぬ寂寥感《せきりょうかん》はどうだろう。評価の定まらなかったルソーの作品、子供のいたずら描きにも劣ると侮辱されつつも、黙々と画家が描き続けた絵。ピカソのアトリエへと担《かつ》ぎ出されたルソーを、やにわに持ち上げた若い芸術家たちの本音は、いったいどういうものだったのだろうか。好意と悪意、敬意と軽蔑《けいべつ》。相反するふたつの感情が、背中合わせにその場にあることを、敏感に感じとったヤドヴィガ。すっぱい木いちごのようだった、と表現されていた彼女の胸の裡《うち》は、ティムの気持ちそのものだった。

史実通りに物語が進めば、ルソーはほとんど誰にも顧みられぬまま、この世を去る。「夜会」が開かれたのは一九〇八年。ルソーの没年は一九一〇年。あと二年のあいだに、いや、物語の残り二章の中で、歴史を塗り替える真実が明らかにされるのだろうか。

物語を読み始めてから四日間、難破船のごとく怒濤《どとう》の海をさまよっていた。なぜ自分がここにいて、何をしようとしているのか、もはや見失いそうになっていた。意図せずして参戦させられてしまった、織絵との一騎打ち。勝てば、マニングの言う通り、億万長者になれるかもしれない。が、敗者となった織絵は立場をなくし、業界から姿を消すことだろう。キーツが彼女をどうするつもりかわからないが、オーウェンはすべてを知ってしまった織絵を追放したがるに違いない。負ければ、自分のほうがMoMAからも美術業界からも追い出されることになる。ボスのトムだとて責任を問われかねない。その一方で、MoMAのライバル、テート・ギャラリーは、伝説の作品を手中にして高笑いだ。絵の具の下のピカソを掘り出すために、表面の「偽作のルソー」は取り除かれ、「夢をみた」はこの世から永遠に消え失《う》せる。

悪魔が審判するかのごとき勝負に巻きこまれてしまった自分の運命を、ティムは呪《のろ》わずにはいられなかった。このままでは、まともに講評日を迎えることなど到底できない。

そんなとき、バイラーが誘い出してくれたのだ。織絵とともに、バーゼル美術館に展示されているルソー作品を見るために。そこで一瞬、泉にひやりと足を浸したような、清冽《せいれつ》な驚きがあった。雑音が消え、心の目が開いた気がした。

ひょっとすると、それがバイラーの目的だったのかもしれない。突然、ふたりを外へ連れ出した怪物には、画家の魂が乗り移ったかのような快い無邪気さがあった。正気に戻って、五日目を迎え、第五章を読んだ。それでまた、胸が疼いた。ルソーは、やはり、誰にも認められぬまま最期《さいご》へと向かっていくだけなのか。それとも、とてつもない救世主が現われるのか――。

その日の昼食会は誰もが無口だった。バイラーは、第五章の舞台となった「夜会」の場面を、ティムと織絵がそれぞれに胸の裡で反芻《はんすう》しているのを確かめでもするかのように、前日とは打って変わって無言を貫いていた。その横で、コンツは憮然《ぶぜん》としていた。きのうランチに呼ばれなかったことがよほど気に食わなかったと見える。

ところが、ホテルへ帰り着いたふたりを待ち受けていたのは、一通の招待状だった。部屋の鍵《かぎ》を受け取るときに、コンシェルジュがそれぞれふたりに封筒を手渡した。コンケラーの透かし文字が入っているクリーム色の封筒。バイラーからのメッセージかと、一瞬どきりとしたが、差出人はエリク・コンツだった。今宵夕食へご招待いたします。六時半に車がお迎えに上がります、と短いメッセージがしたためてあった。

「どういう風の吹き回しでしょうね。ランチのときには、夕食に招待したいなんて、ひと言も言わなかったくせに」

迎えの車に乗りこんで、織絵が文句を言った。が、さほど迷惑そうでもない。ティムもそうだった。これは、ちょっとしたチャンスだ――コンツがいったい誰と組んでこのゲームに参戦しているのか、なんらかの糸口をみつけられるかもしれなかった。

車の窓を開けると、涼やかな夕風が吹きこんでくる。織絵の髪が揺れ、甘い花の香りがティムの鼻腔《びこう》をくすぐる。ディナーのために着替えたフォーマルなワンピースは、少し大きめに胸元が開いて、みずみずしい肌が夕日に輝いている。見てはいけないものを目にしてしまったような気がして、ティムは生真面目《きまじめ》に顔を逸《そ》らした。

こぢんまりした、けれど清潔感のある一軒家風レストランのテーブルで、コンツがふたりを待っていた。

「お招きありがとうございます」ティムは警戒心を解かずに挨拶《あいさつ》をして、コンツと握手した。

「突然のお招き、驚きました。いったい、どういう風の吹き回しでしょうか」続いて織絵が握手をして、悪びれずに言った。

「まあ、講評まえの慰安会と言ったところです」コンツはすらりと答えた。

「この店はバーゼルでも知る人ぞ知る名店です。名だたるドイツワインも一通り揃《そろ》っています。モーゼル、ラインガウ……白ワインには、ブルゴーニュのモンラッシェに勝るとも劣らないものもありますよ。あなたはいける口でしたな、ミスタ・ブラウン？」

「ええ、まあ」ティムは歯切れの悪い返事をした。まさか、自白剤でも入れられるんじゃないだろうな。

「最初の乾杯はゼクトでよろしいですかな、ミス・ハヤカワ?」

「はい。私はなんでも結構です」織絵は微笑《ほほえ》んで返答した。

三つのシャンパングラスに、ドイツの発泡酒、ゼクトが注がれる。コンツがグラスを持ち上げた。

「では、おふたかたのご健闘を祈って……乾杯」

ティムと織絵もグラスを掲げた。さわやかな泡がするすると喉《のど》をくぐる。織絵はちょっと口をつけただけで、すぐにグラスをテーブルに戻した。その様子を見遣《みや》ってから、メニューを広げてコンツが言った。

「ワインと食事のセレクトは私にお任せいただけますか。とっておきのものを出させますので」

「どうぞ」半ばやけくそでティムは返した。自白剤入りでも睡眠剤入りでも、こうなったらなんでもこいだ。織絵は「私は魚料理のほうがいいです。サイドディッシュはサラダで」といちおう注文をつけた。

小さめのワイングラスにリースリングが注がれた。ティムはそれをぐいっとあおると、

『『夢をみた』に関するいかなる質問も感想も受け付けないとおっしゃいましたが……あなたに関する質問であれば受け付けていただけるのでしょうか」

先手必勝とばかりに仕掛けてみた。コンツは、眉《まゆ》ひとつ動かさずに「これは意外ですね」と返した。

「富豪でもコレクターでも美術の専門家でもない私に対して、ご興味を持っていただけたとは」

「あなたはバイラー氏の代理人ですね。どういういきさつで、いまのお立場になられたのですか」

あの怪物の信頼を得たとなると、この男はよほどやり手に違いなかった。コンツはやはり表情を変えずに、「私は、長年、あのかたの専属弁護士を務めてきました。ごく真面目に」と端的に語った。「それだけです」

「それだけじゃないでしょう。あのかたの弁護士を長年務めておられるくらいなら、あなたはきっと相当な切れ者だ。なんでも、バイラー氏は『怪物』と呼ばれているそうじゃないですか。その怪物を手なずけるなど、凡人のできることではありません」

「ほう、これはまた……」コンツはようやく眉を動かして、薄笑いを浮かべた。

「よくご存じですな、あのかたの異名を。いったい、どなたの入れ知恵か……」

「美術の専門家ではないとおっしゃいましたね。けれど、バイラー氏の弁護士を務めるからには、多少なりとも美術の知識は必須《ひっす》かと思いますが」

タイミングよく織絵が口を挟んだ。コンツはちらりと織絵を見て言った。

「資産としての美術品の価値については通じているつもりです。しかし、正直、絵の良《よ》し悪《あ》しはわかりませんな。私の依頼主《クライアント》が好んで買い求める作品の多くは、私の理解の範疇《はんちゅう》を超えているものが多いので」

「では、お好きなアーティストは？」織絵がさりげなく訊《き》いた。

「お邸《やしき》にはあれだけのそうそうたる作品があるんですもの、お気に入りの作品がひとつくらいあるはずですけれど……」

「資産的価値という観点からでしたら、なんと言ってもピカソですね」織絵の言葉が終わらないうちに、コンツは即答した。

「バイラー氏は大変貴重なピカソ作品を何点かお持ちです。ただ、残念なことにブルー・ピカソは一点たりともお持ちではないのですが……」

そして、ふたりの表情の変化を観察するかのように、じっくりとふたつの顔を交互に眺めた。ティムはオードブルの皿からスモークソーセージをせわしなく口に運んで飲みこんだ。織絵は右手にフォークを持って、付け合わせのザワークラウトをつついている。コンツはドイツ語でウエイターに声をかけると、二言三言、何ごとか告げた。すぐにソムリエがやってきて、ワインボトルのエチケットをコンツに向けて説明している。コンツはふたりに向かって言った。

「これはグレート・ヴィンテージのラインガウのリースリングです。かなり美味《うま》いはずですよ。さあ、どうぞ。どんどん召し上がってください。メインには、この店の名物、カルヴァドスソースのポークステーキを注文しましたから、それに合うブルゴーニュの赤も用意させます」

言われるままに、ティムはどんどん飲む。こってりした肉料理のメインディッシュがきた。メインは魚で、と織絵がわざわざ言ったのに、コンツは耳を貸さなかったようだ。まったく、どこまでマイペースなんだ、この男は。

織絵はちっともグラスに口をつけず、メインディッシュにも手をつけないままだ。ティムは織絵の様子が気になった。コンツの毒気にあてられたのだろうか。

「ところで」少し酔いが回ったのか、コンツは目の周りを赤くして言った。

「アンリ・ルソーの価値については、私は正直、理解できませんな。あの画家の作品が将来的に評価されるとも、資産的価値が上がるとも思えない」

ティムは、せわしなく動かしていた両手をぴたりと止めた。隣の織絵も体をこわばらせているのがわかる。わざとなのか、コンツはますます好戦的に言葉を続けた。

「まったく、およしなさいと申し上げたのに……バイラー氏は即金で買ってしまわれたのですよ、あの作品を。なにせ、証明書《サティフィケーション》が付いていたものですから。近代美術史の世界的権威、アンドリュー・キーツのね」

織絵の白い喉もとが、かすかに上下した。ティムはナプキンで口を拭《ぬぐ》うと、自分の非を責められたかのように、あわてて言い訳をした。

「いや、それは……そういう誘惑は、誰にもあります。その、なんて言うか……依頼されれば、作品の証明書にうっかりとサインしてしまう、ということなどは」

「おや、それは聞き捨てなりませんな」コンツはティムを見据えて言った。

「ということは、あなたにもそういうご経験が？　真贋《しんがん》がはっきりしない作品の証明書に『真作である』とサインなさったことがあるのでしょうか。仲介人《ディーラー》からの報酬《コミッション》に目がくらんで」

織絵は、完全に固まってしまっている。助け舟を出そうとして、泥舟を差し向けてしまった。ティムは舌打ちしたいのをどうにかこらえた。コンツは、グラスの中の金色の液体を飲み干してから、織絵に向かって言った。

「ワインをもっといかがですか、ミス・ハヤカワ。さっきからちっともグラスに口をつけておられませんね。今日の昼食会でもそのようでしたが……いや待てよ、確か、最初からほとんどお飲みになっていなかったような。どこか具合でも悪いのですか」

織絵は、青白い顔を伏せて「いえ……」と短く答えるだけだった。手がつけられないまま下げられる織絵の皿を眺めて、コンツはさらに言った。

「肉料理は召し上がらない。脂《あぶら》っこいものはだめ。昼食会でも、いつもそうですね。ザワークラウトばかりつついておられる。……アルコールや脂っこい肉類は、母体によくないというわけですか」

突然、織絵が立ち上がった。ティムは息を止めて織絵を見上げた。その横顔からは、すっかり血の気が失《う》せていた。

震える声で、織絵が告げた。

「気分がすぐれません。……おさきに失礼します」

ふたりに背を向けると、髪を揺らし、足早に去っていった。すぐさま立ち上がって後を追おうとするティムを、「お待ちなさい」と鋭い声でコンツが止めた。

「あなたとは、まだ話の続きがある」

奥歯をぐっと噛《か》んで、ティムは乱暴に座り直した。

この鉄面皮め。こっちこそ、その化けの皮をはがしてやる。

コンツは、ふん、と鼻先で嗤《わら》って、織絵の去った方向を見据えて言い捨てた。

「思った通りだ。ちょっとカマをかけてみたら、あの通り。彼女はおそらく妊娠しているんですよ……道ならぬ恋の相手の子を」

お高くとまった横っ面《つら》をいまにもはり倒しそうになるのをこらえ、声を殺してティムは訊き返した。

「何を根拠にそんなことを言ってるんだ。……あんたは、いったい何者なんだ」

「あなたがご存じの通り、あの怪物の代理人ですよ。本件について、少々裏を知りすぎてはいますがね」

涼しい顔でコンツが答えた。

「とある人物からの情報で、オリエ・ハヤカワの周辺の事情はすっかりつかんでいます。なに、彼女は若く聡明《そうめい》な研究者だ。しかも美しい。男ならば誰だとて惹《ひ》かれましょう。しかし、彼女が選んだ相手が悪かった。アンドリュー・キーツは、美術業界の裏側では食わせ者として知られているのに、そこまではわからなかったと見える。この勝負に必ず勝てとキーツに言われてはいるだろうけれど、恋は盲目、キーツが誰といい組んでいるのかまではおそらく気づいていないのでしょう」

その言葉を耳にした瞬間、ティムは確信した。この男こそが、クリスティーズのポール・マニングに情報を流している張本人なのだと。

「しかし、キーツも手のこんだことをするものだ。よもや妊娠している愛人にかくもきわどい勝負をさせるとはね……」

嘲笑《ちょうしょう》を浮かべたコンツの顔に向かって、ティムは憎々しげに言った。

「勝負をさせたのは、キーツじゃなくてバイラーだろう。そして招待状を送りつけたのは、あんただ」

「確かに」とコンツはすぐさま返した。「この勝負への招待状、私の名前で送らせていただきましたよ。アンドリュー・キーツ宛《あ》てにね。ところが、やってきたのはあの女だったんですよ。『サー・アンドリューより依頼されて参りました』とね」

ティムは、絶句した。

ということは……この勝負、M oMAのトム・ブラウンと、テート・ギャラリーのアンドリュー・キーツの一騎打ちになるはずだったのか。

「キーツは、実は真贋がよくわからないまま証明書にサインをした手前、あの作品を『贋作』と判定するわけにはいかない。しかし、あとから知ったのですよ。あの作品に隠されている秘密を」

ルソーとピカソの二重作品。しかし、テートとサザビーズが狙《ねら》っているのは、当然ピカソのほうだ。しかし、表面のルソーが「真作」となった場合、それを取り除くことが是か非か、論争になる。だからこそ、表面のルソーは「贋作」と証明した上で、誰にも文句を言わせずに消し去る。それこそがキーツたちの狙っていることなのだ、とティムはようやく気づいた。

すっかり言葉をなくしているティムを、からかうようなまなざしでコンツは眺めた。

「キーツは狡猾《こうかつ》な男です。バイラー氏の気質を見抜いていたんですな。美しくエキゾティックな女性研究者が突然やってきたとて、追い返すような御仁ではない。むしろおもしろがるだろうと、最初から見越していたのでしょう」

そこまで言うと、コンツは、ため息をついて頭を横に振った。

「ああ、なんと無慈悲な！　おそらく、あの偉大なるキュレーターは、勝って帰ってくれば結婚してやるとでも約束してやったのでしょう。そうすれば、間違いなく彼女は必死になる……かわいそうに、あとはもう捨てられるだけの運命ですよ」

ガシャン、と派手な音を立ててグラスが割れた。テーブルの上のワイングラスを、ティムが平手で払い落としたのだ。店内の客がいっせいにこちらを向いた。ウエイターがあわてて飛んできたのにも構わず、ティムは怒気を含んだ声で言った。

「あんたこそ組んでるんだろう。どこぞの腹黒いやつと」

コンツは、口もとに皺《しわ》を寄せて不敵な笑みを浮かべた。

「さて、なんのことでしょう」

ふたりは、テーブルを挟んでしばらくにらみ合っていた。コンツのほうがさきに顔を逸《そ》らし、片手を挙げて、「勘定を」と合図した。テーブルチェックをしているあいだも、ティムは憎悪《ぞうお》の視線をこの邪悪な弁護士から離さなかった。支払いを済ませると、コンツは、「勝つのです」と燃えるような目を上げて言った。

「あなたが必ず勝つのです。あの女に負けることは、断じて許されません」

それから、勅命を下す君主のように威圧的なまなざしで、釘《くぎ》を刺した。

「さきほど言いましたね。私は、本件について少々裏を知りすぎてしまったと。私は、あなたが何者であるのか——とっくに知っているのですよ。どうかそれをお忘れなきように、ミスタ・ブラウン」

第六章　楽園

たわわに実るオレンジやバナナ、咲き乱れる名も知らぬ花々、息が詰まるほど甘い香り。こんもりと溢《あふ》れる緑の森の中に、その日もまた、ヤドヴィガは迷いこんでおりました。

「どこなの、アンリ？」ヤドヴィガは、大声で画家の名を呼びます。「ちっとも見えないよ、シダの葉っぱが邪魔して」

「こっちだよ、ヤドヴィガ」ずっと遠くから、木霊《こだま》のように返ってくる声。「気をつけて。――君の足もとに蛇がいる」。やわらかい感触を足の裏に覚えて、ヤドヴィガは息をのみます。薄暗い色の蛇が、皮膚をつややかに光らせて、するすると足もとをくぐり抜けていったのです。あっと短く叫んで、目を覚ましました。

色あせた赤いビロードの長椅子《ながいす》に、ヤドヴィガは横たわっておりました。あたりを見回せば、そこは貧しい画家のアトリエです。ヤドヴィガは、大きくひとつため息をつきました。

また、夢をみた。いつのまにか、眠ってしまって……。

「やあ、目が覚めたかい？　よく眠っていたね。少し、苦しそうな息をしていたけど」

カンヴァスに向かって絵筆を動かしていたルソーが振り向きました。パレットを脇《わき》のテーブルの上に置くと、

「お茶にしようか。私もそろそろ疲れてきたから、休憩にするよ。ちょっと待ってて、水を汲《く》んでくる」

そう告げて、部屋を出ていきました。ヤドヴィガは立ち上がって、窓辺へ歩み寄ると、窓を開け放ちました。春まだ浅い三月の風がひんやりと頬を撫《な》でます。

最近、ヤドヴィガは、毎日ルソーのアトリエを訪れていました。夫のジョゼフに、絵の具やパンや安ワインを託されて、届けていたのです。そのつど、ルソーはおおげさに感謝して、寄っていきなさい、新作を見せよう、お茶をいれるからと部屋の中へヤドヴィガを呼びこみました。最初は抵抗がありましたが、段々と平気になってゆき、いまでは自分からアトリエへ歩み入ると、長椅子にもたれて短くない時間を過ごすようになっていたのです。

ジョゼフは、間違いなく、ルソーの最初の崇拝者でした。去年、連れていかれた「夜会」にも、ルソーを崇拝していると自称する芸術家たちが大勢集まってはいまし

たが、そのほとんどがルソーを崇拝しているのではなく揶揄《やゆ》しているのだとヤドヴィガには感じられました。唯一《ゆいいつ》、違っていたのが、あのパブロ・ピカソという若い画家でした。彼は本気でルソーに興味を持っているようでした。崇拝しているのかどうかはわかりませんが、とにかくあの男がルソーの絵に強く惹かれているのは間違いありませんでした。

ジョゼフはといえば、あの若い芸術家たちなどよりも、いまやずっと本格的にルソーに肩入れしているのです。それは本物の崇拝と言ってもいいものでした。最近では、ヤドヴィガに贈られた絵の数々を聖画のごとく祭り上げ、小さな部屋の中いっぱいに飾って、毎日毎日、長い時間それらを眺めて過ごしていました。そして、ひとりでぶつぶつとつぶやくのでした。「この人の絵は、おれたちが死んだあとも永遠に残るだろう。世代から世代へ伝えられていくだろう」。「ああ、おれはもっと美術の勉強をしたい。新しい芸術のことをもっと知りたい」云々《うんぬん》、云々。挙げ句の果ては、「おれも画廊をやってみたい。この人の絵が評価されないなら、評価されるようにおれが売り出してあげたい」。ルソーのおかしな絵を毎日眺めるうちに、ほんとうに頭がおかしくなってしまったのかもしれません。

けれど、ヤドヴィガだとて、おかしいのです。毎日、狭い部屋の中でルソーの絵に囲まれて暮らし、画家のもとへと届け物をするうちに、少しずつ、ルソーに興味を抱き始めていたのです。アトリエでは、ルソーと向かい合って茶飲み話をするわけではありません。画家は黙って絵筆を動かし、ヤドヴィガはバネの壊れた長椅子に座って、より大型の絵の一群に囲まれ、ぼんやり眺めるばかりです。評論家いわく「子供の絵のごとく拙《つたな》い技術の」セーヌ河岸の風景やこわばった人物像、そして溢れんばかりの緑の密林を飽かず眺めて、そうするうちに、ふっと気が遠くなり、眠ってしまうようなのです。そんなときにみるのは、決まって密林に迷いこむ夢。ルソーとふたり、深い、深い森の奥へと入っていくのです。

それは、奇妙に現実的な、現実よりももっと現実的な夢なのでした。頬を打つシダの葉のやわらかさ、裸足《はだし》の裏に触れる蛇のぬらりと濡《ぬ》れた皮膚、うっそうとした緑が放つ息苦しいほどの濃い空気、腐り落ちる果物の甘くただれた匂《にお》い、花々が飛ばす花粉のくすぐったさ。何もかもすべてが、そこにあって、ここにないのでした。

あんまり描き続けていると、こわくなるんだよ。自分の描いている森の中へ、吸いこまれていくみたいで。だから、ときどきこうして窓を開けるんだ、とルソーは言っていました。その窓辺にもたれて、ヤドヴィガは、眼下の中庭でルソーが懸命に井戸のポンプを押すさまを眺めていました。

ルソーがいれてくれたお茶を飲みながら、ヤドヴィガは、ふと尋ねてみました。

「ねえ、あんた、ほんとうにジャングルへ行ったことがあるの？　こんな森の中で、おっかない動物にあったことがあるの？」

「どうしてそんなことを訊《き》くんだい？」ルソーが逆に訊き返しました。

「どうしてって……」ヤドヴィガは、少し戸惑ったそぶりになりました。

「こんなふうにジャングルを描けるなんて、実際に見たことなかったら無理じゃないの。葉っぱの一枚一枚が輝いているのとか、猛獣のおっかない感じとか、花の匂いとか、オレンジの甘酸《あまず》っぱい味とか……こうして見てるだけで、体の全部で感じられるんだもの」

そう言って、ヤドヴィガは、カンヴァスに描きかけの新しい密林に向かって、目を閉じて息を吸いこみました。「ほらね、感じる」

その様子をみつめるルソーの瞳《ひとみ》が、星が宿ったように輝きました。そして画家は言いました。「もちろんだよ。行ったことがあるとも」

メキシコのマクシミリアン皇帝支援のために、フランス軍から援軍が送られたことがある。私は二十歳そこそこで、その隊員だったんだ。私は軍の楽隊にも所属していて、勇ましいラッパに合わせて、ジャングルの中でヴァイオリンを演奏したのだよ。

すると、驚いたことに、サルやら蛇やら、不思議な獣たちが集まってきた。どうだい、彼らは、私たちの演奏にうっとりと聴き惚《ほ》れていたんだ。

エキゾティックな女性もいたよ。彼女の肌はコーヒー豆のような褐色で、目だけが爛々《らんらん》と白く光っていた。ほとんど丸裸で、腰の周りに椰子《やし》の葉で作った腰巻きを巻いているだけ。おっかなびっくり挨拶《あいさつ》をすると、にっこり笑ってくれた。その歯の白いことといったら、驚きだったよ。体はすんなりとしていて、野生のヒョウのようにしなやかだった。美しく、官能的だった。もっとも、私が若かったから、そう思えただけかもしれないけれど。

大地を覆《おお》い尽くす木々の緑、そのはざまに落ちていく真っ赤な太陽。世界は静寂に包まれ、遠くで名も知らぬ獣の声が聞こえていた。私はそのただなかで、なぜだかわからないけど、涙が止まらなかったんだ。

ルソーの話を聞きながら、ヤドヴィガは、ルソーとふたりきり、いつしか密林の中におりました。いいえ、それは、密林というよりも、楽園と呼んだほうがよかったかもしれません。その場所には、いかなる不安も、苦しみも、貧しさもない。溢れ返る緑と咲き乱れる花々、頭上をかすめて飛び交う極彩色の鳥、蝶々《ちょうちょう》の羽、ミツバチの羽音。どこからともなく聞こえてきては消え失《う》せる獣たちの雄叫《おたけ》び。こんもりと繁《しげ》る枝のすきまを縫ってこぼれ落ちる天上の光。そこは、まさしく楽園でした。

色付きの静寂の真ん中で、ルソーは、ヤドヴィガの手をそっと取りました。来る日も来る日も洗濯をし続けて、老婆《ろうば》のようにごわごわになった手を、絵の具で汚れた手が握ります。ふたりは、手に手を取って、進んでいきました。香《かぐわ》しき森、深い葉陰の向こうへと。

本気であの人の女神になってやれよ。それであんたは、永遠を生きればいい。鼓膜の奥に蘇《よみがえ》るのは、パブロの言葉です。女神？　永遠？　なんのこと？　けれど、ようやく、ほんの少しだけ、ヤドヴィガはわかってきたような気がしました。

永遠を生きる。それがいったい、どういうことなのか――。

I

バーゼル六日目。第六章を読み終えて、いつにも増して重苦しい昼食会を済ませ、バイラー邸を辞したティムと織絵は、無言のままホテルへと帰りついた。

織絵とは、朝、車に乗ったときに「おはよう」と挨拶を交わしただけで、ひと言も会話をしていなかった。織絵の表情はずっと緊張したままだった。昨夜のコンツとの一件を考えれば、まったく当然だ。ティムにしても、どう声をかけていいのかわからなかった。

気にしないほうがいいよ、と言うべきか。あいつは腹黒いやつだ、と教えるべきか。何か言えば言うほど傷口を広げそうで、結局、ティムも押し黙るほかなかった。

自分とてコンツにすっかり尻尾《しっぽ》をつかまれてしまっている。もしもこの勝負に負けようものなら、どんなかたちで仕打ちを受けるかわからない。コンツの威圧的な態度には、マニングの電話越しの脅迫よりもさらにぞっとさせられた。

しかし、自分が勝者となったとして、織絵はどうなるのだろう。「食わせ者」のキーツとサザビーズのオーウェンが、敗者となった彼女にいったいどう接するのか。捨てられるだけだ、とコンツは言っていた。いや、そんなはずはない。それくらいのことで終わるはずはないのだ。

沈鬱《ちんうつ》な空気をまとったまま、ティムと織絵はそれぞれの部屋へと戻った。ティムは、すぐに窓を開けてテラスへ出た。気分を変えようと、手すりにもたれ、今日読んだ第六章を反芻《はんすう》する。

いままでの中でもっとも短い章だった。ルソーとヤドヴィガが、空想の楽園へ迷いこむ幻想的な叙述が続いていた。ほとんど創作と見てもいいほど、史実はなんら述べられていなかった。

一九〇九年といえば、史実上ではルソーの人生に汚点が残った年でもある。ルソーは一九〇七年の年末に、あろうことか昔の知り合いのルイ・ソヴァジェが起こした銀行詐欺《さぎ》事件に巻きこまれている。偽《にせ》の小切手を使って現金をだましとろうとしたソヴァジェは、ルソーにその小切手の運び役と現金の受取役を依頼したのだ。ルソーは逮捕されて投獄され、数日で仮釈放される。一九〇九年の年初には、この件で裁判にかけられ、私は芸術家だ、詐欺などするはずはない、詐欺と知ってソヴァジェに加担したのではない、と涙ながらに訴える。結局、禁固二年、執行猶予《ゆうよ》付きの判決を受ける。

真面目《まじめ》に、実直に、ささやかに生きてきたのがアンリ・ルソーの身の上であるはずなのに、この奇妙な詐欺事件は画家の人生に小さくない汚点を残した。ちょっと仕事を手伝ってくれたら報酬をはずむよ、友だちだろう、とソヴァジェに言いくるめられた、というのが、ルソー本人の告白でもあり、周囲の人々もそう理解した。だからこそ執行猶予付きになったわけだが、そうだとすればなおのこと、どうして自分が詐欺師に連座して有罪になるのか、ルソーは忸怩《じくじ》たる思いだったことだろう。

しかし、この「汚点」については、あの物語の中では一度たりとも触れられていない。白いテーブルクロスについたしみを注意深く消し去っているかのようだ。そこには、物語の作者の意図が感じられる。

あんたは、いったい何者なんだ。

昨夜コンツにぶつけた問いを、ティムは心の中で「夢をみた」の作者に向かって投げかけた。

残るは、最後の第七章のみ。つまり、講評日まであと一日。しかし、作品の真贋《しんがん》の糸口もつかめず、あの作品がいったい「なんなのか」すらも、ティムには見当がつかないままだった。

入道雲が立ち上る空を仰いで、目を閉じた。第六章の大文字《キャピタル》は、Ｉ。誰かの頭文字なのか。いったい、なんの意味があるんだろうか。

いままでの章の最後に記載されていた大文字を、ひとつひとつ思い出す。最初が、Ｓ。次が、Ｐ。Ｓ‐Ｐ‐Ｏ‐Ａ‐Ｓ‐Ｉ。Ｓ‐Ｐ‐Ｏ‐Ａ‐Ｓ‐Ｉ……。

突然、脳裡《のうり》に閃光《せんこう》が走った気がした。ティムは大急ぎで部屋の中に飛びこむと、電話の傍らのメモをむしり取り、六枚の紙に大文字を一文字一文字、書き出した。ベッドの上に並べる。何度も、並べ変える。

Ｐ‐Ｉ‐Ａ‐Ｓ‐Ｓ‐Ｏ
「ピカソ……」ティムは口に出して言った。「まさか、ピカソだっていうのか？」

「I」と「A」のあいだに、一文字抜けている。が、もしも明日、第七章の最後に「C」が記載されていたら……このパズルは完成する。

どういうことだ。

「夢をみた」の下にブルー・ピカソが隠されている、ということなのか。それとも、まさか、あの物語の作者がピカソだということなのか。どっちにせよ、大発見だ。あの作品に、物語に、ピカソが関わっているとなれば。

ティムは落ち着きなく、部屋の中を行ったり来たり、うろうろした。頭が混乱して、爆発しそうだった。

どうすればいい？　明日の講評、どう攻める？　あの作品をピカソを隠すための贋作だと看破すべきなのか。それとも、ピカソを下敷きにして描いたルソーの真作なのだと言い切るのか。

立ち止まって、目を閉じる。たった一度だけ目にした「夢をみた」を思い出そうと、ティムは全神経を集中させて記憶を呼び覚ました。

大型のカンヴァスだった。サイズは——２００cm×３００cmくらい。そうだ、驚くほど第一印象がＭｏＭＡ所蔵の「夢」に似ていた。どうして「夢」がここにあるんだ、と思わず疑ったほどだった。

密林、花々、猛獣たち、笛を吹く黒い肌の男。そして、赤いビロードの長椅子の上に横たわる、栗色《くりいろ》の長い髪の女。間違いなく、「夢」の中心的なモチーフになっている「ヤドヴィガ」と同一のモデルだ。

けれど、ディテールが違っていた。そう、バーゼルとモスクワ、いまは二カ所の美術館に所蔵されている「詩人に霊感を与えるミューズ」と同様に。あれは、詩人の花であるカーネーションを描こうとして、間違ってニオイアラセイトウを描いてしまったからと、ルソーは律儀《りちぎ》にもう一作、描いたのだ。同じモチーフ、同じ構図、同じ色彩で。けれど、明らかに別の作品として二作は仕上がっている。

ということは、ルソーは、「夢」を描いた前後に、なんらかの理由で、似て非なる作品「夢をみた」を描いたのだろうか。

その瞬間、突然、インターポールのジュリエット・ルルーが言っていたことを思い出した。

ピカソの友人にしてそのカタログ・レゾネの編纂者《へんさんしゃ》、クリスチャン・ゼルヴォスが行方を追っていた、所在不明のブルー・ピカソ。

ピカソ自身が証言していたサイズ、「２m×３mくらい」。それが「夢をみた」のサイズ［204cm × 298cm］とほぼ一致している、とジュリエットは言った。

そのサイズは――「夢」とまったく一致しているじゃないか。

つまり、ひょっとすると、行方不明のブルー・ピカソは、「夢をみた」ではなく、「夢」の下に隠されているかもしれない……？

「なんてことだ」ティムはまた、声に出して言った。「ああ、すぐにでもX線検査ができれば……」

自分の独り言にはっとして、ティムは、クローゼットの中にしまっていたボストンバッグからアドレス帳を取り出した。ページを急いでめくる。D…D…デヴォワ。MoMAの修復士《コンサバター》、アストラッド・デヴォワの連絡先を拾い出す。腕時計を見てから、すぐさま受話器を取る。オペレーターに「国際電話を、ニューヨークへ」と告げた。サーッと水が流れるような音が受話器の奥から聞こえてくる。

オフィスにいてくれ、アストラッド。

『もしもし？』聞き覚えのある声が遠くに聞こえた。『国際電話ですって？　どこにいるのよ、ティム？　あなたの実家って、アメリカ国外にあったんですっけ？』

いた。ティムは、ほっと息を放った。「やあ、アストラッド。元気そうで何より」できるだけ普段通りに語りかける。

「いま、両親を連れてメキシコに来てるのさ。本場のタコスが食べたいって言うもんで、急に出かけたんだ」

『あら、ずいぶん派手な親孝行ね』愉快そうにアストラッドが言った。『で、どうしたの？　デスクに忘れ物？』

「いや、違うんだ。どうしても気になることがあってね」長話はできないとばかりに、ティムは早口で言った。

「休暇まえに、ルソーの『夢』の撮影をしただろう？　そのとき、君が言ってたことを思い出して……確か、『ヤドヴィガ』の左手あたりの色調が違うとか……つまりそれは、描き直したか修復したか、何か手が加えられた疑いがある、ってことだね？」

『国際電話でずいぶん藪《やぶ》から棒ね。ルソーの研究者たるもの、気になり出したらがまんできないってわけか』アストラッドは笑いながら答えた。

『そうよ、加筆修正の可能性があるってこと。ただし、X線検査でもしない限り、断定はできないわ』

「やってくれないか。X線検査を」間髪を容《い》れずに、ティムは言った。

「実は、その……トムにはもう連絡して、了承を得た。ある重要な調査のために、急いでいるんだ。十二時間以内に結果を知りたいんだが」

『何言ってるの、ティム？』声を裏返して、アストラッドが言った。

『そんなの、できっこないでしょ。あの作品はロックフェラー家寄贈の特別なものなんだから、X線検査となれば理事長と館長の承認が必要よ。そう言ってたのはあなたじゃない。私は明日から休暇で、いま目が回るほど忙しいの。国際電話で冗談言うのはやめてちょうだいよ』

さんざんがなり立てられ、いかに無謀なことを持ちかけたのか、いやというほど知らされた。それでも、それしか方法を思いつかなかったのだ。MoMAの「夢」こそが、ルソーとピカソの二重作品《ダブル・ワーク》なのかどうかを知るためには。

「わかったよ、アストラッド。頭を冷やすよ。……ああ、メキシコは暑くてね。おかしくなったんだ。……わかった、わかった。悪かったよ、仕事の邪魔をして。じゃあ、休暇を楽しんで。いい旅を」

受話器を置くと、ティムはベッドの上にへたりこんだ。文字通り、頭を抱えこんでしまった。

「夢をみた」の真贋の糸口をつかんだ感触が、ほんの一瞬、あった。けれど結局、何もわからないままだ……。

コンコン、と几帳面《きちようめん》なノックの音がした。ぎくりとして、ティムは顔を上げた。ドアに近づいて、のぞき窓にそっと目を当てる。廊下に立っていたのは、織絵だった。

ロックを外し、すぐにドアを開けた。ティムの顔を見ると、織絵は、はにかんだような微笑を浮かべた。

「もし、よかったら……少し、外を歩きませんか」

ライン川沿いの小径《こみち》を、ティムと織絵は並んで歩いていた。

傾きかけた太陽の光が、ふたりの影を白い小径の上に長く伸ばす。腰の高さに積み上げられた古い煉瓦《れんが》の向こうには、なだらかな堤が広がり、可憐《かれん》なカミツレの花が風に揺れている。ライン川は滔々《とうとう》と豊かに流れ、夕日を弾《はじ》いて呼吸するようにきらきらと輝いている。

「明日でお別れなんですね。この風景とも」

川の流れを見渡しながら、織絵がつぶやいた。お別れ、という言葉に、ティムは胸の奥がちくりと痛むのを感じた。

「バーゼルは何度も来たことがあるけど、今回は、まるで私にとっては『楽園』でした。毎日、ルソーが主人公の冒険物語のような資料を読めて、ルソーのこと、あの頃の芸術家たちのこと、ひとときたりとも忘れずに考えて、心を添わせて。……この数日間、まさしく、この場所は『美術の楽園』のようでした」

ティムも同じ気持ちだった。はらはらすることや胸焼けがするような出来事ばかりで、さながらジェットコースターの乗客の気分だったが、あの資料を読んでいるとき、そして、こうして織絵とふたりで話しているときは、楽園にいるような豊かな思いに浸ることができた。

「君はパリにいるから、いつだってまた来られるじゃないか。……私は、来年のアートフェアまでは、来ることもないだろうけど」

織絵を励ますつもりでティムは言った。が、自分はもう二度とここには来ないだろう、とわかっていた。そしてもう二度と、会うこともない。──織絵には。

「そうですね、またいつでも来られる。でも、次に来たときには、きっと、いまの私ではなくなっているはずです」

そう応《こた》えて、織絵は、ふっとさびしそうな瞳《ひとみ》をした。ふたりはどちらからともなく立ち止まり、積み煉瓦にもたれて、しばらく無言で川を眺めていた。

「私、母親になるんです」

唐突に、織絵が言った。ティムは不意をつかれて、その横顔を見た。夕日が射《さ》しているせいか、織絵の横顔はばら色に染まり、不思議に満ち足りていた。

「きのうは、エリク・コンツに意地悪なことを言われて、かっとなってしまって……

いつもなら、男性諸氏からの嫌がらせや嫌味は、笑って流すことにしてるんですけど。ミスタ・コンツは冗談のつもりだったのかもしれない。だけど、偶然にしても、彼が私の中の新しい命を侮辱しているように感じてしまって」

ティムのほうへ向き直ると、織絵は言った。

「あなたにまで、不快な思いをさせてしまいました。ごめんなさい」

そして、小さく頭を下げた。そのていねいで心のこもった所作に、ティムは体の隅々まで痺《しび》れるのを覚えた。

「あやまることなんてないよ」ティムは微笑《ほほえ》んで言った。

「あいつは実際、失礼だったんだから。あの場で立ち去った君は正しい。そして、こうして私をわざわざ誘い出して打ち明けてくれた君は、潔《いさぎよ》い」

君は、超一流の研究者であり、すばらしいレディーだ。心から、そう言いたかった。が、照れくささがさきに立って、口にすることはできなかった。織絵は「ありがとう」と笑顔になった。

そう、すばらしいんだ。すてきなんだ、その笑顔が。

織絵の笑顔を見るたび、胸が甘い疼痛《とうつう》を覚えることを、ティムはとっくに自覚していた。けれど、それを恋だと認めたくなかった。認めてしまえば、負けなのだ。

「パリに戻ったら、結婚するんです。そう約束をして、ここへ来たの」

ばら色の頬をして織絵が言った。それはまさしく、恋する女の顔だった。たちまち、ティムの心臓にずきりと痛みが走った。疼痛どころではなく、激痛だった。どうにかこらえて、ティムは尋ねた。

「……彼は、喜んでいるのかい？　赤ちゃんのこと」

織絵は、首を横に振った。

「まだ教えてないの。彼にも、日本にいる母にも。……教えたのは、あなたが最初です」

そう言って、はにかんで笑った。ティムは、黙って織絵をみつめた。

花がほころぶような笑顔。この六日間で、いちばんきれいな笑顔だった。

織絵は、ティムの目をまっすぐにみつめて言った。

「あなたを尊敬しています、ミスタ・ブラウン。あなたはすばらしい研究者です。来年のルソーの展覧会も、きっと成功させて、ルソーの評価を高めてくれることと信じています。でも……」

ほんの少しの間があった。その数秒間、ティムはどれほど後悔したことだろう。トム・ブラウンではなく、ティム・ブラウンとして、織絵に向かい合いたかった、と。

まぶしい瞳を上げると、織絵は言葉をつないだ。

「私、負けません。……負けるわけにはいきません」

ティムは、ライン川の水面《みなも》のように揺れ動く織絵の瞳をみつめた。そして、微笑んだ。

「私も、負けないよ」

どちらが勝っても、負けても、悔いのないように闘おう。

まっすぐな織絵のまなざしをみつめるうちに、ようやくティムはそう決心した。

どんな運命が待ち構えていようとも——僕らはもう、進むしかないのだ。

部屋に戻ってドアを開けると、ふたつ折りの紙片が一枚、はらりとカーペットの上に落ちた。

誰かが、ドアのすきまに差しこんだようだった。ティムはすばやくそれを拾い上げて、広げてみた。

九時にミットレレ橋で待つ　J

——ジュリエットだ。そう直感して、腕時計を見た。八時五十分だった。

結局、織絵と散歩をしながらバーゼル美術館まで歩き、もう一度心ゆくまでルソー作品を鑑賞して、軽い食事をし、帰ってきた。動物園に一緒に出かけたときの感じが戻って、お互い、清々《すがすが》しく明日の講評日を迎えられる気分になっていた。

ティムは、最後までトム・ブラウンを演じ、完璧《かんぺき》な講評を披露してこそ報いることができると感じていた。間違いではあっても呼び寄せてくれたバイラーに、自分を待ち受ける運命に果敢に挑もうとする織絵に、そしてアンリ・ルソーその人に。真贋《しんがん》の判定は最後まで暗中模索ではあるが、明日読む「夢をみた」の最終章にすべての秘密は隠されているはずだ。すべては明日——明日に委《ゆだ》ねよう。

心地よい興奮を胸に戻ったところを狙《ねら》いすましたかのような、ジュリエットのメッセージ。冷や水を浴びせられた気がした。が、出かけなければなるまい。

コンツの密偵につけられてはいないかと周囲を気にしながら、ティムはホテルのすぐ近くにあるミットレレ橋へと急いだ。ウェーブのかかった長い髪のシルエットが、橋の中程にたたずんでいた。ティムが駆け寄るのを見ると、ジュリエットはくるりと背中を向けて、無言で歩き出した。ティムが横に並ぶのを見計らって、「取引をしましょう」と小声で口早に言った。

「あの作品を、救うために」

「救うとは、どういう意味ですか」ティムも囁《ささや》き声で返した。ジュリエットは、すぐに答えた。

「言ったでしょう。もしもあなたが負けて、オリエ・ハヤカワに取り扱い権利《ハンドリングライト》が渡ったら、あっちにはキーツとオーウェンがついてるのよ。彼らが狙ってるのはルソーじゃない。あの下のピカソよ。表面のルソーを除去するに決まってるでしょう。そうならないように、救うのよ」

「しかし」ティムは反論した。「あの作品の下にはピカソは匿《かく》されていないかもしれないじゃないですか。ゼルヴォスが探していたブルー・ピカソは、ひょっとすると別の作品の下にあるかもしれない」

橋を渡りきったところにある信号の手前で、ジュリエットがふいに立ち止まった。怒っているような顔をティムに向けて、「どういうこと？」と訊《き》き返した。ティムは、一瞬で返答に窮してしまった。

ＭｏＭＡの「夢」の下にこそブルー・ピカソが匿されているかもしれない、などと、仮説であっても口にするのはあまりにも危険すぎる。そうなると、今度は「夢」の真贋問題になるからだ。ＭｏＭＡの大スポンサー、ロックフェラー家から寄贈された作品にして、アンリ・ルソーの代表作であり、来年のルソー展の目玉でもある「夢」を、いまさら真贋判定の汚れた舞台に載せるわけにはいかない。

「とにかく救いたいのよ、あの作品を」ジュリエットは、ティムの答えを待たずに続けた。

「あなたもルソーの研究者なら、ルソーの真作がこの世からひとつ消えてなくなるのを、指をくわえて見ているわけにはいかないでしょう」

「それは、そうだが……」ティムは、歯切れの悪い返答をした。

「仮に、あの作品がテート側に渡ったとして……ルソーを消し去ってまでピカソ作品に戻すとも思えない。オリエ・ハヤカワだってルソーの研究者なんです。彼女がそれを許すはずはない……」

「目を覚ましなさいよ」ジュリエットは、ほとんどどなるような囁き声で言った。

「彼女はキーツの愛人なのよ。研究者である以前に、女なのよ。そんなこともわからないの」

むっとして、ティムが返す。

「彼女は何よりもまず研究者なんだ。ルソーがなかなか評価されないのは不当だと感じているし、ルソーの評価を高めるために誰よりも努力している。この私よりも」

ふたりは、一歩も譲らずにらみ合った。やがて、ジュリエットがため息をついて言った。

「最初に話を戻しましょう。取引をしたい、と私は提案したんだけど」

「ルソーを救うためにね」ティムは、やけっぱちになって相槌《あいづち》を打った。

ジュリエットの提案する取引とは、とにかくまず、ティムが講評で勝ち、作品の取り扱い権利を獲得すること。その上で、作品をMoMAにもオークション会社にも渡さず、インターポールに引き渡す。作品調査を済ませたのち、ジュリエットが責任を持って元の所有者と交渉し、「あの作品が在るべき場所」に寄贈させる。

これら一連の作業に協力してくれれば、ティムが美術業界から追放されることなく、ルソーの研究も続けられるように、その立場を確保する。

ジュリエットの提案は、まったくもって真っ当なものだった。あの作品を狙っている四人の悪党――マニング、コンツ、キーツ、オーウェン――の企《たくら》みよりは、はるかに納得できるものだった。「あの作品が在るべき場所」というのと、「あなたの立場を確保する」という部分がどういうものかにもよるが。

「その場所というのは、どこなんですか」

ティムの質問に、ジュリエットは即答した。

「ピカソ美術館よ」

その答えに、ティムは息をのんだ。思いがけない返答だった。

ピカソ美術館——一九七三年に死去したピカソの遺族が相続税を物納、つまりピカソの作品で納めたため、その作品群をコレクションの核とし、フランスの新たな国立美術館として開館準備が進んでいる。二年後の一九八五年に開館を目指している、世界が注目するプロジェクトだ。

もしも「夢をみた」が、ルソーとピカソの二重作品だとしたら——確かに、これ以上ふさわしい収蔵先はないかもしれない。少なくとも、オークション会場のテーブルの上よりはずっとましだろう。

「そして、あなたはその美術館のキュレーターになればいいわ。……ティム」

呼びかけられて、はっとした。ティムは顔を上げて、ジュリエットを見た。いまはもういらだちの過ぎ去った顔をして、ジュリエットもティムをみつめていた。

「……知っていたんですね」

ティムは苦笑して言った。ジュリエットもまた、笑った。

「私が知らないことなんて、何もないわ。これでもインターポールの一員ですもの」

ジュリエットの作品に向かい合うひたむきさに、ティムは胸を打たれた。この人は、本気で「夢をみた」の行く末を考えている。ルソーのことを思っている。作品が守られ、時代から時代へ、永遠に伝えられていくことを、ひたすらに願っている。そこには、インターポールの一員としてのプロフェッショナリズム以上に、ジュリエット自身の信念にも似た強い感情が動いていることを、ティムは感じ取っていた。

「あなたは、いったい何者なんですか」

思わず尋ねた。ジュリエットは、不思議と明るい目をティムに向けた。ウェーブのかかった長い栗色《くりいろ》の髪が夜風に揺れる。ティムは、宵闇《よいやみ》の中のシルエットを、目を凝らしてみつめた。

誰だろう。やはり彼女は、誰かに似ている。空港で初めて会ったときも、ほんの一瞬視線を交わしただけなのに、知っている、との思いがよぎった。

似ている。おれがよく知っている誰か。なつかしい誰かに――。

あともう少しで思い出せる。その瞬間に、ジュリエットが囁いた。

「講評が終わるまで、誰にも言わないと約束してくれるなら――教えてもいいわ。私のほんとうの正体を」

ふと、ジュリエットの肩越しに、赤信号でタクシーが停まるのが目に入った。ジュリエットの話に聞き入りながら、タクシーの後部座席をティムは見た。何気なく、まったくの偶然に。が、そこに座っている人物が誰かを認識するまでに、三秒とかからなかった。

ティムは、目を見開いた。ジュリエットが、「実は、私は——」と打ち明ける声が、遠くに聞こえる。

信号が青に変わった。町中へ向かって走り去るタクシーに乗っていたのは、トム・ブラウンだった。

第九章　天国の鍵《かぎ》

一九八三年　バーゼル／一九一〇年　パリ

七日目の朝がきた。

ランドリーサービスが届けてくれた糊《のり》のきいたブルーのシャツに袖《そで》を通し、ネクタイをきっちりと締め、麻のジャケットを羽織る。身支度が整ってから、ティムは、ベッドサイドに置いていた二冊の専門書を手に取った。

アンリ・セルティニが著したルソー伝と、ドラ・ヴァリエが編纂《へんさん》したルソー作品のカタログ。両著者とも、謎《なぞ》の多い画家であるルソーの実像に迫り、その再評価を促した世界的な研究者だ。

これから行われる講評は、自分と早川織絵の一騎打ちではなく、セルティニとヴァリエの対決になっても不思議ではなかった。いや、むしろそれが当然だったはずだ。

それなのに、あの怪物、コンラート・バイラーは、彼ら研究者ではなく、美術館のキュレーター同士に勝負させることを望んだのだ。

おととい、エリク・コンツに明かされた。バイラーは、もともとはMoMAのチーフ・キュレーターであるトム・ブラウンと、テート・ギャラリーのチーフ・キュレーターであるアンドリュー・キーツを対決させようとしていたと。そして、結局、やってきたのは、トムではなく自分と、キーツではなく早川織絵だったのだ。

自分の身元はコンツにはバレてしまっているようだが、バイラーはまだ気づいていない。それに気づかれたら、この勝負は始まるまえに終わってしまう。あと数時間、なんとしても、トム・ブラウンを演じ切らなくてはならない。そして、MoMAの威信をかけて、講評を勝ち抜かなくてはならない。

急に、苦い笑いがこみ上げてきた。

なんという茶番劇だ。おれは、いったい、なんのために、こんな馬鹿《ばか》げたことをやっているんだ。

そんなことはありえない、と信じたい。けれど、五分後に、ロビーへ行き、いつものように迎えの車に乗りこもうとしたら――後部座席の織絵の隣に、我が上司、トム・ブラウンが座っているかもしれない。そんなことは絶対にありえない、とは、もう言えないのだ。

昨夜、インターポールのジュリエット・ルルーと、ミットトレレ橋付近の信号で立ち話をしていたとき、偶然、見かけてしまった。町中へ向かうタクシーの後部座席に、トム・ブラウンが乗っていたのを。

何故《なぜ》、このタイミングでトムがバーゼルへやってきたのか、知る由《よし》もない。ハワイのオアフ島で休暇を取っているはずのボスは、自分と同じく、あさってが休暇明けだ。アートフェアも大型展のオープニングもない真夏のバーゼルに来る理由は、どこにもない。

ひょっとすると、昨夜はこのホテルに泊まっていたかもしれない。いま、エレベーターホールで自分を待ち受けているかもしれない。そして、あの「マダムキラー」のさわやかな笑顔で、こう語りかけるかもしれない。

やあティム、今日までご苦労だったね。そもそもの予定通り、講評は私が担当するよ。君はもう、帰ってもいい。――ニューヨークではなく、故郷のシアトルへ。

ティムの顔から、苦い笑いが消えた。

観念したように、手にしていた本をボストンバッグの中に入れる。バッグの中には、衣類や洗面具などがすでに詰めこまれていた。

バイラーの邸《やしき》から戻ってきたら、すぐにチェックアウトして、ニューヨーク行きの飛行機に乗るのだ。そして、もう二度と、この地には戻らない。

永遠に、お別れなのだ。バーゼルとも——織絵とも。

覚悟を決めて、部屋を出た。赤い絨毯《じゅうたん》を敷き詰めた廊下、金色のエレベーター、宿泊客がゆったりと行き交うロビー。知った顔には会わなかった。正面玄関には、バイラー家の車が待機している。いつもはさきに乗って待っている織絵が、車の前に立って待っていた。ティムの姿を認めると、少し緊張気味だった顔に、たちまち微笑《ほほえ》みが広がった。

「おはようございます」

さわやかな声。ティムも笑顔になって、「おはよう」と返した。その瞬間、織絵がここにいてくれたことを、神に感謝せずにはいられないような気持ちになった。

「じゃあ、行こうか。……ルソーに会いに」

織絵は、にっこりと笑って「ええ」と答えた。

「行きましょう。私たちの『友だち』に会いに」

車は、定刻通りに邸に到着した。執事のシュナーゼンが、無愛想に、しかし礼儀正しく後部座席のドアを開けて迎えてくれた。「ありがとう」とティムは礼を述べた。この堅苦しい顔とも今日でお別れかと思うと、すでになつかしい気がしてきた。

「あとで、私のゲストが来ます。そうしたら、講評が行われる部屋の隣室に通して、しばらくお待ちいただいてください」

玄関ポーチに向かいながら、ティムは小声でシュナーゼンに告げた。唐突な申し出に、さしもの無愛想な顔がきょとんとした。が、もと通りのしかつめらしい顔を作ると、すらりと返した。

「さようでございますか。お見えになるのは、どちらさまでしょうか」

ティムは微笑んだ。

「あなたがよくご存知の方ですよ」

書斎の隣の客間では、コンツがふたりを待ち受けていた。いつも通りの無表情な顔で、「ではこちらへ、ミス・ハヤカワ」と織絵をいざなった。織絵は、部屋を出て行く瞬間、ふと振り返った。いってきます、と心の声が、ティムの胸に響いてきた。

それからの九十分は、ティムの人生で、最も長い九十分だった。

ティムは、ひとり掛けのソファに浅く腰を下ろして、両手を膝《ひざ》の上で組み、ひたすら無心になろうと努めた。が、無心になろうとすればするほど、六日間の思い出が脳《のう》裡《り》をよぎる。思い出すのは、織絵のことばかりだった。

動物園で話してくれた、亡《な》き父のエピソード。美術館でルソーの絵に向かい合う真《しん》摯《し》な姿。持論をぶつときの、少し生意気な顔。

私、母親になるんです。そう告げたときの、幸せに輝く笑顔。

ティムは、溢《あふ》れる思いが胸からこぼれてしまいそうになるのを感じた。それを懸命にとどめようとする自分に、とっくに気づいていた。

どうしようもない。どうにもならない。——けれど。

これだけは、もう、はっきりしている。

おれは、彼女を恋しているんだ。

がちゃり、とドアノブが回る音がして、ティムは顔を上げた。無表情のコンツが現われた。続いて織絵が入ってきた。織絵は顔を伏せていたが、ティムが立ち上がったのに気づいて、こちらを向いた。その目を見て、ティムははっと息をのんだ。

織絵の目は、泣きはらして真っ赤だった。潤《うる》んだ瞳《ひとみ》で、何かを訴えるようにティムをみつめている。ティムは思わず引き寄せられて、彼女のほうへ近づいた。ふたりのあいだに割って入るようにして、コンツが冷たく言い放った。

「さあ、参りましょう、ミスタ・ブラウン。ここでの私語は厳禁ですよ」

ティムは何も言えずに、ただ織絵をみつめた。涙をこらえた織絵の横顔が、客間のドアの向こうに消えた。

「この勝負、やはりあなたの勝ちですな」

廊下に出るとすぐに、コンツが囁《ささや》いた。

「彼女は感情に流され過ぎている。あの状態ではろくな講評ができるはずがない。これで勝負の行方が決定的になりました。……予定通りのことですがね」

ティムはぐっと奥歯を噛《か》んだ。いったい、どのタイミングでこいつの横っ面《つら》をぶん殴ってやろうか。

「それでは、ご健闘を祈ります。……よい旅を《ボン・ヴォヤージュ》」

最初の日と同じ言葉を告げて、コンツは去った。書斎に入ったティムは、マホガニーのテーブルの上に広げられた「夢をみた　第七章」のページに視線を落とした。

ルソー。いったい、あなたは、どうなってしまうんだ。

やはり、あなたは、誰にも認められずに、その生涯を終えるのか。

あなたの恋は、成就《じょうじゅ》せずに終わってしまうのか。

おれの思いと同じように——。

第七章　天国の鍵《かぎ》

薄ら明るいランプの灯火が、幾多の顔を照らし出しています。

黒い瞳でじっとみつめる無表情な女の顔。無愛想な男の顔。不気味な表情で固まった赤ん坊の顔。褐色の肌に大蛇を巻き付け、煌々《こうこう》と光る目をこちらに向ける異国の少女の顔。

アンリ・ルソーが描き出した数々の顔は、イコンの聖人たちにも似て、沈黙の中、アパルトマンのすすけた壁を一面におおい尽くしています。

ランプにあぶられている、さらにふたつの顔——ふさぎこんだ顔はヤドヴィガの、じりじりと焦《じ》れている顔は彼女の夫、ジョゼフのものでした。

「どうなんだ、あの人の容態は。そんなに悪いのか」

ジョゼフがテーブルに身を乗り出して尋ねます。ヤドヴィガは、「わかんない」、ため息とともに言い捨てました。

「いつも絵を出してる『アンデパンダン』とかいう展覧会のために、もう準備を始めなくちゃならない、って、気ばっかり焦《あせ》ってるけど……足を引きずって、歩きづらそうにしてるのよ。どうしたの、って訊《き》いても、大丈夫だ、って答えるばっかりで……」

その冬、ルソーの様子が明らかに変わりました。げっそりして、頰はこけ、目はくぼみ、なぜだか足を引きずっているのです。どう見ても具合がよくなさそうなのに、絵筆を離さず、ただ一心にカンヴァスに向かいます。何か悪いものにでも取りつかれたような、ただならぬ気配がありました。

ヤドヴィガは気になって、毎日のようにアトリエに顔を出すようにしていました。どうやら、ルソーは、ろくに食事もとらずに、絵筆を動かしているようでした。どうしたの、死神にでも取りつかれたんじゃないの？ そのうち絵筆も握れなくなるよ、などと、わざと茶化したりもしました。そのじつ、怖かったのです。鬼気迫る画家の姿には、ほんとうに死神の気配が感じられました。

「何か栄養のつくものを持っていってくれないか」

病床の父を気遣う息子のような口調で、ジョゼフが言いました。

「鶏《とり》でも、卵でも、なんでも……パンやワインの差し入ればかりじゃ、そのうちに倒れてしまうよ」

「そうしてあげたくても」ヤドヴィガは、もう一度ため息をつきました。「うちには、もうそんな余裕がないのよ」

もしも私を助けてくれると言うのなら、絵の具とカンヴァスを持ってきてはくれまいか。

溢れるほどの緑色《ビリジアン》の絵の具を。特大のカンヴァスを。それ以外は、何もいらない。

ルソーは、ジョゼフとヤドヴィガにそう依頼しました。ジョゼフは画材店で狂ったように緑色の絵の具を何種類も買いこみ、大小のカンヴァスを買い求めて、ヤドヴィガに持たせました。それまでにも、その画材店で、大量に絵の具やカンヴァスを買ってはルソーのアトリエに届けていました。そのうちに現金が底を突き、つけで買うようになりました。画材店への借金は、ふたりにとっては恐ろしいほどの金額に膨れ上がってしまいました。

「こん畜生！」ジョゼフはひと声、吠《ほ》えて、拳《こぶし》でテーブルを叩《たた》きました。

「あの人がいちばん困っているときに、役に立てないなんて……ああ、おれにもっと金があったら。おれが、有名な画商だったら」

こんなにも前衛的で、神秘的な力に満ち、新しい芸術の息吹《いぶき》を秘めた、とてつもない作品を、世界に認めさせることができるのに。

ジョゼフは、そのまま、顔を伏せました。心もとないランプの光が、彼の頬を伝う光るものを照らしていました。

「どうしてなのよ、ジョゼフ」

自分も胸にこみ上げる何かを感じながら、ヤドヴィガは訊きました。

「どうしてそんなに、あの人を――あの人の絵を、どうにかしようと思い詰めるの？」

ジョゼフは、黙って首を横に振りました。そのまま、両手で顔をおおって、嗚咽《おえつ》しました。ヤドヴィガは、手を伸ばして、ジョゼフのやわらかい髪をそっと撫《な》でました。自分の頬も濡《ぬ》れていることに気づきながら。

モンマルトルの丘、小さな広場に面したおんぼろ長屋。ヤドヴィガは、いまにも倒れそうな木造の長屋の壁を見上げておりました。

あった、ここだ。「洗濯船《バトー・ラヴォワール》」。

いつか、パブロ・ピカソが催した「夜会」へと、ルソーとともにやってきた場所。

息を切らして坂道を上ってきたヤドヴィガは、弾んだ息のまま、ピカソのアトリエのドアを叩きました。

「入ってくれ」

誰とも知らぬはずなのに、気楽に応答する声が聞こえてきました。ヤドヴィガは、朽ちたドアをそっと開けました。

スケッチブックやらイーゼルやらおどろおどろしい仮面やら、足の踏み場もないほど混雑した室内のいちばん奥に陣取って、ずんぐりした小柄な体が大きなカンヴァスに向かっています。ヤドヴィガが背後に立つと、ようやく振り向きました。そして、

「やあ、あんたか」と、威勢のいい声を出しました。

「珍客だな。なんの用だ。ルソーの絵でも売りにきたのか」

ヤドヴィガは何か言い返そうとしました。が、それよりさきに、描きかけのカンヴァスに目を奪われました。

そこには、実に奇妙な人物像が描かれていました。四角いブロックに分裂した男の姿——禿《は》げた頭、あごひげ、たっぷりした体格から、かろうじて男とわかります。けれどそれは、男というよりも、岩肌を削って掘り出した、作りかけの彫刻のような、不思議な立体感と奥行きがあるのでした。手を伸ばせば、ごつごつとした感触を覚えるかのような。

「……不思議な絵ね」

無意識に、言葉が口をついて出ました。ピカソは、「ああ。知り合いの画商の肖像

画だ」と軽く答えました。

「それも、ぜんえいっていうやつなの？」

ピカソは、思わず笑いました。

「そんなふうに呼ぶやつらもいるな。……でも、おれは、ルソーこそが『前衛』と呼ばれるのにふさわしい絵を描いていると思うよ」

「ほんとう？」ヤドヴィガの顔に、光が射《さ》しました。

実のところ、ぜんえいという言葉が、ほめているのかけなしているのか、わかりません。けれど、この男、パブロ・ピカソが言うことならば、不思議と受け入れられるのでした。

「奴《やっこ》さんに、何かあったのか」

ピカソは、手にしていたパレットを脇机《わきづくえ》に置いて、訊きました。

「あんたがわざわざおれのところを訪ねてきたとなると、それなりの理由があるんだろう」

打ち明けやすいように入り口を作ってくれた。やはりこの男にならなんでも話せる、とヤドヴィガは感じました。

「ここのところ、ずっと変なのよ。病気なんじゃないかと思うけど、教えてくれなくて……とにかく、絵の具がほしい、大型のカンヴァスがほしい、って言い続けて。じゃないと、今度の『アンデパンダン』に出品する最高傑作を完成できないから、って」

ピカソは、両腕を組んで、ヤドヴィガをみつめています。何もかも見通すような深いまなざしから逃れられないと感じて、ヤドヴィガは言いました。

「いままで、ずいぶん、絵の具やら食べ物やら、差し入れてきたわ。だけど、もう、あたしにはなんにもないの。何ひとつ、あの人にあげられるものは……」

そう言ってしまってから、急いでうつむきました。悲しくて、消えてしまいたかった。ルソーをもう支えられない、と宣言してしまったのが辛《つら》かったのです。

「それは違うな」

ピカソの声に、ヤドヴィガは顔を上げました。さっきと変わらず、深いまなざしを彼女に注ぎながら、ピカソが続けました。

「あんたがいるじゃないか。あんたを捧《ささ》げればいい。それが、奴さんの何よりの望みなんじゃないのか」

思いもしなかった言葉に、ヤドヴィガは耳まで真っ赤になりました。震える声で、

「ひどいことを言うもんだね」と言い返しました。

「あたしは売女《ばいた》じゃないんだ。そんなこと、できっこないよ」

「馬鹿《ばか》だな」ピカソは笑いました。

「モデルになってやれ、ってことだよ。知ってるかどうかわからんが、ルソーはモデルがいなけりゃ人物像が描けないんだ。あんたがモデルになってやれば、最高傑作ができるに違いないさ。それに――」

ヤドヴィガの目を見据えて、ピカソははっきりと言いました。

「それこそが『永遠を生きる』ってことだよ」

胸の中の泉に、ぽちゃりと言葉の小石を投げられたような感覚がありました。

永遠を生きる。

ピカソが、何度か投げかけてきた言葉。

あの人の女神《ミューズ》になって、永遠を生きればいい――。

ヤドヴィガは、ピカソの言葉を追いかけて、泉の底へと静かに潜っていきました。澄み渡った泉の底で、その言葉の意味をようやくみつけました。しっかりと両手にすくい取ると、急いで水面へ浮かび上がりました。

泉の底から戻ったヤドヴィガの顔には、真実をみつけた人の輝きが広がっていました。

冬の日のアトリエで、日がないちにち、ルソーは、バネのこわれた長椅子《ながいす》に寝そべって、うつらうつらと過ごしています。

いままでにないほど、描きたい、という思いが、体じゅうを駆け巡ります。すぐにでも起き上がって、パレットを持ち、絵筆を握りたい。意識はとっくにカンヴァスに向かい合っています。けれどどうしても、体がいうことをききません。

ルソーの意識は、いつしか、自分の体という殻を抜け出して、アトリエをさまよい、カンヴァスに描きかけた密林の奥深くへと分け入っていきます。奥へ、もっと奥へ。奥へ行けば行くほど、見たことのない風景があるはずだ。体験したことのない世界が待っているはずだ――。

熟れてこぼれ落ちる果実の甘やかなにおい。遠くで響く野獣の雄叫《おたけ》び。鼻先をかすめて飛んでいく極彩色の蝶《ちょう》の羽。冷たくやわらかいものが、足の裏にひやりと触れます。とたんに、熱した鉄鏝《かなごて》を脛《すね》に突きつけられたような激痛が走りました。あっと叫んで、ルソーは草むらに転倒しました。

卵を抱いた女蛇が、鎌首《かまくび》を上げてルソーをにらんでいます。ルソーは、地面に後ろ手を突いたまま、じわり、じわりと後退します。

待ってくれ。殺さないでくれ。私は、無害な人間だ。

決して君たちの棲《す》むこの森を侵そうとしているわけじゃない。

私は——ただ、私は、どうしようもなく引き寄せられてしまったんだよ。ここに棲む魔物に。芸術という、容赦のない魔物に。

ああ、どうしてなんだ。こんな事態になっても、私は、この密林へ戻って来ないという約束ができないなんて。

なぜなら、この場所こそが、私の天国だから——。

「アンリ。起きてちょうだい、アンリ。お客さんだよ」

肩を何度も揺さぶられ、ルソーはようやく目を覚ましました。目の前に、ヤドヴィガが立っています。「お客さん」と一緒に。

「しばらく会わないうちに、すっかりやせちまったな」

そう声をかけたのは、ピカソでした。ルソーは、「ああ、パブロ……」と、起き上がろうとして、うっ、とうめき声を上げ、また長椅子に逆戻りしてしまいました。

「こりゃあ、ひどい……怪我《けが》でもしたのか」

ピカソがひざまずいて、ルソーの左足を見ながら言いました。ルソーの足の脛には包帯が巻いてあり、そこからすっぱいような異臭が漂っています。包帯の表面は、膿《うみ》がにじんで黄色くなっています。

「なんでもないよ、これは……蛇に、噛《か》まれて……」ルソーは、とぎれとぎれに言いました。

「蛇？」ピカソは目を見開いて、かたわらに立っているヤドヴィガの顔を見上げました。ヤドヴィガは、小さく首を横に振りました。

「アンリ。次のアンデパンダンは、どうするつもりなんだ」

ひざまずいたままで、ピカソが訊きました。ルソーは、ふっと目を閉じて、顔を背けました。

「……だめだ。もう、描けないよ」

「どうして？」ヤドヴィガが、すかさず問い質《ただ》しました。

「あの展覧会が始まってからずっと、毎年、出品し続けてきたんでしょう？　どうしてそんな弱気なことを言うの？」

ルソーは、なおも顔を背けたまま、弱々しく答えます。

「描きたくても……どんなに描きたくても、もう、私には……絵の具も、カンヴァスもない。お手上げだよ……」

「しっかりしろよ、アンリ。顔を逸《そ》らさずに、ちゃんと見ろ」

ピカソが、少し怒ったような声で言いました。

「カンヴァスなら、ここにある」

ルソーは、ゆっくりと顔を上げました。

パブロが、ルソーの目の前に、大きなカンヴァスを掲げていました。そこには、水の底にたゆたうようにして、清澄な青ひといろの中に浮かび上がる母と子の姿がありました。

ルソーは目を見張りました。

「これは……カンヴァスじゃなくて、誰かの作品じゃないか」

震える声で言うと、ピカソは、にやりと口の端で笑いました。

「そう。どっかの貧乏画家の作品さ。この上に描けばいい。このカンヴァスは、ちょいと古いが、まだまだいけるぜ」

「そんな」ルソーは、声を振り絞りました。

「そんなこと、私にはできないよ。どんな貧乏画家だって、きっと、そいつにしてみれば、必死に描いたんだ。誰が認めなくたって、それは、その画家の作品だ。そいつの命だ。それを穢《けが》すことなんて、私にはできない……」

「目を覚ませよ、アンリ！」

ピカソがどなりました。ルソーとヤドヴィガは、同時に肩をぴくりと震わせました。

「そんなふうだから、あんたはなかなか認められないんだ。いいか、アンリ。おれたちの時代の芸術は、そんな生ぬるいもんじゃない。他人の絵なんざ、蹴散《けち》らすためにあるのさ。既成の価値観なんて、くそくらえだ」

いいか。もしも、あんたがいまから描こうとしている絵が、生涯でいちばん描きたい絵だとしたら――このカンヴァスに描いてある青白くてみじめったらしい母子像の上に、そいつを全部ぶちまけろ。

悲しみ一色、どん底の人生の絵の上に、極彩色の楽園を描いて、あんたのありったけの情熱を注ぎこんでやれ。

あんたが、おれたちの時代の芸術家を名乗るつもりなら。いいか、せめてそれくらいのことをやり遂げてから死んでくれ。

一気にまくしたてて、ピカソはルソーを見据えました。炎が燃え上がる目で。

ルソーの喉《のど》が、ごくりと音を立てました。肩も、腕も、足も、全部が震えていました。全身にみなぎる情熱を、もう止めることはできそうにありません。ルソーは、足もかばわずに、力を振り絞って立ち上がりました。

「情熱を……私の情熱の、すべてを」

うわごとのように、ルソーがつぶやきました。ヤドヴィガは、瞬《まばた》きもせずに、精霊が降り立ったかのごとき画家の姿を、一心にみつめていました。

日曜日がやってきました。前の晩に降った雪が、アパルトマンの中庭を、こんもりと白く染め上げていました。

いつもなら、山ほどの洗濯物をカゴに入れて、洗濯場に出かける時間。ヤドヴィガは、季節外れの小花模様の木綿のワンピースを着て、アパルトマンを後にしました。ルソーとともに、「夜会」に着ていったあのワンピースを身に着け、ヤドヴィガは、その日、「永遠を生きる」決心をしたのです。

「あたし、あの人のモデルになろうと思うの。そのあいだは、仕事できなくなるけど、いいかな」

仕事に出かけるジョゼフの背中に向かって、ヤドヴィガは言いました。ジョゼフは、振り向くと、どこか安堵《あんど》したように「そうか」と言いました。

「お前がモデルになることで、あの人が描く意欲を取り戻すなら、すばらしいじゃないか。きっと最高傑作になるよ」

妻の頰にキスをして、晴れやかな顔で出ていったのでした。

ヤドヴィガの胸の裡《うち》は、痛いくらいに昂《たかぶ》っていました。体の芯《しん》は、雪を溶かすほど燃え盛っていました。

永遠を生きる。

いつかピカソに言われたそのひと言が、鼓膜の奥でこだましています。それはまるで、目に見えるひと言、絵のような言葉でした。

私は今日から、永遠を生きる。

たとえルソーが死んでも、私が死んでも、絵の中の私は——永遠を生きるんだ。

ルソーの住むおんぼろアパルトマンの階段を、一段一段、踏みしめて上っていきます。天国へと繋《つな》がっている階段を進んでいるような気分になってきて、ヤドヴィガは、軽いめまいを覚えました。陶酔にも似た、不思議に甘い感覚でした。

アトリエのドアを叩《たた》くと、「どうぞ」、すぐに返事がありました。胸をときめかせながら、そっとドアを開けます。ドアの向こうに、真っ白い大きなカンヴァスが現われたのをみつけて、ヤドヴィガは驚きの声を上げました。

「新品のカンヴァスじゃない。……どうしたの？」

ピカソが持ちこんだ「青い母子像」を潰《つぶ》して新作を描く決心を、ルソーはしたばかりでした。その絵とほぼ同じ大きさの新品のカンヴァスが、まばゆい光を放っています。木製のスツールに座り、カンヴァスに向き合っていたルソーが振り向きました。

「きのう、私の知らない画商が、突然やってきて、置いていったんだよ。……これと引き換えに、パブロが持ちこんだ絵を買い取らせてほしい、と言ってね」

画商の名は、アンブロワーズ・ヴォラール。前衛画家の作品を扱う、新進気鋭の画商でした。ピカソが持ちこんだ母子像を引き取る代わりに、彼がルソーに提示したのは、同じサイズの真新しいカンヴァスと、現金五千フラン。貧しい画家にとっては、桁外れ《けたはず》れの金額でした。

ヤドヴィガは、一瞬、息を止めました。そして、恐る恐る、問いました。

「それで、あんたは……その取引に乗ったの？」

ルソーは黙っていました。重苦しい沈黙が、ふたりのあいだに流れました。

やがて、左足をかばいながら立ち上がると、ルソーは、真新しいカンヴァスの後ろから、同じ大きさのカンヴァスを取り出しました。ヤドヴィガは、もう一度、息を止めました。

そのカンヴァスは、あの「青い母子像」でした。

「なぜ、パブロが私に、『この絵の上に情熱のすべてをぶちまけろ』と言ったのか。ほんの少しだけ、わかるような気がしたんだ」

新しい何かを創造するためには、古い何かを破壊しなければならない。他者がなんと言おうと、自分にとって、これが最高にすばらしいと思えるものを作り出すには、そのくらいの覚悟が必要なんだ。他人の絵を蹂躙《じゅうりん》してでも、世界を敵に回しても、自分を信じる。それこそが、新時代の芸術家のあるべき姿なんだ。

パブロは、私に、そう訴えたかったのかもしれない。

ルソーは、そんなことを、ぽつり、ぽつりと話しました。そして、

「その画商には、絵が出来上がるまで返事は待ってほしい、と言っておいたよ。そうしたら、とにかくカンヴァスだけは置いていく、この絵は潰さないでくれ、って言われてね」

小さくため息をつくと、

「さて。……どっちに描けばいいんだ、私は」

ルソーのつぶやきを聞いて、ヤドヴィガは、かすかに笑い声を立てました。

「好きになっちゃったのね、あんた。この『青い母子像』を」

ルソーは、「その通りだ」と弱々しく微笑《ほほえ》みました。

「誰の作品か知らないが……私が敬愛していたブーグローともジェロームとも似ても似つかないが……私は、この作品が好きだ。好きで好きで、たまらなくなってしまっ

た」

じっとみつめているうちに、胸がいっぱいになる。しんしんとさびしくて、せつなくて、美しい。貧しくやせ細った母と子が、聖母子像に見えてならない。なぜだろう、涙が溢《あふ》れてくるんだ。

この静謐《せいひつ》な作品を燃やし尽くすほどの情熱が、私にはあるのだろうか。

ヤドヴィガは、黙ってルソーの言葉に聞き入っていました。ただ、青い母子像をみつめながら。それから、突然、ワンピースのボタンに指をかけると、次々に外し始めました。

ルソーの目の前で、ワンピースを脱ぎ捨て、コルセットを外し、下着を全部捨て去って、生まれたままの姿になったのです。

擦り切れた赤いベルベットの長椅子《ながいす》に横たわると、ヤドヴィガは言い放ちました。

「さあ、描いてちょうだい。あたしは、いまから、永遠を生きることにしたの」

ルソーがどれほど驚いて、また、どれほど感動に打ち震えたか。言葉にすることは、きっと、エミール・ゾラでもできなかったことでしょう。

永遠を生きる。

その言葉が現実になるのを、ヤドヴィガは、いまこそ、全身で感じていました。

ジャングルの葉陰、むっとするほど立ちこめる濃い草いきれ。さびしい音を立てて熟れて落ちる果実。獣たちの遠吠《とおぼ》え、草むらを滑る蛇。鳥の声に混じって聞こえくる、まやかしのごとき異国の笛の音。

長椅子の上で、ヤドヴィガは、いつしかルソーと固く抱き合っていました。ふたりは、いま、同じ夢をみているのです。ヤドヴィガは、生まれてから一度たりとも経験したことのないほどの強烈な陶酔に、体も心も、搦《から》め捕られるのを感じています。

ふと、空の彼方《かなた》に走る閃光《せんこう》を感じて、ヤドヴィガは上体を起こしました。生まれたままの姿のヤドヴィガは、ゆっくりと、左手を持ち上げました。しっかりと握りしめた手のひら。すぐ近くで、いいえ、ずっと遠くで、ルソーの声がします。

その手の中に、何を握っているんだい……ヤドヴィガ？

ヤドヴィガは、うっとりと、横顔で答えます。

天国の鍵《かぎ》よ。これを持っていれば、あたしたち、天国の門をくぐれるわ。――一緒に。

その鍵を、くれるかい。私は、さきに行くよ。君を連れていくわけにはいかないんだ。

どうして、アンリ？　あたしたちは、ひとつになったのよ。結ばれたのよ。もう永遠に離れないわ。

だめだ。君は、永遠を生きるんだ。

そのために、私は、この絵を描いた。そのために、私は、画家になったんだ。

君に、永遠の命を与えるために。

さよなら、ヤドヴィガ。私はいくよ。――幸せに。永遠に、幸せに。

いつまでも、君を忘れない――。


夏の名残がまだ色濃く残る九月二日、パリの空の下。

アンリ・ルソーは、ひっそりと、永遠の旅路につきました。

夏のあいだに左足の壊疽《えそ》が深刻になり、それが全身をむしばみました。なぜ、壊疽などができたのか。その当時の医学では、解明することはできませんでした。ほんとうに密林に出かけて蛇に嚙まれたんじゃないかと、担当医師がさびしく笑って言いました。

ルソーの告別式は、デュトー街の完成間もない教会で営まれました。明るく近代的な教会の雰囲気は、数少ない参列者たちをほんの少し元気づけてくれました。

参列者の中には、詩人のアポリネール、画家のロベール・ドローネー、ポール・シニャックがおりました。パブロ・ピカソの姿はありませんでした。

ヤドヴィガは、夫のジョゼフとともに、参列者の中に並んでおりました。すべての参列者の中で、ジョゼフがいちばん悲しみにくれていたのが、ヤドヴィガには、なんだかおかしく、また、いとおしくもありました。

「失礼、マダム。あなたは、『夜会』のときの……」

散会の段になって、アポリネールが声をかけてきました。ヤドヴィガは、顔にかけていた黒いヴェールを上げて、アポリネールに目を向けました。

一瞬、アポリネールが息をのむのがわかりました。そして、「やっぱり」とつぶやきました。

「あなたは、『ヤドヴィガ』ですね。ルソーの、最後の作品のモデルになった……」

はい、とヤドヴィガはうなずきました。隣にいたジョゼフが、小さく会釈《えしやく》をして、あいさつをしました。アポリネールが、ルソーの描いた「詩人に霊感を与えるミューズ」のモデルであると気づいたジョゼフは、「あの、失礼ですが」と、少し言いにくそうに切り出しました。

「あなたがモデルになったあの作品を、私どもにお売りいただくことはできませんでしょうか」

アポリネールは、答えました。

「私にとっては、亡《な》き友が遺《のこ》してくれた唯一《ゆいいつ》の作品なので、いまは手放せません。……あなたがたは、ルソーの絵の蒐集家《しゅうしゅうか》なのですか？」

アポリネールの問いに、ジョゼフは、うっすらと微笑みました。

「これから、そうなろうと決めました。あの人には、絵を見る喜びを教えていただいた。……これから生まれてくる子供にも、あの人の作品を見せて、絵を見る喜びを伝えようと思っています」

アポリネールは、ヤドヴィガに目を向けました。ヤドヴィガは、少しふくらんだお腹《なか》をゆっくりと撫《な》でて、静かに微笑みました。

「そうですか。ルソーも、きっと見守ってくれますよ。お幸せに」


告別式の散会を知らせる鐘が、初秋のパリの空に、高らかに響き渡ります。

教会から、ひとり、ふたり、参列者が出てきます。家へ、カフェへ、アトリエへ、それぞれに、行くべき場所へと去っていきます。

ヤドヴィガは、ジョゼフに手を引かれて、表通りを歩いていきました。一度だけ、教会を振り向こうとして、やめておきました。

鐘の音が、澄み渡った空で鳴り響いていました。いつまでも、永遠のように、響いていました。

一文字一文字、いとおしむように追いかけて、ティムは、最終章の最後のページ、最後の言葉まで読み切った。そして、長いこと抑えていた息を放った。

逝《い》ってしまった。——ルソーが。

歴然とした史実であるにもかかわらず、ティムは打ちひしがれた。しばらくまぶたを伏せていたが、はっと目を見開くと、思い出したように最後の行をもう一度見た。

——ない。

いままでの章では最後の行のいちばん後ろに記されていた大文字《キャピタル》が、なかった。ティムは、何度も最後のページを読み返してみた。どこかに隠されているかもしれない。しかし、何度チェックしても、大文字やイニシャルらしき文字は、文中にはみつけられなかった。

本の傍らにある金色の置き時計を見る。残り時間は、あと三分だった。

これでは、何もわからない。

一九一〇年九月二日にルソーが他界したことは、史実だ。足の壊疽が命取りになったことも。

しかし、ピカソ同様、ルソーの生前の最大の理解者だったアポリネールが葬儀に参列した、ということは現存の資料では確認されていない。つまり、この作者の「創作」か「新事実」ということになる。いや、それを言うなら、この物語のすべてが「創作」か「新事実」にほかならない。

さらには、アポリネールが言うところの「ヤドヴィガをモデルにしたルソー最後の作品」とは、いったい、どの作品のことを指しているんだ？

同年、アンデパンダン展に出品された「夢」のことか？　それとも、「夢をみた」のことか？

ルソーは、ピカソの画商だったヴォラールが持ちこんだという真新しいカンヴァスに「夢」を描いたのか？　それとも「夢をみた」を描いたのか？

ピカソに「この上に情熱をぶちまけろ」と言われた「青い母子像」の上に描いたのか？「夢」を――いや、「夢をみた」を？

あるいは、渾身《こんしん》の力を振り絞って、その両方を描き上げたのか——。

ティムは、全神経を集中して、最後のページをもう一度読んだ。このページに、重大な何かが隠されているかもしれない。それを、みつけるんだ。

ふと、ページの最後、ぽっかり空いた余白の部分に、ちいさなしみがあることに、ティムは気づいた。少し黄ばんだ紙が、かすかに盛り上がっている。ティムは、その部分を指先で触れてみた。

——涙？

涙の跡だった。まだ、ほんのり湿っている。ティムは、紙の下に指を差しこんで、その跡を注視した。客間に入ってきたときの、織絵の潤《うる》んだ瞳《ひとみ》が脳裡《のうり》に蘇《よみがえ》る。

織絵の涙だ——。

コンコン、と背後のドアを叩《たた》く音がした。「お時間です」とコンツの無慈悲な声が響いた。

ティムは、もう一度、涙の跡をみつめてから、羊革に包まれた書物を静かに閉じた。

ティムと織絵は、邸《やしき》の廊下に並んでたたずんでいた。レリーフが施された重厚なドアが、ふたりの目の前で固く閉ざされている。

ドアノブに手をかけて、「よろしいですか」とコンツが振り向いた。ふたりは、同時にうなずいた。

ぎい……と重苦しい音を立てて、ドアは、観音開きに向こう側へ開いた。

「やあ、諸君。この日を待ちわびていたよ」

しゃがれた、けれどしっかりした声が響き渡った。部屋の中では、邸の主、コンラート・バイラーが、正装して、車椅子に座り、ふたりを待っていた。その傍らに、「夢をみた」が掲げられている。

一歩、部屋に踏みこんで、絵のまばゆさに、ティムは思わず目を細めた。初めて目にした瞬間と同じように、いや、あのとき以上に、その絵は輝きを放っていた。真筆のみが持つ真実の輝きが、やはりそこにはあった。

ルソーが、画家としての命と、情熱のすべてを注ぎこんだ作品。

ヤドヴィガが「永遠を生きる」ために、彼女への愛を燃え上がらせて描き上げた楽園。

やはり、とティムは確信した。

これは真作だ。まちがいない。

この絵の下に、ブルー・ピカソが埋もれているかどうかは、確定できないが——。

「夢をみた」の構図は、MoMA所蔵の「夢」に酷似していた。絵肌《マチエール》もルソーらしい堅牢《けんろう》さとつややかさとをたたえている。しかし、色調や植物の種類などが微妙に異なっていた。「詩人に霊感を与えるミューズ」と同様、ふたつの作品は似て非なるものだとわかる。

最大の相違点は、この絵の中のヤドヴィガの顔が、よりやさしく、慈愛に満ちたものであることだ。それは、「夢」の中のヤドヴィガが、どちらかといえば悲しみをたたえた乙女の横顔であるのに比べて、「夢をみた」のヤドヴィガは、いかにも幸せそうな、満ち足りた横顔であると感じられる。そう、言ってみれば、愛情深い母親のような。

ティムは、隣の織絵をそっと盗み見た。まっすぐに作品に向かい合う横顔には、もう涙はない。決して感情には流されない研究者の顔に戻っているのを見て、ティムは安堵《あんど》した。

「それでは、先攻後攻を決めさせていただきます。このコインで」

ふたりの前に立つと、コンツがスイスフランの銀貨をかざした。宙に弾《はじ》かれた銀貨を手の甲で受け、片手でぴたりとそれを隠す。ティムが先攻、織絵が後攻と決まった。

「講評時間は十分間です。よろしくお願いしますよ、ミスタ・ブラウン」

手の中のストップウォッチを見せて、コンツが意味深な笑いを浮かべた。それには応《こた》えずに、ティムは、ちらとバイラーを見た。白濁した目が、ティムを見据えている。続いて織絵を見た。真剣なまなざしを一心にこちらへ向けている。どちらも、祈るような目だった。

ティムは、小さく息を吸いこんだ。そして、言った。

「この作品は――贋作《がんさく》です」

一瞬、空気が張り詰めた。いまから自分の話すことのすべてが、バイラーが満足する内容ではない、とわかっている。それでも、ティムは続けた。

「この作品には、ルソーのメチエが、すなわち、ルソーという画家の作品の特徴が、あまりにも極端に表れ過ぎています。これは、おそらく、MoMA所蔵の『夢』と同じ下絵《エスキース》を使って描かれたものでしょう。そしてそれが、いささか誇大気味に表現されています」

ルソーの絵画制作のプロセスは、エスキースを拡大し、画面上に緑や動物などの細部を描き加えていく、ということは知られている。そこにはいかなる即興性もない。どこまでも生真面目《きまじめ》に、エスキースを拡大したカンヴァスに、緻密《ちみつ》に絵の具を塗り重ねていくのがルソーの特徴であり、彼のルールである。生真面目なあまり、構図や遠近法において破綻《はたん》が生じるが、それがむしろルソーらしさ、結局は画家のメチエとなっている。

ところが、この作品では、それらのルールが極端に守られすぎていて、一分の隙《すき》もない。それがかえって不自然さをもたらしている。

この作品の場合、「夢」同様、教理的な画面構成になってはいるが、これほどの大画面を緊密に分割して、ディテールを塗り固めていく手法には、あまりにもルソー的なテクニックと、ルソーを超えた知性を感じざるを得ない。また、本作の中心的なモチーフとして描かれた「ヤドヴィガ」は、ルソーの描いたどの人物像よりも、可憐《かれん》で、生き生きし、命がこめられている。ルソーの全作品を回顧しても、これほどまでに卓越した人間らしさを、また高い精神性を感じさせる人物像は認められない。

従って、この作品は、ルソーの最後の作品「夢」をもとに、同時期か、やや遅れて、ルソーの画法を詳しく研究し、また、ルソーという画家を深く解釈し得た画家が制作したものと思われる。

その画家とは——。

ティムは、バイラーの白濁した目をみつめて、静かに言った。

「パブロ・ピカソです」

バイラー、コンツ、織絵が、同時に息をのむのがわかった。ティムは、三人が落雷に打たれたように動けなくなってしまったのを認めながら、続けた。

「これは、ピカソの手による贋作です。それが私の結論です」

「ちょ……ちょっと待ってください」呪縛《じゅばく》が解けたように、コンツが前のめりになって口を挟んだ。

「じゃあ、あなたの解釈は……ピカソが、自分の『青の時代』の作品の上に、わざわざルソーの『夢』の贋作を描いたと言うのですか」

「残念ながら、そこまではわかりません」ティムはコンツの目を見据えて返した。

「物語の最後の章には、新品のカンヴァスと、ピカソが持ちこんだ『青い母子像』、そのどちらの上に『夢』を描いたのか、そして『夢をみた』を描いたのか描かなかったのか、はっきりと書かれてはいませんでした。この絵の下にブルー・ピカソがあるのか、あるいは、わが美術館所蔵の『夢』の下にそれが匿《かく》されているのか。X線検査でもしない限りはわかりません」

痛いほどの沈黙が、四人の周囲を取り囲んだ。バイラーは、じっと考えこむように、膝《ひざ》の上で両手を組んでいたが、やがて口を開いた。

「なぜ、これを描いたのがピカソだと君は思うのかね、ムッシュウ・ブラウン？」

ティムは、うっすらと微笑《ほほえ》んだ。

「これほどまでに、ルソーを深く理解し、尊敬し、彼の特徴を捉《とら》え、それを深化させて描ける画家は、ピカソ以外には存在しないからです」

自分で言いながら、あり得ない、と思っていた。まったくの、口からでまかせだった。

ほんとうは、真筆だと言いたかった。けれど、自分のあとに講評を控えている織絵が「贋作」と言うことはもうわかっている。贋作であると証明した上で、作品を勝ち取る。それが、キーツが彼女に課した使命《ミッション》なのだから。

バイラーは、この作品を偏愛している。当然、どちらの専門家にも「真作である」と言わせたい。その上で、完璧《かんぺき》な講評を述べたほうに軍配を上げるつもりなのだ。

これを贋作だと言った上で、自分は荒唐無稽《こうとうむけい》な講評をする。そうすれば、この勝負は織絵のものになる。

それが、ティムの結論だった。そして、織絵への最後の投げかけだった。勘のいい織絵が、自分のサインに気づくことをティムは祈った。

どうか、この絵を救ってほしい。この絵が「ピカソの上のピカソ」なんていうことは、ほとんど考えられないことだ。けれど、あえてそう言っているのは――たとえば、これが「ピカソの上のルソー」ではなく、「ピカソの上のピカソ」だったとしたら、表面の絵を撤去することを、テート・ギャラリーは思いとどまる。そうじゃないか？

この絵を、救ってほしい。どうにかして、君にルソーを守ってほしいんだ——。

「よかろう。では、次はあなたの番だ。マドモワゼル・ハヤカワ」

バイラーは、白濁した目を織絵に向けた。何も聞こえていないのか、織絵は石像になってしまったかのように動かない。コンツが小さく舌打ちするのが聞こえた。

「どうなさいました、ミス・ハヤカワ？　持ち時間は十分ですよ、早く……」

コンツに促されても、織絵は、まっすぐに「夢をみた」をみつめたまま、何も答えず、動きもしない。

そのまま、数分が過ぎた。ティムの中で、次第に不安が膨れ上がってきた。

どうしたんだ、オリエ。なぜ、何も言わないんだ。

君らしい、胸のすくような講評をぶってくれ。ルソー研究者の威信をかけて。さもなければ、おれの気持ちの行き場がないじゃないか。

コンツが、ふっと吐息のような笑い声を立てた。

「どうやら、ミス・ハヤカワはこの講評を棄権されるようですね。何もおっしゃらないようでは、そう見なさざるを得ません。ということは——取り扱い権利《ハンドリングライト》は、ミスタ・ブラウンに……いかがでしょうか、ムッシュウ・バイラー？」

その瞬間に、織絵が顔を上げた。確信に満ちた声で、彼女は言った。

「……真作です」

今度は、ティムが息をのむ番だった。織絵の瞳には、不思議な光が宿っていた。その光が、一瞬、揺らめいたかと思うと、透き通った粒になって、頰を滑り落ちた。

「この作品には、情熱がある。画家の情熱のすべてが。……それだけです」

織絵の講評は、ただそれだけだった。それだけなのに、深くティムの心を打った。

画家の情熱のすべてがある。

それこそが、アンリ・ルソーがこの絵の中に表現したいことだった。

あの「物語」の中で、おのれの情熱のすべてをぶちまけろ、とピカソは言った。新しい何かを創造するためには、古い何かを破壊しなければならない。世界を敵に回しても、自分を信じる。それこそが、新時代の芸術家のあるべき姿なんだ。息子ほども歳《とし》の離れた天才画家の進言を、ルソーはそう解釈した。

世間の揶揄《やゆ》と嘲笑《ちようしよう》に耐え、自分の画法を貫いた画家。死後七十年以上も経《た》ったいまでも、評価が定まらずに「税関吏《ドワニエ》」と呼ばれ続けている。遠近法も知らぬ日曜画家、といまだに言われている。

それなのに、ティムはこの画家にとらわれてしまった。そして、ここまでやってきてしまったのだ。自分のキャリアと命運をかけて。そして、キュレーターとしての情熱のすべてをかけて。

ルソーがその生涯を通して絵画に注ぎ続けた「情熱」こそが、自分をそうさせたのではないか。

この作品には、情熱がある。

織絵は、そのひと言を述べるために、専門家の知識を捨てた。研究者のプライドを捨てた。そんな講評をすれば負けるとわかっていて、言わずにはいられなかったのだ。恋人に課せられた使命を裏切り、彼の期待に背を向けたのだ。この作品を、テートに持ち帰らないと決めたのだ。――ルソーを守るために。

コンツが、ほっと息を放った。そして、「それだけですか？」とせせら嗤《わら》って言った。

「それじゃ講評になっていない――」

「君は少し黙っとれ」鋭い声で、バイラーが制した。コンツは、ぐっと言葉をのみこんだ。

「確かに、それでは講評にならん。それでも構わないのかね、マドモワゼル・ハヤカワ？」

「ええ」と織絵は、指先で涙を拭《ぬぐ》うと、微笑んだ。

「構いません」

その瞬間、ティムが一歩前へ出て叫んだ。

「待ってください」

三人の顔が、いっせいにティムのほうを向いた。ティムは、必死に抑えつけていた自分のほんとうの思いが溢《あふ》れ出すのを、もう止めることができなかった。

「私も——マドモワゼル・ハヤカワの意見に同意します。この作品には情熱がある。これは……間違いなく、ルソーの最高傑作です」

空気が一瞬にして氷結した。

コンツは声も出せずに、口を半開きにして凍りついてしまった。織絵は、驚きのまなざしでティムをみつめている。バイラーの表情はみるみる険しくなり、苦々しい声が喉《のど》の奥から聞こえてきた。

「君は、これはピカソが描いた贋作だと言ったじゃないか。前言を撤回するのかね」

「いえ、それは……」と言いかけて、ティムは言葉に窮してしまった。

思わず口をついて出た「ルソーの最高傑作」のひと言。それが、自分にとって真実の結論だった。

ひと目見た瞬間に覚えた、一気に作中に引きこまれる強い衝撃。それは、少年時代、生まれて初めてMoMAを訪れ、「夢」に出会った瞬間に覚えた感覚とまったく同じだった。

作品が放つ荒々しい太古の力。密林に宿る生命の気配。長椅子《ながいす》に横たわるヤドヴィガの誘いかけるような横顔。そして、水平に掲げられ、握りしめた手。そこには、きっと「天国の鍵《かぎ》」が握られているのだ。

アンリ・ルソーがその情熱のすべてを捧《ささ》げて描ききった最高傑作。

それが、動かざる真実だった。――それこそが、ティムのほんとうの気持ちだった。

「ありがとう。そう言ってくださっただけで、もう十分です」

長い沈黙を破ったのは、織絵だった。その目は、再びうるんでいた。ティムの胸はえぐられそうだった。

ルソーを救いたい。それはすなわち、織絵を救いたい、という思いにほかならなかった。

そのどちらも自分は救うことができないのか。

いや、きっと救える。最後のカードが、自分にはまだ残されている――。

　バイラーは、黙考していた顔をゆっくりと上げ、ふたりの顔をみつめた。まず織絵を、それからティムを。そして、傍らに掲げられている絵、「夢をみた」に顔を向けた。

　短くない時間、伝説のコレクターは、この作品とともに生きてきた。自分が年老いて、やがて死んでいくことを止めることはできない。けれど、作品は、永遠に生きていくのだ。この絵を愛し、守り、次世代に伝えようとする誰かがいる限り。バイラーは、この絵を託す人物が、その「誰か」であることを望んでいる。ティムは、バイラーの長い沈黙に、老コレクターの未来への希望を感じ取った。

　バイラーは、絵の中の女主人公、ヤドヴィガをみつめていた。「永遠を生きる」横顔を、いとおしむように。

「……私の結論を発表しよう」

　やがて、しゃがれた、しかしおごそかな声が響き渡った。

　ティムは、胸の鼓動の高鳴りを全身で感じながら、拳《こぶし》を握った。織絵は、凛《りん》として立ち尽くしている。コンツは、口を固く結んで目を伏せた。

「ムッシュウ・ブラウン。――勝者は、君だ」

　その声は、「夢をみた」の中から聞こえてくるようだった。ティムは、顔を上げ、バイラーではなく、絵の中のヤドヴィガを見た。慈愛に満ちたおだやかな横顔を。その刹那《せつな》、物語のラストシーン、パリの空に響き渡る鐘の音が、耳をかすめたような気がした。

コンツの顔に、見たこともないような笑みがこぼれた。織絵は、黙って、静かなまなざしをティムに投げかけた。

「最初は……贋作と言ったのに、ですか」

ティムが重い口をようやく開いた。やりきれなかった。こんな形で自分が勝者になるのは、どうにも納得できなかった。

「面白いと思ったんだ」自分に言い聞かせるように、バイラーが返した。

「これをピカソが描いたという説は、まったくもって新説だ。真贋判定は別としても、研究者としての君の気概に軍配を上げたのだ」

やはり、コンラート・バイラーは怪物だった。ティムは、勝者となっても、微笑の片鱗《へんりん》すらも浮かべなかった。

おれが最後に闘うべきは——この怪物だ。

「君には、この作品の取り扱い権利を渡そう。このさきは、煮て食うなり焼いて食うなり、好きにすればいい」

バイラーが言った。その言葉に捨て鉢な感情がこめられているのを、ティムは素早く感じ取った。

バイラーは、納得していないのだ。おれの手に、「夢をみた」が渡ることを。MoMAの所蔵品となることを期待していたからこそ、おれを──MoMAのチーフ・キュレーターである「トム・ブラウン」を呼び寄せたんじゃなかったのか。そうだ、だったらおれの手に渡ったことをもっと喜んでいいはずだ。

もしかして、コンツとマニングがおれを脅迫していることに気づいているのか？　さらには、織絵の背後にキーツとオーウェンがいることも、すでに知っているのだろうか？

つまり、ふたりのどちらの手に渡っても「夢をみた」がこの世から消え失《う》せると、もはやバイラーはあきらめてしまったのだろうか──。

コンツが、革製のバインダーに挟んだ権利書とペンをティムの手もとに差し出した。

「さあ、ここにサインを」と、狡猾《こうかつ》な弁護士は囁《ささや》いた。

「ニューヨークで、例の人物があなたの帰りを待ち受けています。お忘れなく」

ティムは、すばやく権利書に目を通すと、黙ってペンを手に取った。早くサインしろ、と言わんばかりに、コンツはバインダーを広げている。ティムは顔を上げて、バイラーに向かって言った。

「煮て食うなり焼いて食うなり、とは、ずいぶん乱暴ですね。あなたがこれほど巧妙なゲームを仕掛けてまで、どうにかしようとなさった作品の末期《まつご》が、気にならないのですか」

バイラーは、ほんの一瞬、孤独な王のような表情を浮かべたが、すぐに強気な顔に戻って、「だからだよ」と言った。

「わしはこの通り、老い先短い身だ。あの『物語』を読み、この作品を見て、この場で講評できる人物は、世界で最もすぐれたルソー研究者であり、作品の価値を理解できる人物だ。そう信じて、わしは、君たちふたりを招いたのだよ」

そう言いながらも、その声には、あきらめきれない思いが残っていた。この作品を守ってくれ、次世代に伝えてくれ。去りゆく老コレクターの、どうしても断ち切れない希望の気配が色濃くあった。

どうやら、最後のカードを切るときがきたな。

ティムは、バイラーを正面に見据えると、静かに言った。

「それでは、お言葉に甘えて、私はこの権利をひとまずいただくことにしましょう」

コンツがいらいらと差し出す権利書に、ティムはサインをした。それから、もう一度バイラーに向かい合うと、「それでは」と大きな声で宣言した。

「私は、この作品をあなたから継承するのに最もふさわしい人物に、いま、この場で、取り扱い権利を譲ります。つまり、あなたの唯一《ゆいいつ》の血縁者である方に」

ティムは、後ろを振り向くと、執事のシュナーゼンに声をかけた。

「私のゲストを、お連れいただけますか」

コンツの顔に驚愕《きょうがく》の稲妻が走った。バイラーが、車椅子に座った身を乗り出した。

織絵が、不思議そうな目を上げた。

重厚なドアが、音を立てて開く。

その向こうから現われたのは――ジュリエット・ルルーだった。

第十章 夢をみた

一九八三年 バーゼル

執事のシュナーゼンがうやうやしく頭を下げるすぐ前を通り過ぎ、ウェーブのかかった栗色《くりいろ》の長い髪を揺らして、ジュリエット・ルルーがティムの隣へやってきた。色を失っていたバイラーの顔に、みるみる赤みがさした。車椅子《くるまいす》の上から転がり落ちそうに前のめりになりながら、バイラーは声を絞り出した。

「ジュリエット……お前、バーゼルへ帰ってきとったのか……」

バイラーの白濁した目をみつめながら、ジュリエットは、消え入りそうな声で呼びかけた。

「……おじいさま」

織絵が、ティムを見た。いったいどういうことなの、と問いかける目だった。一方、コンツは、唇を噛《か》んで、いまいましげな表情を隠せずにいた。ティムは、驚きで身じろぎもできない一同を見回すと、言った。

「四日まえ、彼女は私に声をかけてきたんです。自分はインターポールのアートコーディネーターであり、『夢をみた』を追跡している者だと。そしてその行く末を誰よりも案じている人間なんだと」


昨晩、ミットレレ橋のたもとで、ティムはジュリエットに打ち明けられた。私は、コンラート・バイラーのたったひとりの孫。唯一《ゆいいつ》の血縁者なのよ、と。

——私と祖父は、長いあいだ、彼のコレクションを巡っていさかっていたの。

祖父は、表舞台でこそ活躍はしなかったけれど、美術界の裏舞台で多くの名作を取り扱い、成功を収めたプライベート・ディーラー。ひとり娘だった私の母を掌中の珠《たま》のごとく大切にし、溺愛《できあい》して育てたの。

母は、貧しい学者だった父との結婚を反対され、父とともにリヨンへ駆け落ちして私を産んだ。そして私が十四歳のとき、祖父と和解することなしに、病気で天国に召されたの。大学で美術史の講師をしていた父もまた、私が大学を卒業するのを待っていたかのように、病気で亡《な》くなってしまった。

私はひとりぼっちになった。それでも、それまでに学んできた美術史の研究を続けたいと思っていたの。なんとか自立の道をみつけようと模索していた。

そんなとき、連絡があった——私の祖父だという人物から。半信半疑でバーゼルを訪ねて、驚いたわ。名前だけは聞いたことがあったけど、ほんとうに存在しているとは思いもしなかった伝説のコレクターが、まさか私の祖父だったなんて。私は、これは母が遺《のこ》してくれた幸運だと信じて、祖父とともに暮らすことにしたの。

彼の所有する信じ難いコレクション、その作品の分析と研究に、私は夢中になった。祖父は、かつて母に対してそうだったように、私を溺愛した。いま思えば、駆け落ちしたきり戻らなかった母を、私に重ねて見ていたんでしょうね。

私は美術関連の仕事に就きたかったのだけれど、祖父がどうしても首を縦に振ってくれない。美術の世界は欲にまみれているとか、ひどい目に遭うのが落ちだとか言って。何かおかしいと思ったわ。誰よりも美術を愛する祖父が、どうしても私をその世界に行かせてくれないなんて。それで、コレクションにある作品の来歴《プロヴィナンス》をつぶさに調べてみると、どうやら闇《やみ》マーケットで入手した盗品や、真贋《しんがん》のはっきりしない作品が多いことに気がついた。

祖父は、コレクションの中でも、特別にアンリ・ルソーを偏愛していて、ルソー作品といいわれているものを信じられないほどたくさん所有していたの。けれどそのほとんどが、カタログ・レゾネにも出ていないような、来歴も真贋もわからないものばかり。ルソーの作品は市場の評価が定まっていないのだから、転売するにはうまみがない。なぜ祖父がルソー作品ばかりを盲目的に所有しているのか、意味がわからなかった。

そんな祖父が、どうしても手に入れたいと望みながら、なかなかみつけることができずにいた作品——それが「夢をみた」だったのよ。

邸《やしき》に出入りする怪しげなアートディーラーたち、ときには高名な学者やキュレーターもいたけれど、祖父は彼らにあまねく依頼していた。なんとかして「夢をみた」を発見してほしい、もしみつかったら言い値でそれを買い取る、と。けれどルソーの最晩年に描かれた大作で存在が確認されているのは、あなたの美術館にある「夢」一点だけ。「夢をみた」という作品があるなどとは、どんな研究者も認めていないし、あるのかないのかわからない幻のような作品に、なぜ祖父がそんなにも固執するのか、私にもさっぱりわからなかった。

実はその頃、祖父の手もとには、いまあなたたちが読み進めている物語「夢をみた」がすでにあったらしいの。けれど祖父は、それを厳重に保管して、誰にも見せなかったのよ。私も、そんな資料があることすら知らされなかった。知っていたのは、祖父の側近、エリク・コンツだけだったと、あとからわかったのだけど。

私は、祖父がそんなにも夢中になっている画家の謎《なぞ》に迫ってみたくなった。そして、幾多の作品に囲まれ、つぶさに研究するうちに、私自身がすっかりとらえられてしまったのよ――アンリ・ルソーの魔力に。

同時に、祖父とは意見の食い違いが明らかになってしまった。ルソーの評価を高めるためにも、祖父が所有するすべてのルソー作品を世間に公表する必要がある、と主張する私。絶対に誰の目にも触れさせたくない、と言い張る祖父。ふたりのあいだには、容易には埋められない深い溝ができてしまった。

そうこうするうちに、インターポールが接触してきたの。祖父のコレクションについて調査したいと。いったんは断ったのだけれど、ならばアートコーディネーターの職に興味はないかと打診してきた。それで、決心したのよ。祖父のコレクションの闇を暴《あば》くために、祖父のもとを離れ、プロフェッショナルとして追跡しようと。

そうして私は、インターポールの一員となるために、この邸を出た。自由に美術の研究がしたい、とだけ祖父に告げて。祖父は怒り、嘆き悲しんだ。けれど、最後にはもう何も言わなかった。お前もお前の母親と同じように出ていくんだな――と、悲しみに沈む彼の目が訴えていた。もう二度と戻らない覚悟で、私はバーゼルを後にしたの。

それから二十年。追えば追うほど、闇は深くなるばかりだったわ。そして、祖父が「夢をみた」を購入したとの情報を得て、独自に調査を始めたの。追いかけるうちに、あの作品の下にブルー・ピカソが匿《かく》されているかもしれないことや、その獲得を巡ってさまざまな動きがあることをつかんだ。そして、ルソーの研究者が祖父に招かれて、作品の鑑定に関わることも。——物語「夢をみた」の存在も。

作品「夢をみた」に関するほとんどの情報を、たったひとつのことを除いて、私は把握している。ただひとつだけ、私が知り得なかったのは……物語「夢をみた」に何が書かれているか、ということ。皮肉なことに、そこに作品の決定的な秘密が匿されている、ということはわかっていたんだけどね。

祖父の目は白内障が進んで、ほとんど視力を失いつつある。そして、手術と薬でどうにかごまかしてきた持病の心臓病もある。もう余命いくばくもないと悟ったのでしょう。最も信頼できる人物に「夢をみた」を託したかったのよ。作品と物語の、両方を。

けれど、さしもの祖父も気づいていないのよ。あなたの背後にも、オリエ・ハヤカワの背後にも、「表面のルソー」を消してピカソを手に入れようとする欲深い輩《やから》がついていることに。すべての情報を、エリク・コンツが注意深く操作しているから。三十年以上も祖父の側近を務めて、祖父の会社が経営難に陥ったのを救った実績もある。コレクション形成のための資金調達もやり遂げた。彼が動けば、祖父と私のあいだの深い溝を埋めることもできたかもしれない。けれど、彼はそうしなかったのよ。むしろ私が出ていくのを嬉々《きき》として送り出した。

祖父が命を賭《と》して愛し、守り抜いた作品「夢をみた」を、後世に伝える方法はないのか。

考え抜いた結果、あなたに接触することを決めたの。

あなたの研究者としての良識と、キュレーターとしてのプライド、そしてルソー作品への深い愛情に、私はすべてを懸けることにした。ＭｏＭＡ追放の危険を冒して、あなたはやって来た。ルソーの幻の傑作を目にするために。その情熱だけが、いま、私が唯一信用できるものなのよ。

だから、約束して。明日、必ず勝つと。祖父の思いを後世に伝えるために、ルソーを守るために、あなたの協力が必要なのよ――。

ジュリエットに打ち明けられて、ティムは、その場で申し出たのだった。

――すべてを打ち明けてくださったあなたの勇気に感謝します。

もしも自分が勝者となったら、その場であなたに作品の取り扱い権利《ハンドリングライト》を譲りましょう。それが、作品を救う唯一の道となるだろうから。

そのために、明日、邸にいらしてください。おじいさまと向き合うのを、もう恐れてはいけない。

ただし、私が勝つ自信が百パーセントあるかといえば、そうは言い切れない。オリエ・ハヤカワは手強《てごわ》い相手です。万一、彼女に軍配が上がったら、そのときは彼女に作品の運命を委《ゆだ》ねましょう。

私は、彼女の研究者としての良識とプライド、そしてルソーへの愛情が、私以上に揺るがないものであると信じたいのです――。

そして、今日。

講評で、ティムは、織絵に作品が渡るように、つまり、わざと自分が負けるように仕向けてしまった。フェアに闘うつもりだったが、予想をはるかに超えて強い気持ちが働いてしまったのだ。織絵に勝者となって、幸せになってもらいたい――彼女への思いが、制御不能なほど強く動いたのだった。

しかし、結局、バイラーはティムに軍配を上げた。そこで、最後の最後に、ティムはカードを切った。最愛の孫、ジュリエットをバイラーに引き合わせる――というカードを。

「この作品、『夢をみた』を継承するにふさわしい人物は、私でも、マドモワゼル・ハヤカワでもない。私たちの背後にいる人物でもない。あなたの唯一の血縁者、ジュリエットこそが、その人です」

祖父と孫娘は、みじろぎもせずに、うるんだ瞳《ひとみ》でみつめ合った。

伝えたいことは山ほどある。言いたい言葉がさざ波のように押し寄せる。それでも、万感の思いが胸に募り、ただみつめ合うこと以外にできない――という様子で。

「いやはや……そんなことを唐突に言われても、いかんともしがたいですな。ご覧なさい、おふたりとも、すっかり困り果てておられるじゃありませんか」

いかにも落ち着いた風情《ふぜい》を装《よそお》って、コンツがバイラーとジュリエットのあいだに立ち入った。が、その声は焦燥のあまりしゃがれていた。まったくこの男は、みつめ合うふたりのあいだに割って入るのが性分のようだ。

「『煮て食うなり焼いて食うなり好きにしろ』。ムッシュウ・バイラーはそうおっしゃいました。作品の取り扱い権利所有者となった私が、作品をこのさきどうしようと勝手であると」

ティムは、コンツに近づくと、サインをしたばかりの取り扱い権利委任状が挟まれたバインダーを、彼の手の中からいきなり取り上げた。あっと声を上げて、コンツがすぐにそれを取り戻そうとした。「おっと」ティムは身をかわして、バインダーをしっかりと抱きかかえた。

「ムッシュウ・バイラーにお許しいただけなくとも、この通り、作品の権利はもう私の手中にある。それをジュリエットに譲り渡すだけのことです」

コンツは、燃えるような憎悪《ぞうお》のまなざしでティムをにらみつけた。それから、ふん、と鼻を鳴らしてせせら嗤《わら》うと、

「残念ながら、その委任状は無効だ」

そう言い放った。それから、車椅子の上で彫像のように固まったままのバイラーを振り向くと、思いきったように告げた。

「ムッシュウ・バイラー。どうやら、真実をお伝えするときがきてしまったようです。……この男は、あなたがこの邸へ招待なさったMoMAのチーフ・キュレーター、トム・ブラウンではありません。あろうことか、この男は……」

空気が再び張り詰めた。緊張感が十分に場に満ちるのを待ってから、コンツは言った。

「……トム・ブラウンのアシスタント、ティム・ブラウンなのです」

その場にいる全員が、言葉を失った。その様子を確認すると、コンツは、勝ち誇ったように放言した。

「この男は、自分のボス宛《あ》てにきた招待状をかすめ取って、彼になりすまし、まんまと講評の日を迎えたのです。『夢をみた』を獲得した暁には、ルソーの作品ではなく、この絵の下に匿されているピカソの作品としてオークション会社に売り払い、巨万の富を得ようと狙《ねら》っていたに違いない。しかし、そのもくろみは破綻《はたん》した。なぜなら、彼は、委任状に『トム・ブラウン』と偽《にせ》の署名をしたのですからな」

バインダーを抱えて立ち尽くすティムに向かって、コンツは最終通告のごとく、言い渡した。

「異論はないだろうね、ティム。君が偽名を騙《かた》り、偽名でサインをした限り、この勝負も、その委任状も、すべて無効だ」

ティムは、一瞬、息を凝らした。

すべての視線が自分に集まっている。バイラーの目、ジュリエットの目、そして織絵の目。不思議なことに、そのどれもが、祈るようなまなざしだった。

……ゲーム・オーバーだ。

小さく息を吸って、ティムは、言葉を発しようとした。——その瞬間。

「いかにも。……わしが招待したのは、ティム・ブラウンだ」

バイラーのおごそかな声がした。

想像もしなかったひと言に、ティムは目を見開いてバイラーを見た。そして、瞬《まば》きをするのも忘れて、怪物が打ち明けるのをみつめていた。

バイラーは、最初から、トム・ブラウンではなく、ティム・ブラウンを、この講評の場に招待するつもりだった。

講評会を執り行うと決めたとき、バイラーは、世界で最もすぐれたアンリ・ルソーの研究者をふたり、選出した。テート・ギャラリーの「キーツ」と、ＭｏＭＡの「ブラウン」。その両名に向けて、代理人として招待状を作成し、郵送するように。バイラーは、コンツにそう申し付けた。

招待状は確かにコンツが作成し、彼が差出人となった。彼は手紙の下書きと、宛名と住所を書いたメモをバイラーの秘書に渡し、タイプで清書したのち投函《とうかん》するように指示した。秘書は言われた通りに仕事をし、手紙にコンツの署名を記入してもらうと、手紙と封筒を持ってバイラーの書斎へ赴いた。律儀《りちぎ》な秘書である彼女は、彼女のビッグ・ボスが、いかなる些末《さまつ》なことであろうと自分が最後にチェックしなければ機嫌が悪くなることをわかっていた。バイラーは封筒の宛名を眺めて、彼女に言った。「ミスタイプがある」。わしが招待したいのは、トム・ブラウンではない。ティム・ブラウンだ。「Tom」と「Tim」、一文字違うじゃないか。封筒の宛名はすぐさま訂正され、そののちに投函された。

「ティム。君は、自分宛てにきた招待状を持って、ここへやって来た。そして講評に臨んだ。君は、一度も自分を『トム・ブラウン』とは名乗らなかったし、わしは、一度も君に『トム』と呼びかけはしなかった。わしだけじゃない。コンツも、マドモワゼルもそうだ。違うかね、諸君？」

織絵は、ゆっくりと首を横に振った。その瞳は、うるんで震えていた。ティムは、いままで重苦しく胸をおおっていた霧が、嘘《うそ》のように晴れていくのを感じた。バイラーの言葉のひとつひとつが、輝く光となって心の空を照らすかのようだった。

「そんな……」コンツが、かすれた声を出した。

「そんな馬鹿《ばか》な……この男は、ただのアシスタントじゃないですか。これほどの秘宝を委ねるべき器などでは……」

「君は、確かに優れた弁護士であり、わしのよきアドバイザーだ、コンツ君。しかし、美術のことだけは、やはり何もわかっとらんのだな」

肩を落とすコンツに向かって、バイラーが言った。

「たとえアシスタント・キュレーターだろうと、ティム・ブラウンは、世界でもっともすぐれたルソーの研究者だ。わしは、彼がいままでに学会で発表してきた論文のすべてに目を通し、注目していたのだよ。彼こそが、ルソーの作品を守り抜き、後の世までも伝える努力を惜しまない人物だ。わしは、そう認めている」

バイラーの言葉には、真実の響きがあった。美術をまっすぐに愛し、守り、伝えていく情熱があった。バイラーの言葉は、アポリネールの言葉であり、ピカソの言葉だった。そして、アンリ・ルソー、その人の言葉だった。

バイラーの言葉を耳にしたとき、自分はこれを聞くためにここまでやってきたのだ、とティムは気づいた。苦悩も焦燥も葛藤《かっとう》も、すべてはこのための試練だったのだ。

「しかし」コンツは、なおも食い下がった。

「ならばなおのこと、その委任状は無効ではありませんか。彼は、自分のボスになりすまして『トム・ブラウン』とサインしているのですよ。法的には、まったく無効です」

ティムは、無言でコンツをみつめていたが、小脇《こわき》に抱えていたバインダーを持って、つかつかと彼のすぐそばへ歩み寄った。そして、バインダーの表紙を開け、彼の鼻先に突き出した。

「これでも無効ですか」

委任状の署名部分にいましがた書きこまれたサイン。――「ティム・ブラウン」とはっきり書かれていた。

コンツは口を半開きにして、穴が開くほど委任状に見入った。ティムは、バイラーのほうへ振り向くと、言った。

「確かに私は、ひと言も、自分がトム・ブラウンであるとは申し上げませんでした。しかし、ティム・ブラウンだとも名乗らなかった。この委任状にサインした上で、正直に身の上を打ち明けるつもりでした。それなのに、あなたがたにさきを越されてしまいました」

バイラーの白濁した目が、瞬《また》きもせずにティムをみつめている。やがて、皺《しわ》だらけの口もとに、微笑が灯《とも》った。怪物の微笑《ほほえ》みにつられて、ティムも、ようやく笑みを浮かべた。

「では、正式に――この作品『夢をみた』の取り扱い権利は、その被委託者たるティム・ブラウンによって、ジュリエット・ルルーに譲渡される。そう宣言してくれるかな、コンツ君？」

バイラーの命に決して背かず、どこまでも忠実に従う。それが、三十年以上もこの怪物に付き従ったエリク・コンツの宿命だった。主《あるじ》の指示通りに、弁護士は宣言した。

「アンリ・ルソーの真筆である『夢をみた』の取り扱い権利は、ここに、ジュリエット・ルルーに譲渡されました」

ほっと息を放ったのは、織絵だった。瞳をうるませて、彼女は、作品の新たな所有者となるジュリエットに近づくと、「おめでとうございます」と祝福を告げた。そして、右手を差し出した。ジュリエットは、ためらいがちに織絵の手を握った。

ジュリエットは、戸惑っていた。不安そうな瞳をバイラーに向けると、「おじいさま」と呼びかけた。

「おじいさま、ほんとうに……私に、この作品を預けてくださるの？」

孫娘の問いかけに、「わしではない」と老獪《ろうかい》なコレクターは答えた。

「この作品をお前に預けるのは、アンリ・ルソー研究の世界最高の権威であるこの男、ティム・ブラウンだ」

「褒め過ぎですよ」コンツが悔し紛れに言った。「どうも」とティムは、胸に手を当てて、バイラーに会釈《えしゃく》をした。それから、ジュリエットに向き合うと、告げた。

「どうかこの作品を、後の世まで大切に伝えてください。私も、今後、いかなる立場になろうとも、アンリ・ルソーの評価を高めるために、いっそう研究に励みます」

我が友を——ルソーをよろしく。その思いを伝えたくて、右手を差し出した。ジュリエットは、深い鳶色《とびいろ》の瞳でティムをみつめると、その右手をしっかりと握った。

ありがとう。この作品を、守り伝えます。必ず。

握手には、ジュリエットの言葉にならない気持ちがこめられていた。意志のみなぎる手を、ティムも心をこめて握り返した。

「最後に、ひとつだけお願いがあるのですが」

ティムは、この邸《やしき》を去るまえに、どうしてもしておきたいと思っていたことを、バイラーに申し出た。

「私とマドモワゼル・ハヤカワ、ふたりきりで、『夢をみた』に向かい合う時間をいただけませんか」

ささやかな、けれど意外な申し出。織絵は、ティムを見た。自分もまたそう望んでいたのだと、瞳が語っている。バイラーは、ゆっくりとうなずくと、「いいだろう」と答えた。

「ルソーを愛する者同士、眺めてやってくれ。心ゆくまで」

バイラーの車椅子《くるまいす》の背をジュリエットが押し、コンツとシュナーゼンを伴って、一同は部屋を出ていった。

部屋には、ティムと織絵、ふたりきりになった。講評の余熱が残る部屋の中央、イーゼルに掲げられた「夢をみた」の前へと、ふたりは歩み寄った。

「僕は、君にあやまらなければならない」

隣にたたずむ織絵に向かって、ティムは言った。勝負の結果がどうなろうと、今日、必ず口にしようと決めていた言葉だった。

「確かに、僕は『トム・ブラウン』を名乗ったわけではないけれど……当然、招待状はボス宛てにきたものだと思った。『トム』と『ティム』、ミスタイプされて届く招待状は毎日のようにあったからね。だからこそ、僕は、トム・ブラウンになりすましてここへ来たんだ。バイラーはあんなふうに言ってくれたけど、君をだましていたことには変わりない」

許してほしい、とティムは言った。織絵は、無言でティムをみつめていたが、

「わかっていました」

囁《ささや》くような声で、そう言った。

「あなたが誰か、ということまではわからなかったけど……少なくとも、トム・ブラウンではない。そうわかっていました」

思いも寄らぬ言葉に、ティムは驚いて訊き返した。

「どうしてわかったんだ？」

「詳しすぎたからです」織絵は、はっきりと言った。

「トム・ブラウンは、ルソーの展覧会を企画してはいるけど、ルソーに関する研究を学会誌に発表したわけでもないし、特別な評価をしたわけでもない。それなのに、この七日間、ルソーを巡るあなたの発言や、作品への着眼点には、長年研究をしてきた人間しか持ちえないような知識と、深い洞察力とを感じました。……そして、愛情も」

毎日、物語を読み終えたあとの、あなたの表情。ルソーとともに、喜んだり、悲しんだり、舞い上がったり。まるで、長い付き合いの友を思いやるように。

この人はきっと、モダン・アートの世界的権威、トム・ブラウンではない。ルソーを心から愛し、その画家としての評価を世間に認めさせようと力を尽くす人。この人こそ、アンリ・ルソーの真の研究者。真実の友なのだ。

「だから、あやまる必要なんてありません。……とっくにバレてたんですから」

織絵の言葉は、清水のように、ティムの心を洗い流した。あちこちをせき止めていた澱《おり》のようなものが流れ去っていくのを感じながら、ティムは言った。

「僕の演技力はたいしたことはなかった、ってわけだ」

織絵は、小さく笑った。

「そういうことになりますね」

ティムも、微笑んだ。

あらためて間近に並ぶと、ふたりは、「夢をみた」に向かい合った。

不思議な風が絵の中から吹いてくるようだった。いや、風ばかりではない。熟れた果実の香り、獣たちの遠吠《とおぼ》え、名も知らぬ花々の花弁を揺らすミツバチの羽音――さまざまなにおいが、音が、感触が、この楽園には満ち溢《あふ》れていた。

そして、赤いビロードの長椅子に横たわる裸身のヤドヴィガ。その充《み》ち足りた横顔は、いまにも語りかけてくるようだった。

「『とうとう、みつけたわね』」

ヤドヴィガの横顔をみつめながら、ティムがつぶやいた。吸いこまれるように絵を注視していた織絵が、不思議そうな顔をティムへ向けた。

「いま、ヤドヴィガが、僕にそう言った。みつけたわね、物語の作者を――って」

「物語の作者？」

ティムは、うなずいた。

「そう。物語『夢をみた』の作者だよ」

物語「夢をみた」。いったい誰が、なんのために書いたのか。書かれているのは史実なのか、作り話なのか。最後の最後まで、わからなかった。

けれど、ティムは、最後の章を読み終えたとき、みつけたのだ。——ページの余白に、ぽつりと落ちた涙の跡。まだ乾き切っていない、織絵が落とした涙の跡を。

紙のその部分は、かすかに湿って盛り上がっていた。そこに、うっすらと見えたのだ。紙に漉《す》きこまれた筆者の名前が。

貴族や資産家は、自分専用の便箋《びんせん》などに名前や紋章を漉きこむことがある。物語を印刷するのに使われていた紙には、著者の名前が漉きこまれていたのだ。ティムは、紙の下に指を差しこんで注意深く見た。そこに発見した名前は——。

——ヤドヴィガ・バイラー。

驚きが、疾風のように織絵の顔をかすめた。ティムは、絵の中のヤドヴィガから目を離さずに続けた。

「つまり、物語の中に登場したルソーに心酔するヤドヴィガの夫、ジョゼフは……コンラート・ジョゼフ・バイラーだったんだ」

物語の作者の名前を発見した瞬間に、お時間です、とコンツの無情な声がドアの向こうから聞こえてきた。閉じた裏表紙、赤茶色の革の装丁の上に、本の所有者の刻印があった。ごく小さな刻印だったが、はっきりと見てとれた。——「コンラート・J・バイラー」と。

「なんてこと……!」

感極まったように、織絵が声を放った。その声には、歓喜の響きがあった。

「じゃあ、ムッシュウ・バイラーが、この作品にあんなにも固執したのは……」

「彼の妻が、ルソーとともに『永遠を生きる』ために。どうしても、この作品を手にして、守り抜きたかったんだ」

ティムが続けた。

「この作品は、ジュリエットに継承されて、結局正解だったんだよ。彼女は、この作品の主人公、ヤドヴィガの孫なんだからね。彼女はまだ物語を読んでいないから、そうと気づいてはいないだろうけど」

もっとも、ジュリエットがすべてのからくりを知るのは、もうまもなくのことだ。この作品とともに、物語も彼女に引き継がれることだろうから。

こうして見ると、ジュリエットはそっくりだった。ウェーブのかかった長い栗色《くりいろ》の髪、どことなくエキゾティックな横顔が、絵の中のヤドヴィガに。

チューリッヒ空港で、ほんの一瞬見かけたとき、どこかで会ったことがある、と強く思った。

少年の日、ひと目で虜《とりこ》になってしまった「夢」の中のヤドヴィガに似ていたのだ、といまならわかる。

そして、ジュリエットの憂《うれ》いを帯びた鳶色の瞳《ひとみ》は——自画像の中のルソーに、どこかしら似てはいまいか。

そんな想像を巡らせもしたが、織絵には言わず、胸の中にしまっておくことにした。

ティムと織絵は、最後に、もう一度だけ、心ゆくまで「夢をみた」を眺めた。

風の感触も、花々のにおいも、獣たちの声も。ヤドヴィガの謎《なぞ》めいたうつくしい横顔も。天国の鍵《かぎ》が握られているはずの、水平に掲げた左手も。すべてを網膜に、心に刻みこんだ。

この瞬間を忘れまい、とティムは誓った。ルソーの絵の前で、恋する人と、ふたり、たたずむ至福の瞬間を。彼女と生まれてくる子供の未来を、幸せを、ただ祈りながら。

ルソー。……友よ。

この瞬間こそが永遠なのだと、いま、僕はあなたに教えられました。

バイラーとジュリエット、そしてコンツに玄関ポーチで見送られて、ティムと織絵は、迎えの車を背にして立っていた。

「来年の展覧会の成功を祈る」最後にバイラーは言った。

「見に行くことは、おそらくかなわないがな」

「きっといらしてください。お待ちしています」

ティムは力強く言った。そのとき、自分がどんな立場であっても、彼を出迎えたいと心から思った。バイラーは、目を細めて、ティムと織絵の顔をみつめた。ルソーの絵を見るときそのままの、まぶしそうなまなざしだった。

ジュリエットは、ティムと織絵、両方と抱擁して、頰を寄せ合った。みずみずしい鳶色の瞳で、彼女は言った。

「ティム。オリエ。ほんとうにありがとう。なんだか、すばらしい夢をみた気分よ」

「夢じゃない、現実ですよ」ティムは笑って返した。

「ルソーのこと、よろしく頼みます」

ジュリエットはうなずいて、もう一度、ティムと握手を交わした。

「なんだか、まだそわそわしているようですが？　ミスタ・コンツ」

コンツと握手を交わしながら、ティムはおちょくってやった。コンツは軽く咳払《せきばら》い

をして、

「そんなことはありませんよ、ミスタ・ブラウン……もとい、ティム。おふたりとも、道中お気をつけて。よい旅を《ボン・ヴォヤージュ》」

ティムと織絵は、黒塗りのキャデラックに乗りこんだ。もう二度と、この邸を訪れることはないだろう。ほんのりとさびしさが胸にこみ上げる。

キャデラックは走り出した。またたくまに、邸は森のような庭の木立の向こうへと消え去った。堅牢《けんろう》な石造りの門を出て、一般道へと出ていく。反対側からやってきたタクシーが、すれ違いに邸の敷地内に入っていくのが視界をかすめた瞬間、隣の織絵が明るい声で言った。

「私も、見に行ってもいいですか」

え？　とティムは、我に返って織絵を見た。

「何を？」

「ルソー展です。MoMAの」織絵が答えた。ああ、とティムは笑顔になった。

「もちろんだよ。でも、うちでやるよりまえに、同じ展覧会をパリのグラン・パレでやるから、まずはパリで見てほしいな」

「そうでしたね。楽しみだわ」織絵は弾んだ声を出した。

「そのとき、私、どうなっていても、必ず行きます。……この子と一緒に」

そっとお腹《なか》に手を当てた。ティムは、その様子をみつめて、微笑を口もとに寄せた。

「僕も、このさきどうなろうと、ルソーと付き合っていくよ」

織絵が、不思議そうな表情を浮かべた。

「どうなろうと……って？」

「いや、今回のことでね。ひょっとすると、もうＭｏＭＡで仕事を続けることはかなわないかもしれないから」

このさきのことは暗闇《くらやみ》の中だった。コンツとマニングが、ひょっとするとなんらかの報復に出るかもしれない。どうにか講評は終えたが、トムがどういう理由からかバーゼルに来ていることもわかっている。今回の一件がボスの耳に入ったら、どんな処分をされるのか、見当もつかなかった。

けれど、ティムは、すでに覚悟を決めていた。このさき何が起ころうと、自分はルソーとともにある。どんな立場であっても、アートに寄り添い、作品を守り抜く人間でい続けようと。

「今回、バイラーとともに過ごして、つくづくわかったことがある。画家を知るには、その作品を見ること。何十時間も何百時間もかけて、その作品と向き合うこと」

そういう意味では、コレクターほど絵に向き合い続ける人間はいないと思うよ。キュレーター、研究者、評論家。誰もコレクターの足もとにも及ばないだろう。ああ、でも——待てよ。コレクター以上に、もっと名画に向き合い続ける人もいるな。

「誰ですか？」

織絵の問いに、ティムはふっと笑って答えた。

「美術館の監視員《セキュリティスタッフ》だよ。……そうだな。キュレーターじゃなくて、僕は、監視員になってもいい」

ティムが、生真面目《きまじめ》な横顔で言った。織絵は、くすっと笑い声を立てた。

「あのバイラーに世界最高の研究者と言われた人が、監視員ですか？」

「そう、監視員だ。それがいい」

ティムは、ほっと肩の力を抜いた。

「作品の、いちばん近くにいられるなら……それもいい」

織絵は、ティムの横顔をみつめた。ほんのりと、熱を帯びた瞳で。その視線に、かすかにいとおしさがこめられていることに、ティムは気づくことはなかった。

車は、まもなくホテルに到着する。それから、自分はチューリッヒ空港へ、織絵はバーゼル駅へ、それぞれ向かう。それぞれの日常へ、帰っていくのだ。
このさき、自分をどんな運命が待ち受けていても、どんな立場になっても。アート
に寄り添って生きる、自分の決心は変わらない。
だから、オリエ。君も、そうであってほしい。やがて生まれる子供とともに、どん
なことがあろうとも、強く生きて、幸せになってほしい。
君の人生が、豊かであるように。いつまでも、アートに寄り添う人生であるように。
そして、いつかまた、会えるように――。
そんなふうに、言いたかった。けれど、言えなかった。
楽園を後にして、ニューヨークへ。パリへ。
新たな人生の一歩を踏み出すために、それぞれの日常へ、ふたりは帰っていった。

八日ぶりに戻ってきたマンハッタンは、すべてが溶けてしまいそうなほど、強烈な
夏の日差しに照らされていた。
蒸し風呂《ぶろ》のような地下鉄の構内から、息継ぎをする瀕死《ひんし》の金魚よろしく、ティムは
表通りへと出てきた。ミッドタウン53丁目、五番街と六番街のあいだ、アメリカが世

界に誇るモダン・アートの殿堂、ニューヨーク近代美術館のオフィスへと急ぐ。

その日、ティムは、ひさしぶりにオフィスでトム・ブラウンに会う予定だった。ひさしぶりといっても、たかだか二週間ほどだったが――一カ月にも、一年にも相当するような、長い長い旅から帰ってきた気分だった。

結局、バーゼルでトムと出くわすことはなかった。自分にはまだ多少運が残っているような気がしたが、あの町で固めた決心は、マンハッタンに帰ってきても変わることはなかった。

もしもトムになんらかの処分を通達されたとしても、甘んじてそれを受け止めよう。今回、バーゼルに行ったことで、いまのポジションを捨てても余りあるほどの、胸躍る冒険を得られたのだから。

たとえ届かなくても、愛する人をみつけられたのだから。

駅の出入口の目の前に停まっているドーナツスタンドで、シナモンドーナツとコーヒーを買い、かじりながら美術館のスタッフエントランスへと向かう。エントランスセキュリティのビリーに挨拶《あいさつ》し、同僚たちと、おはよう、今日も暑いね、と言い交わし、世界一のろまなエレベーターに乗りこむ。いつもと変わらない朝だ。

「あら、ティム。おはよう。メキシコへ行ってたんですって？」

トムの秘書、キャシーが、すでに仕事を始めているのか、デスクでタイプを打つ手を止めて声をかけてきた。

「ああ、まあね。……アストラッドから聞いたのか？」

バーゼルから修復士《コンサバター》のアストラッドに国際電話をしたことを思い出した。キャシーは笑って、

「『休暇まえにとんでもないことを言ってきたわ、メキシコくんだりから』って、ぷりぷりしてたわよ」

「そうか。休暇先でも仕事のことを考え出したら、気になっちゃってね」

「気持ちはわかるわ。あなた、『ルソーの虫』ですものね。ああ、そのアストラッドからメッセージがあるわ。あなたのデスクの引き出しに入れておいたって」

ティムは、肩に引っ掛けてきた麻のジャケットをデスクに放り投げると、すぐに引き出しを開けた。メモが入っている。取り出して、すばやく目を通した。

ティムへ
X線検査はさすがにムリ。でも、大至急、「夢」を赤外線検査した結果、ヤドヴィガの左手に修復痕《こん》を確認。

手にはアルファベットらしきものが一文字、描かれていた様子。はっきりと判別はできなかったけど。

何の文字を握っていたのかしらね、ルソーの「永遠の恋人」は。

アストラッド
アルファベット？

待てよ、それは……つまり……「大文字《キャピタル》」？

「ねえティム、すぐにトムのオフィスへ行ってくれる？」

キャシーの声がして、ティムは我に返った。

「なんでも、あなたにすぐに話したいことがあるんですって。さっきからお待ちかねよ」

――きた。

心拍数がたちまち上がる。ついに、このときがきた。ティムは、口を真横に結んで、足早にトムのオフィスへ向かった。

落ち着け。何があっても、受け止めるんだ。

呼吸を整えてから、かっきり二回、ドアをノックする。「どうぞ」と、歌うような声が聞こえた。

「おはようございます」

清々《すがすが》しくあいさつをして、ティムはドアを開けた。デスクの上の書類に目を通していたトムが、顔を上げてこちらを見た。

「やあ、おはよう。休暇はどうだった？」

白い歯を見せて笑いかけた。ティムは、歪《ゆが》んだ笑顔になってしまうのをごまかしながら、「ええ。最高でした」と答えた。

「最高の夏休みでした。……まるで、冒険をしてきたような」

「そうか」ボスは、マダムキラーの笑顔のままで、さわやかに言った。

「私のほうも、とんでもない冒険をしてきたよ。……後ろ、ドアを閉めてくれるかな。ここからは、とっておきの秘密の話だから」

言われて、半開きだったドアをあわてて閉めた。再び、痛いくらいに心臓が高鳴ってくる。トムは、らしくなくニヤリとすると、

「おととい、伝説のコレクター、コンラート・バイラーのところに行ってきたんだ」

ティムは、息を殺してトムをみつめた。「どうだい、驚いただろう」と、トムは自慢げに話し始めた。

バイラーの代理人を名乗る男から、四日まえ、休暇で滞在先のオアフに連絡があった。どうして自分の滞在先を知っているのかわからなかったが、とにかく、その男は驚くべきことを告げた。世の中に一度も現われたことのないアンリ・ルソーの作品をバイラーが所蔵している。大至急その真贋《しんがん》を確認してほしいので、すぐにバーゼルに来てほしい。そして、場合によっては、その作品の取り扱い権利《ハンドリングライト》をあなたに譲り渡すから、と。

「半信半疑で行ってみたけど……どういうわけだか、邸《やしき》で私を出迎えたのは、その代理人とやらだけ。『一歩遅かった、手違いがあって作品は保税倉庫に入ってしまった』とかなんとか言われて、伝説のコレクターにも会えず、作品も見られずじまいだったけどね」

「……そうだったんですか」

ティムは、止めていた息を放った。

「驚かないのか？」と、ボスは少々不満気な声を出した。

「伝説のコレクターと、ルソーの未発見作品にリーチしかけたんだぞ。すごいことだと思わないか？」

「いえ……すごいです。すごいことですよ、それは」

ティムは、あわてて答えた。トムは、肩をすくめて見せた。

「まあ、結局、どっちもこの目でおがめなかったんだがね。残念なことだ。作品を借り出してこそ、私の仕事なのに」

ため息をついて、トムは言った。ティムは、思わず微笑《ほほえ》んだ。

「いいえ、すばらしいです。後先顧みず、作品のためにバーゼルまですっ飛んでいったんですから」

ティムの言葉を聞いて、トムの顔に満足そうな笑みが戻った。デスクに広げていた書類を指先で軽く叩《たた》くと、トムは言った。

「よし。じゃあ、仕事再開だ。確か、休暇まえに、ルソー展関連のリストを作ってくれていたんだっけな。文献の貸出先リストと、作品の貸出交渉先のリスト……」

「ええ、もうできています」ティムは答えた。「すぐにお持ちします」

トムのオフィスを出て、ティムは、足取り軽くデスクへと駆け戻った。

アートに寄り添い、作品に向かい合う日常が、再び始まった。

ブラインドの向こうには、ストライプに分断されたマンハッタンの街並みが広がっている。夏の光を照り返して、白々とまぶしく輝いている。

ここは、パリでもバーゼルでもない。けれど、この街もまた、美術の楽園なのだ。

最終章　再会

二〇〇〇年　ニューヨーク

夢をみた。ずいぶんひさしぶりに、父の夢を。

ニューヨークのどこかの美術館、展示室の真ん中に、織絵は立ち尽くしている。メトロポリタン美術館か、ニューヨーク近代美術館か。判然とはしないが、なじみのある場所だ。

床から天井までぎっしりと壁を埋め尽くす名画の数々に、織絵は目を奪われている。色がはっきり見える。赤や緑や黒、ごっちゃに混ざって、けれど不思議に心地よい秩序がある。傍らに立っているのは、父だ。かすかなタバコのにおいと、清潔なシャツのにおい。大きな手を引っ張って、少女の織絵は、父を見上げて言う。

ねえお父さん、こんなにいっぱい絵があったら、どれを見たらいいかわかんないよ？

父は笑っているようだ。その顔は光の中にあって、よく見えない。父の、よく響く低い声がする。

どんな人ごみの中でも、自分の大好きな友だちをみつけることはできるだろう？この絵の中に、君の友だちがいる。そう思って見ればいい。それが君にとっての名作だ。

絶対に、目を閉じちゃいけないよ、みつけられなくなるからね。さあ、織絵、よく見てごらん。君の人生の友は——どこにいるかな？

『ご搭乗の皆さま。当機はあと三十分ほどでジョン・F・ケネディ国際空港に着陸いたします。……地上からの報告によりますと、ニューヨークの天候は晴れ。気温は摂氏二十九度……』

「うわっ、ずいぶん暑いんだなあ」

隣のシートで思わず声を出したのは、暁星《ぎようせい》新聞文化事業部部長、高野智之だ。織絵は目を瞬《しばたた》かせていたが、ゆっくりとシートを起こして、客室乗務員が配っている熱いおしぼりを受け取った。

「すみません。起こしちゃいましたか」高野が恐縮そうに言った。

「いえ、もう起きなくちゃいけませんから」おしぼりをまぶたに当ててから、織絵が言った。

「ずいぶんよくお休みでしたね……出発まえはお忙しかったんですか」

「いえ。いつも通りですよ。ただ、こんな時期に五日間も休むので、何があったんだ、って同僚に心配されました」

「そうですか。普段、ご出張などは？」

織絵は苦笑した。

「まさか、ないですよ。監視員ですから」

ああそうでしたね、と高野も笑った。海外の美術館との作品貸出交渉に出向くとき、高野はいつも日本の美術館の館長や学芸員を連れていくのだ。彼らにとっては出張など日常茶飯事なのだろう。織絵にとっては、これが生まれて初めての「出張」だった。

大原美術館の館長・宝尾義英たっての依頼で、織絵は、暁星新聞社の高野とともにニューヨーク近代美術館を訪問することになった。しかも、ＭｏＭＡコレクションの至宝、アンリ・ルソー作「夢」を借り受けるために、である。いったいどうやって調べたのか、暁星新聞社の高野は、十数年まえには国際美術史学会を大いににぎわせたというルソー研究者、オリエ・ハヤカワを的確に探し出した。そして、ＭｏＭＡのチーフ・キュレーター、ティム・ブラウンの直々の指名という御旗を掲げて、こうしてまんまと織絵を連れ出したのだ。

あまりにも唐突な依頼を、むろん織絵は断るつもりだった。自分はアカデミズムの表舞台から身を引いて、いまは老いた母と高校生の娘とともに静かな生活を送っている。時間も労力も駆け引きも必要な交渉ごとなどに、いまさら関われる身の上ではない。MoMAのチーフ・キュレーターと交渉するなんて、とてもじゃないが責任が重すぎる、と訴えて。ところが、それが逆効果だった。

「あなたは、世界的な美術館との交渉ごとがどれほど難しいかよくわかっておられますね。だったら、あなたを担当者にしない限り、我々が交渉のスタートラインにすら立てないこともおわかりでしょう?」

高野はそう言って織絵を口説いた。宝尾も、学芸課長の小宮山も同感だった。さらに驚くべきことを宝尾は提案した。

「どうですか、早川さん。もしもこの交渉がうまくいったとして――首尾よく『夢』を引っ張り出せたら、あなたをうちの嘱託学芸員として登用しましょう」

とうとう根負けしてしまった。それで、こうして高野とともに機上の人となったのだ。

「早川さんをお連れするってメールしたら、ブラウンさん、ずいぶん喜んでおられましたよ。『一日も早い訪問をお待ちしている』って」

顔から首周りまでおしぼりでていねいに拭《ふ》いて、風呂《ふろ》から上がったような表情で高野が言った。「そうですか」と、織絵はわざと関心のなさそうな声で応《こた》えた。

「ずいぶんな温度差だなあ。ティム・ブラウンとあなたとじゃ。あっちが是非にもって言うんで、私ら、そりゃもう必死にあなたを探し出したんですよ。パリ支局の者にソルボンヌの卒業生名簿を調べさせたりして……」

瞬時に織絵の横顔がこわばるのを見て、

「いやいや、プライバシーに関わる調査はなんらしてませんよ。私ら探偵じゃありませんからね」

あわてて高野は言い繕った。

「それにしても、すでに一線を退いておられるあなたをわざわざ指名してくるとは……ティム・ブラウンは、さすが、MoMAで開催した伝説の『ルソー展』のキュレーターだけありますね。世界中のルソーの研究者を知り尽くしているわけだ」

織絵は目を上げて、高野を見た。

「それは違います。あの展覧会のキュレーターは、ティム・ブラウンじゃありません。トム・ブラウンです」

「え？」と高野は、目を瞬かせた。

「トム・ブラウン？　それ、ティム・ブラウンとは別人なんですか？」

織絵はうなずいた。

「八〇年代にＭｏＭＡの絵画・彫刻部門のチーフ・キュレーターだった人物です。一九八四年から八五年にかけて、パリとニューヨークで開催されたアンリ・ルソーの大回顧展を企画して、ルソーの評価を決定的にしたキュレーターです」

急に思い出したように、高野は足下に置いていた鞄《かばん》を持ち上げ、画集を引っ張り出した。一九八五年、ＭｏＭＡで開催された「税関吏《ドワニエ》ルソー展」のカタログである。大急ぎでページをめくると、銀縁眼鏡の顔をぐっと近づけて、「あれっ」と驚きの声を上げた。

「ほんとだ。展覧会企画者――トム・ブラウン。ティム・ブラウンじゃない」

「ご存じじゃなかったんですか？」

織絵が訊《き》くと、

「いや、まあ、その……一字違いなので、てっきり同一人物かと思っていました」

テーブルの上に置いたおしぼりを手にすると、高野はもう一度額を拭いた。

「じゃあ、我々がこれから会う人――ティム・ブラウンは、このトム・ブラウンのあとにMoMAのチーフ・キュレーターになった、ということですね」

「そういうことでしょうね」と織絵は、高野の膝《ひざ》の上、表紙がやや黄ばんで見える展覧会カタログに視線を落とした。

「ということは、ルソーの評価を高めたのは、これから会うティム・ブラウンではなくて、トム・ブラウンだったわけですか」

「いいえ、違います」織絵は、きっぱりと言った。

「ルソーの評価を高めたほんとうの立役者は、ティム・ブラウンです。昔もいまも、ルソーの世界最高の研究者であり、ルソーの最大の理解者は、彼です」

はあ、と力ない相槌《あいづち》を打って、高野は膝の上のカタログを両手で握った。客室乗務員がやってきて、テーブルをおしまいください、と促した。織絵は、窓のブラインドを開けた。

どこの上空なのだろうか、明るい緑の農地が眼下に広がっている。午前中の陽光は、さっきまで夢をみていた目には痛いくらいのまぶしさだった。

「ニューヨークに行くことになったの」

二週間まえ、夕食のテーブルに着いた母と娘の真絵に向かって、なんの前置きもなく織絵は告げた。

母はいったん手にした箸《はし》を、両手を添えて卓上に戻した。真絵はかたちよく盛りつけられた筑前煮《ちくぜんに》の皿から鶏肉《とり》をつまみ出して、口に運んでいる。織絵はふたりの様子を見比べながら続けた。

「再来週の月曜から、現地で四泊。……今日、館長に急に呼ばれて、行ってくれって言われたの。断ろうとしたんだけど、なんだかそういうことになっちゃって」

話しながら、全然説明になってないな、と思った。母は両手をテーブルの上に揃《そろ》えて聞いていたが、「そうなの。わかったわ」と応えた。

「あなた、パスポートはとっくに切れているんでしょう。間に合うの？」

「明日申請したら、六日間でできあがるって。そのへんも計算して、出発日が決まったの」

そうなの、と母はもう一度言った。それから箸を取り上げて、自分も筑前煮をつつき始めた。母のこの不思議なほどの奥ゆかしさ――たとえ娘であれ、深く追及しない潔《いさぎよ》さに、織絵はいつも助けられてきた。ニューヨークに住んでいた頃、またパリにいた頃も、織絵がひとりで出かけたいと言えば黙ってそれを許した。父が他界したあと、とにかくパリに残ると決めたときも。何年か後に、お腹《なか》に子供を宿して帰ってきたときも。いつも、母は織絵に説明を求めなかった。

今回ばかりはもう少し説明したいところだったが、織絵自身もこれから何が起ころうとしているのかよくわからない。

バーゼルで過ごした、夢のようなあの七日間のあと、織絵は自分からアンドリュー・キーツに別れを告げた。自分の中に新しい命が宿っていることは、打ち明けぬままに。そして、美術史研究の表舞台から、ひっそりと姿を消した。

このさきの人生は、生まれてくる子供のために捧《ささ》げよう。そう決心して、母のもとへ帰ってきた。アートへの断ちがたい想《おも》いは「パンドラの箱」に封印して、決して開けまいと誓っていた。

ところが、思いがけないかたちで、その「箱」を開けることになってしまった。

そうさせたのは、あの人――ティム・ブラウンだったのだ。

「実はね、MoMAへ作品の貸出交渉に行くことになったの。暁星新聞社の文化事業部長が今日、大原美術館に私を訪ねてきて……アンリ・ルソー展を企画しているとかで、MoMAコレクションのアンリ・ルソーの作品をどうしても借りたいから、その交渉の窓口になってほしいって、私に。それで、館長にまで、是非にも行ってこい、って言われて」

「そうなの」と、母はまた言った。

「まったく、どういうことなんだろ。さっぱりわかんない」独り言じみて織絵が言うと、

「そう？　私にはわかるけど」母が返した。

「呼んでるんじゃないの？　あなたの、お友だちが」

意外なことを言われて、織絵は「何それ」と笑ってしまった。母はすました顔をしている。

「あら、だってあなた、ニューヨークにいたとき、よく言ってたわよね？　『友だちのうちへ行ってくる。呼ばれたの』って」

マンハッタンのアップタウンのアパートに、織絵たち一家は住んでいた。小学生だった織絵は、学校から帰るとすぐさまMoMAに出かけたものだ。友だちのうちへ行ってくる、と言って。

母はいつも、いってらっしゃい、と笑顔で送り出してくれた。わかっていたのだ。友だちとはアートのこと、友だちのうちとは美術館のことだと。あまりにも毎日出かけていくので、あいつは将来MoMAに間借りでもするつもりなんじゃないか、と父は笑って母に言っていたそうだ。友だちとルームシェアするんだ、なんて言い出しか

ねないぞ。

「そこってさ。ミッキーマウスとか、おるん？」

向かい側に座っていた真絵が、急に口を挟んだ。織絵はびっくりして、すぐさま返した。

「何言ってんの。ディズニーランドじゃないんだからね」

「じゃあ、どねえなとこなん？　モマって」

織絵と目を合わさないようにはしているが、明らかに興味を持っている。織絵は、胸の中でボールがぽん、と跳ねるのを感じた。

「ニューヨーク近代美術館のことよ。英語で言うと、Museum of Modern Art――略して『ＭｏＭＡ』。すばらしい美術館よ。そりゃもう、とにかくすばらしいの。すばらしいコレクション、すばらしい作品。すばらしい学芸員。ほんとに、どう言ったらいいのかな、とにかくすばらしいわけよ」

くすくすと母が笑った。

「おかしいわね。お母さんたら『すばらしい』って五回も言ったわ。ねえ真絵ちゃん？」

「六回言うたが」しれっとして、真絵が言った。それでも、織絵は、明るい気分のままで問いかけてみた。

「モダン・アートの殿堂って言われててね。真絵、モダン・アートってわかる？」

「知らんが。お菓子の一種？」わざととぼけているのが、ちょっとかわいい。

織絵は、「ちょっと待ってて」と席を立って自分の部屋へ飛んでいき、一冊の画集を持って戻ってきた。

「これ見て。どう思う？」

表紙が少し黄ばんでよれている画集を、筑前煮の皿の横に置いた。一九八五年、MoMAで開催された「税関吏ルソー展」のカタログだった。表紙の口絵は、一八九〇年制作「私自身、肖像＝風景」という作品だ。茜雲《あかねぐも》が浮かんだ青空を背景に、ぬっと立ち尽くす巨人のような髭《ひげ》の男。頭にはつば広のベレー帽、手にはパレットと絵筆。背後には万国旗を掲げた舟が浮かぶセーヌ川、その向こうにはエッフェル塔が見える。川辺を散策する人々の姿はネズミのように小さく、中央でしかめっつらをして立っている男とは明らかにバランスが悪い。画面に奥行きも感じられない。百年まえには「日曜画家の絵」だの「子供の落書き」だの言われて、人々の嘲笑《ちょうしょう》を誘った作品だ。

真絵は、じっと表紙の絵に視線を落としていたが、やがてひと言、

「おもしろい」

そう言った。織絵の頬に、みるみる微笑が広がった。

「そう、おもしろいよね。ほかには？」

「色がきれい」

「その通り。それから？」

「ていねいに描いてるって感じ」

うん、と織絵はうなずいた。母も、つられてうなずいている。真絵は、顔を少し表紙に近づけると、思わず、という感じで言った。

「なんか……生きてる、って感じ」

その瞬間、織絵は息を止めた。母までが、一緒になって息を止めているのがわかる。

真絵は、ちらりと母と祖母の顔を見て、「もうええじゃろ」とつぶやくと、再び箸を動かし始めた。

生きてる。

絵が、生きている。

そのひと言こそが真理だった。この百年のあいだ、モダン・アートを見出し、モダン・アートに魅せられた幾千、幾万の人々の胸に宿ったひと言だったのだ。

そのひと言を胸に抱いて、織絵はニューヨークへと旅立った。

ティム・ブラウンは、MoMAの二階、絵画・彫刻部門のギャラリーの中でたたずんでいた。

彼の目の前には、一点の作品がある。――アンリ・ルソー「夢」一九一〇年。

平日の午後で、ランチタイムはとっくに過ぎていた。週末ほどの混雑はないが、それでもギャラリーの中はひとときの心の安らぎを求めて、大勢の来館者でにぎわっていた。

もうすぐ、オリエ・ハヤカワが来る。

ティムは、待ちきれない思いで、一足先にこの絵の前へ来てしまった。彼女が来館したら、誰と一緒に来ていようと、必ず彼女ひとりだけをここへ連れてくるように。アシスタントのミランダにそう言い残して、オフィスを出てきた。

待ちきれない。ほんとうに、もう待ちきれなかった。

十七年間、彼女と再会する日を意識して待っていたわけではない。けれど、思いはずっと彼女とともにあった。

いままでに、恋愛もしたし、結婚を考えた相手もいた。けれどいつも、心のどこかで、彼女を求めている自分に気づいていた。

バーゼルという名の楽園で、彼女とともに過ごした七日間。あの日々が、ティムの人生を変えた。

十七年のあいだには、さまざまなことがあった。

講評から一年後、コンラート・ジョゼフ・バイラーが他界した。その遺産のすべてを、孫娘のジュリエット・ルルーが相続したと、ひっそりと噂《うわさ》が流れた。ジュリエットはインターポールを通じて、盗品と判明した一切の作品をもとの持ち主に返還し、手もとに残ったコレクションをもとに、いずれ美術館を創設する、ということらしかった。いまなお実現していなかったが、ジュリエットのことだ、万全を期していることだろう。

やがて公開されるであろうコレクションの中に、「夢をみた」が入っているのかいないのか、まだ誰も知らない。そして、その絵の下にブルー・ピカソが眠っているかどうかも。

かつてボスだったトム・ブラウンが手がけた「税関吏ルソー展」は大成功を収め、それをきっかけにルソーの再評価が進んだ。「税関吏」と冠した展覧会のタイトルに最後までティムは反対したが、そのほうがわかりやすい、という理事会の意見が尊重された。ルソーの「日曜画家」説が完全に覆《くつがえ》ったわけではなかったが、多くの人々が展覧会に足を運び、米仏両国で百万人以上がルソーの魅力に開眼した。

この展覧会のために尽力したティムの業績は、ボスにも理事会にも認められることとなった。トムが大学で教鞭《きょうべん》を執るために退職したのち、ティムはチーフ・キュレーターとなった。あのバーゼルでの夏から、十五年が経《た》っていた。

そして、先月。日本の新聞社から、打診があったのだ。「夢」を貸し出してほしいと。このときを、ティムはずっと待っていたのだ。

日本でルソー展を開催し、M o MAの秘宝たる「夢」を貸し出すことになれば、その窓口になりうる人物はただひとり。

世界最高のルソー研究者、オリエ・ハヤカワをおいて、ほかにはいない。

彼女が窓口になるのなら、貸し出しを検討しましょう。ティムは、そう返答した。「夢」を貸し出すに当たっては、館長や理事会、面倒な相手を説得しなければならない。けれど、織絵が日本で引き受けてくれるのであれば、どんな困難も乗り越えて送り出そう、とティムは決心していた。

そして、この日がやってきた。

館内の雑踏のざわめきの中、ティムは、「夢」に向かい合った。

不思議だった。もう何百回となくこの絵を見ているのに、見るたびに新しい発見がある。絵肌《マチエール》の輝き、モチーフの放つ力、吸いこまれるような奥行きのある構図。見るたびに、思いは深まっていく。少年の日、初めてこの作品にとらえられてからずっと、見れば見るほど進化していく。こんな絵が、ほかにあるだろうか。

情熱を……私の情熱の、すべてを。

あの夏の日に読んだ、物語の最終章。ルソーのつぶやきが、まるで、この耳で聞いたかのように蘇《よみがえ》る。

この作品には、情熱がある。画家の情熱のすべてが。……それだけです。

講評で、織絵が言ったひと言。それは、「夢をみた」ばかりでなく、この作品、「夢」に捧《ささ》げられる言葉でもあった。

ティムは、絵の中のヤドヴィガをみつめた。何かを指し示すように、水平に上げられた左手。その手の中に大文字《キャピタル》が一文字匿《かく》されているようだ、とアストラッドが言った。それを調査すれば、何か決定的な事実が明らかになるかもしれない。けれど、結局、詳しく調べることはなかった。

物語の各章に添えられていた大文字、P-I-A-S-O。もしも、「夢」に匿されている文字が「C」だったなら、あるいはこの絵の下にブルー・ピカソが眠っている、というメッセージになるのかもしれない。

けれど——。

きっと、その一文字は「N」なんじゃないかといまは思う。P-A-S-S-I-O-N。情熱。そのひと言をこそ、ヤドヴィガは、手のうちに秘めているのだと。

そのひと言は、ルソーの、ヤドヴィガの言葉。ピカソの言葉。バイラーの言葉。そして、織絵が口にした言葉。あの夏の日からずっと、自分の胸の中で息づいている言葉。

「……ティム」

雑踏の中で呼びかける声を、背中で聴いた。忘れもしない、なつかしい声を。ティムは、振り向いた。胸の鼓動が、体中に響いている。

織絵が、そこにいた。長い黒髪ではなく、肩の長さに揃《そろ》えた髪。少し痩《や》せた頬。けれど、あのときのままの、うるんだ黒い瞳《ひとみ》。

ふたりは、互いに、言葉を探してみつめ合った。容易に言葉は出てこなかった。それは、ティムが、長いあいだ夢にみた場面だったのだ。

楽園のカンヴァスの前で、ふたたび、織絵とふたり、たたずむ夢。

もう一度、織絵に会えたなら。そのときこそ言おう、と決めていた言葉があったはずだ。それなのに、別の言葉が、ふいにこぼれてしまった。

夢をみたんだ。――君に会う夢を。

ティムの囁《ささや》きに、織絵がふっと微笑《ほほえ》んだ。その笑顔は、もう、夢ではなかった。

P163　飢えたライオン　　アンリ・ルソー　1905年　バーゼル美術館　バーゼル

P172　第二十二回アンデパンダン展への参加を芸術家に呼びかける自由の女神　　アンリ・ルソー　1906年　東京国立近代美術館　東京

P174　帆の乾燥　　アンドレ・ドラン　1905年　プーシキン美術館　モスクワ

P177　女の肖像　　アンリ・ルソー　1895年　ピカソ美術館　パリ

P187　帽子の女　　アンリ・マティス　1905年　サンフランシスコ近代美術館　サンフランシスコ

P194　陽気な道化たち　　アンリ・ルソー　1906年　フィラデルフィア美術館　フィラデルフィア

P195　整髪　　パブロ・ピカソ　1906年　メトロポリタン美術館　ニューヨーク

P195　扇子を持つ女　　パブロ・ピカソ　1905年　ワシントン・ナショナル・ギャラリー　ワシントンD.C.

P195　トルコ風呂　　ジャン＝オーギュスト＝ドミニク・アングル　1863年　ルーヴル美術館　パリ

P221　赤ん坊のお祝い　　アンリ・ルソー　1903年　ヴィンタートゥール美術館　ヴィンタートゥール

P252　人生　　パブロ・ピカソ　1903年　クリーヴランド美術館　クリーヴランド

P260　ジャングル―虎と野牛の戦い　　アンリ・ルソー　1908年　クリーヴランド美術館　クリーヴランド

P340　アンブロワーズ・ヴォラールの肖像　パブロ・ピカソ　1910年　プーシキン美術館　モスクワ

登場作品リスト

P7　幻想　ピエール・ピュヴィ・ド・シャヴァンヌ　1866年　大原美術館　倉敷

P10　受胎告知　エル・グレコ　1590頃―1603年　大原美術館　倉敷

P30　鳥籠　パブロ・ピカソ　1925年　大原美術館　倉敷

P47　パリ近郊の眺め、バニュー村　アンリ・ルソー　1909年　大原美術館　倉敷

P47　戦争　アンリ・ルソー　1894年　オルセー美術館　パリ

P47　平和のしるしとして共和国に挨拶に来た諸大国の代表者たち　アンリ・ルソー　1907年　ピカソ美術館　パリ

P47　詩人に霊感を与えるミューズ（第二ヴァージョン）　アンリ・ルソー　1909年　バーゼル美術館　バーゼル

P48　風景の中の自画像（私自身、肖像＝風景）　アンリ・ルソー　1890年　プラハ国立美術館　プラハ

P48　夢　アンリ・ルソー　1910年　ニューヨーク近代美術館　ニューヨーク

P49　眠れるジプシー女　アンリ・ルソー　1897年　ニューヨーク近代美術館　ニューヨーク

P50　アヴィニョンの娘たち　パブロ・ピカソ　1907年　ニューヨーク近代美術館　ニューヨーク

P50　星月夜　ヴィンセント・ヴァン・ゴッホ　1889年　ニューヨーク近代美術館　ニューヨーク

P102　詩人に霊感を与えるミューズ（第一ヴァージョン）　アンリ・ルソー　1909年　プーシキン美術館　モスクワ

参考文献

「アンリ・ルソー　楽園の謎」岡谷公二著　平凡社ライブラリー　2006年
「絵画のなかの熱帯　ドラクロワからゴーギャンへ」岡谷公二著　平凡社　2005年
「アンリ・ルソー　証言と資料」山﨑貴夫著　みすず書房　1989年
「アリス・B・トクラスの自伝　わたしがパリで会った天才たち」ガートルード・スタイン著　金関寿夫訳　筑摩書房　1971年
「近代絵画史　ゴヤからモンドリアンまで　上・下」高階秀爾著　中公新書　1975年
「ピカソ　剽窃の論理」高階秀爾著　ちくま学芸文庫　1995年
「ピカソの世紀　キュビスム誕生から変容の時代へ　1881―1937」ピエール・カバンヌ著　中村隆夫訳　西村書店　2008年
「ピカソ　天才とその世紀」マリ＝ロール・ベルナダック／ポール・デュ・ブーシェ著　高階秀爾監修　高階絵里加訳　創元社　1993年
「印象派はこうして世界を征服した」フィリップ・フック著　中山ゆかり訳　白水社　2009年
「美術の歩み　上・下」エルンスト・ハンス・ヨセフ・ゴンブリッチ著　友部直訳　美術出

版社　1983年
「ミイラにダンスを踊らせて　メトロポリタン美術館の内幕」トマス・ホーヴィング著　東野雅子訳　白水社　2000年
「祝祭と狂乱の日々　1920年代パリ」ウィリアム・ワイザー著　岩崎力訳　河出書房新社　1986年
「モンマルトル　巨匠たちの青春」平野幸仁著　開文社出版　1987年
「世紀末のスタイル　アール・ヌーヴォーの時代と都市」海野弘著　美術公論社　1993年
「パリが沈んだ日　セーヌ川の洪水史」佐川美加著　白水社　2009年
「ウジェーヌ・アジェのパリ」ハンス・クリスティアン・アダム編　タッシェン・ジャパン2002年
「地獄の季節」アルチュール・ランボオ著　小林秀雄訳　岩波文庫　1970年
「ルソーの見た夢、ルソーに見る夢　アンリ・ルソーと素朴派、ルソーに魅せられた日本人美術家たち」展覧会図録　世田谷美術館、愛知県美術館、島根県立美術館、東京新聞編　2006年
Le Douanier Rousseau, Galeries nationales du Grand Palais, Paris, 14 septembre 1984-7 janvier 1985 / Museum of Modern Art, New York, 5 February-4 June 1985

Henri Rousseau: Jungles in Paris, Tate Modern, London, 3 November 2005-5 February 2006 / Galeries nationales du Grand Palais, Paris, 13 mars-19 juin 2006 / National Gallery of Art, Washington, 16 July-15 October 2006

Henri Rousseau, Fondation Beyeler, Basel, 7 February-9 May 2010

Henri Rousseau, The Customs Officer: Crossing the Border to Modernism, Götz Adriani, Yale University Press, New Haven and London, 2001

解説

高《たか》階《しな》秀《しゅう》爾《じ》

美術史とミステリーは相性がいい。

犯罪の種類、複雑な謎《なぞ》、謎解きの苦労と興奮、そして最後に真相という過程がよく似ている。

例えばテレビなどでもよく見る典型的な一例——。

冒頭いきなり死体が出て来る。人里離れた藪《やぶ》のなかとか神社の境内の隅、あまり目立たない場所で偶然の機会に発見される。事故でも自殺でもない。一見して明らかに殺人である。そこで警察の出動となる。まずは被害者の身許《みもと》調査、これが身分証明書や名刺などが全部抜き取られていて、容易にわからない。次いで遺留品の探索、目撃者探し、そしてもちろん遺体の詳しい調査を重ねて、次第に犯人像がしぼられてくる。そのうちに関係のありそうな怪しい人物が何人か浮かび上って、その一人一人について被害者とのかかわりを細かく調べ、やがて思いがけない結末に辿《たど》りつく。

似たようなことは、美術史研究の世界でもよく見られる。例えば田舎の古いお屋敷の屋根裏から、偶然のきっかけで一枚の絵が出て来る。題名もサインもないので、誰が何を描いたのかわからない。つまり、作品の身許が判然としない。そこで関連のありそうな記録を探したり、その絵がいつ誰によって屋根裏にしまわれたのか「来歴」を調べたり、もちろん作品そのものの様式分析を重ねたりしながら、真相に迫って行く。まさしく探偵の仕事である。

実際に美術品が犯罪に捲《ま》き込まれることも少くない。最も頻繁に起こるのは盗難事件である。かつて第一次世界大戦直前の時期、「モナ・リザ」がルーヴル美術館から盗まれて大騒ぎになったことがある。この時は幸いにも犯人は捕まり、作品は無事戻って来たが、第二次大戦後ボストンのイザベラ・スチュアート・ガードナー美術館から盗まれたフェルメールは、現在にいたるまで行方がわからない。名画を盗むのは誘拐事件とよく似ていて、多くの場合「身代金」を手に入れるためだから、できるだけ値を吊《つ》り上げようとして、人質（作品）は隠したまま容易に見せようとはしない。他方捜査陣にとっても、犯人の逮捕より作品を無事に取り戻すことが優先される。仮りに犯人の目星がついたとしても、直ちに踏み込むようなことはしない。アメリカのＦＢＩには盗まれた美術品を取り返す特別の部署があって、最近そこを退職した美術捜査官の回想記が出版されたが、それを読むと、捜査陣の方もチームを組んでいかにも裏社会の買い主のように装《よそお》って相手と虚々実々の駆け引きをする。

あるいは、贋作《がんさく》という厄介な問題もあるだろう。若い画家が勉強のために先輩の作品を模写することは昔からよくあったし、現在でも行われている。その結果出来上った作品は単なる「模写」であって、何の罪もない。しかしそれを本物と偽って売りつけたりすれば、立派な詐欺《さぎ》行為である。また時には、詐欺ではないが、画家が注文を受けて、同じような作品を二点三点と描く場合もある。それは画家自身の手になるものだから「模写」ではないし、といって「原作」でもない。通常この種の作品は「レプリカ」（異作）と呼ばれるが、画家によっては、充分了承の上で「レプリカ」制作を弟子に任せる場合があるので、話はややこしくなる。

その他にも、何らかの理由で作品を傷つける器物損壊罪にあたる行為も跡を絶たない。私が留学していた一九五〇年代には「モナ・リザ」は、他の作品と同じように裸かのままグランド・ギャラリーに並べられていた。ところがある時、いきなり石を投げつけた男がいた。現在では「モナ・リザ」は、防弾ガラスに覆《おお》われて特設の展示場に並べられている。

原田マハの『楽園のカンヴァス』は美術作品をめぐるミステリーである。しかしこれまでに書かれたどんな美術ミステリーとも違う。殺人事件が起きるわけではないし、派手な秘宝争奪戦が演じられるのでもない。もちろんミステリーである以上、魅惑的な謎があり思いがけない展開にも欠けていなくて、最後まで眼が離せないのだが、その謎は美術の、と言うよりも美神に憑《つ》かれた芸術家の創造力の根源に迫る鋭いもので、私はその発想の大胆さと、その謎の解明を核として豊かな物語を紡《つむ》ぎ出す筆力に唸《うな》らされた。

開巻冒頭われわれは、倉敷の大原美術館の監視員織絵とともに、シャヴァンヌの大作《幻想》の前にいる。織絵はアメリカで生まれ、パリで美術史を学んで、若くして博士号を取得し、学界から注目される研究者であったが、事情があって日本に戻り、アカデミズムの世界からも離れて監視員を勤める毎日を送っているという設定である。この織絵が小説の主役である。

時は十七年前の一九八三年に遡る。もう一人、物語のなかで重要な役割を演じるのが、ニューヨーク近代美術館（ＭｏＭＡ）のアシスタント・キュレーター、ティム・ブラウン。彼はその時、上司のチーフ・キュレーターが企画しているアンリ・ルソーの大展覧会準備の手伝いをさせられている。西と東、この二人の美術史研究者が、スイスの伝説的な富豪で大コレクターのバイラーに招かれたところから物語は転がり出す。バイラーは所蔵する名品を滅多に人に見せることがなく、貸し出しもしないので、その全容はわずかにそれを見ることのできた人の噂《うわさ》によって推察するのみで、「幻のコレクション」とされていた。そのバイラーが二人を呼んだのは、所蔵品のなかのルソーの作品の真贋鑑定を依頼するためである。織絵は当時すでにルソーに関する論文で、国際的に高い評価を得ていた。問題のルソー作品を見せられて二人は、思わず息を飲んだ。それは、MoMAが誇る《夢》とほとんど同じ構図の大作だったからである。ルソーが二点の《夢》を描いていたことなど、誰も知らない。いやあり得ない、と織絵は思った。かつて彼の生涯を徹底して調べ上げた織絵は、そう断言して間違いないと信じた。だがもしそうなら、ここにあるのは贋物だというのだろうか。それとも逆に、この作品こそ本物で、MoMA作品が偽物《にせもの》ということになるのだろうか。

バイラーが出した鑑定の条件というのが、また奇妙なものだった。許された期間は七日間、絵を見たのは初日と講評の最終日のみ。手がかりは古い一冊の本だけだが、二人がいっしょに見てはいけない。それを読んで判定を下し、その根拠を述べるようにというものである。つまり専門家二人を競わせようとしている。いわば鑑定の腕くらべである。

原田マハは、小さい時から絵が好きだった。大原美術館へは、小学校四年生の時、父に連れられてはじめて来たという。その時の印象を尋ねると言下に「ピカソの《鳥籠《とりかご》》に衝撃を受けた、何とヘタクソな絵だろうと」と答えた。そして家に帰って、「もっと上手く」鳥籠の絵を描いたという。小学校六年の時から高校卒業まで岡山にいたので、大原美術館とは馴染《なじ》みが深い。

その後、東京の森美術館の設立準備室に五年ほど勤め、半年間ＭｏＭＡに研修に行ったという。このような体験が美術館の仕事を肌で理解する現場感覚を養ったのであろう。そのことが物語に充分な現実感を与えている。そして最後にもうひとつ、大きなひねりが用意されていて、抒情《じょじょう》的余韻を響かせて物語は終る。見事な構成と言うべきであろう。

日本ではまだ類例の少い美術ミステリーの分野をさらに大きく拡げる仕事を期待したい。

（平成二十六年四月、大原美術館館長　美術評論家）

協力

大原美術館
ニューヨーク近代美術館
バイエラー財団
近藤千雅子（パリ）
伊藤ハンス（パリ）
Donald Mak（バーゼル）

この物語は史実に基づいたフィクションです。
作品は、二〇一二年一月新潮社より刊行されました。

原田マハ著　暗幕のゲルニカ

「ゲルニカ」を消したのは、誰だ？　世紀の衝撃作を巡る陰謀とピカソが筆に託したただ一つの真実とは。怒濤のアートサスペンス！

石田衣良著　6TEEN

あれから2年、『4TEEN』の四人組は高校生になった。初めてのセックス、二股恋愛、同級生の死。16歳は、セカイの切なさを知る。

角田光代著　さがしもの

「おばあちゃん、幽霊になってもこれが読みたかったの？」運命を変え、世界につながる小さな魔法「本」への愛にあふれた短編集。

佐々木　譲著　警官の条件

覚醒剤流通ルート解明を焦る若き警部・安城和也の犯した失策。追放された〝悪徳警官〟加賀谷、異例の復職。『警官の血』沸騰の続篇。

白石一文著　砂の上のあなた

亡父が残した愛人への手紙。それは砂上の出会いから続く「運命」の結実だった。果てなき愛への答えを示す、圧倒的長篇小説。

唯川　恵著　霧町ロマンティカ

別れた恋人、艶やかな人妻、クールな女獣医、小料理屋の女主人とその十九歳の娘……女たちに眩惑される一人の男の愛と再生の物語。

窪 美澄 著

ふがいない僕は空を見た

山本周五郎賞受賞・
R－18文学賞大賞受賞

秘密のセックスに耽る主婦と高校生。暴かれた二人の関係は周囲の人々を揺さぶり――。生きることの痛みを丸ごと包み込む傑作小説。

伊坂幸太郎著

ゴールデンスランバー

山本周五郎賞受賞
本屋大賞受賞

俺は犯人じゃない！ 首相暗殺の濡れ衣をきせられ、巨大な陰謀に包囲された男。必死の逃走。スリル炸裂超弩級エンタテインメント。

恩田 陸 著

中庭の出来事

山本周五郎賞受賞

瀟洒なホテルの中庭で、気鋭の脚本家が謎の死を遂げた。容疑は三人の女優に掛かるが。芝居とミステリが見事に融合した著者の新境地。

垣根涼介著

君たちに明日はない

山本周五郎賞受賞

リストラ請負人、真介の毎日は楽じゃない。組織の理不尽にも負けず、仕事に恋に奮闘する社会人に捧げる、ポジティブな長編小説。

重松 清 著

エイジ

山本周五郎賞受賞

14歳、中学生――ぼくは「少年A」とどこまで「同じ」で「違う」んだろう。揺れる思いを抱き成長する少年エイジのリアルな日常。

宮部みゆき著

火車

山本周五郎賞受賞

休職中の刑事、本間は遠縁の男性に頼まれ、失踪した婚約者の行方を捜すことに。だが女性の意外な正体が次第に明らかとなり……。

新潮文庫最新刊

篠原美季著
ヴァチカン図書館の裏蔵書
―贖罪の十字架―

悪魔vs.エクソシスト――壮絶な悪魔祓いを務める神父の死は、呪いか復讐か。本に潜む謎が「聖域」を揺るがすビブリオミステリー。

額賀澪著
獣に道は選べない

生きる道なんて誰も選べない。二匹の新米任俠が、互いの大切な人を守るため、夜の歌舞伎町を奔走する。胸の奥が熱くなる青春物語。

北方謙三著
絶影の剣
―日向景一郎シリーズ3―

隠し金山を守るため、奥州では秘かに一つの村の壊滅が図られていた。景一郎、侍の群れを迎え撃つ。さらに白熱する剣豪小説。

山本周五郎著
寝ぼけ署長

署でも官舎でもぐうぐう寝てばかりの〝寝ぼけ署長〟こと五道三省が人情味あふれる方法で難事件を解決する。周五郎唯一の警察小説。

岡潔著
森田真生編
数学する人生

自然と法界、知と情緒……。日本が誇る世界的数学者の詩的かつ哲学的な世界観を味わい尽す。若き俊英が構成した最終講義を収録。

二宮敦人著
最後の秘境　東京藝大
―天才たちのカオスな日常―

東京藝術大学――入試倍率は東大の約三倍、けれど卒業後は行方不明者多数？　謎に包まれた東京藝大の日常に迫る抱腹絶倒の探訪記。

楽《らく》園《えん》のカンヴァス

新潮文庫　は－63－1

平成二十六年七月一日発行
平成三十一年四月十五日十六刷

著者　原《はら》田《だ》マハ

発行者　佐藤隆信
発行所　株式会社新潮社
郵便番号　一六二－八七一一
東京都新宿区矢来町七一
電話　編集部(〇三)三二六六－五四四〇
　　　読者係(〇三)三二六六－五一一一
http://www.shinchosha.co.jp

価格はカバーに表示してあります。

乱丁・落丁本は、ご面倒ですが小社読者係宛ご送付ください。送料小社負担にてお取替えいたします。

印刷・大日本印刷株式会社　製本・加藤製本株式会社

ISBN978-4-10-125961-1　C0193